Er cof am Angie

I Alena

Cydnabyddiaethau

Rwy'n ddiolchgar iawn i lawer o bobl rydw i wedi'u cyfarfod drwy'r Dementia Advocacy and Support Network International a DementiaUSA, yn enwedig Peter Ashley, Alan Benson, Christine Bryden, Bill Carey, Lynne Culipher, Morris Friedell, Shirley Garnett, Candy Harrison, Chuck Jackson, Lynn Jackson, Sylvia Johnston, Jenny Knauss, Jaye Lander, Jeanne Lee, Mary Lockhart, Mary McKinlay, Tracey Mobley, Don Moyer, Carole Mulliken, Jean Opalka, Charley Schneider, James Smith, Jay Smith, Ben Stevens, Richard Taylor, Diane Thornton a John Willis. Mae eich deallusrwydd, eich dewrder, eich hiwmor, eich empathi a'ch parodrwydd i rannu'r hyn oedd yn brofiad bregus, dychrynllyd, gobeithiol ac addysgiadol wedi dysgu llawer i mi. Oherwydd eich storïau mae fy mhortread o Alys yn gyfoethocach ac yn fwy dynol.

Hoffwn yn arbennig ddiolch i James a Jay, sydd wedi rhoi cymaint i mi y tu hwnt i ffiniau clefyd Alzheimer a'r llyfr hwn.

Diolch i'r staff meddygol canlynol am eu hamser, eu gwybodaeth a'u dychymyg wrth i mi ymdrin â datblygiad dementia Alys:

Dr Rudy Tanzi a Dr Dennis Selkoe am eglurhad o fioleg foleciwlaidd y clefyd

Dr Alireza Atri am adael i mi ei ddilyn yn Uned Anhwylderau'r Cof yn Ysbyty Cyffredinol Massachusetts, ac am arddangos ei dosturi

Dr Doug Cole a Dr Martin Samuels am wybodaeth am ddiagnosis a thriniaeth ar gyfer clefyd Alzheimer

Sara Smith am ganiatáu i mi wylio profion niwroseicolegol

ara Hawley Maxam am egluro rôl y gweithiwr
ymdeithasol a'r Mass General's Caregivers' Support
Group

Erin Linnenbringer am fod yn ymgynghorydd genetig Alys
Dr Joe Maloney a Dr Jessica Wieselquist am chwarae rôl
meddyg Alys

Diolch i Dr Steven Pinker am roi cipolwg i mi ar fywyd fel
athro seicoleg yn Harvard ac i Dr Ned Sahin a Dr Elizabeth
Chua am bersbectif y myfyriwr.

Diolch i Dr Steve Hyman, Dr John Kelsey a Dr Todd Kahan
am ateb cwestiynau am Harvard a bywyd athro.

Diolch i Doug Coupe am rannu gwybodaeth am actio yn
Los Angeles.

Diolch i Martha Brown, Anne Carey, Laurel Daly, Kim
Howland, Mary MacGregor a Chris O'Connor am ddarllen
pob pennod, ac am eich sylwadau, eich anogaeth a'ch
brwdfrydedd.

Diolch i Diane Bartoli, Lyralen Kaye, Rose O'Donnell a
Richard Pepp am adborth golygyddol.

Diolch i Jocelyn Kelley yn Kelley & Hall am fod yn swyddog
cyhoeddusrwydd gwych.

Diolch enfawr hefyd i Beverly Beckham, a ysgrifennodd
adolygiad ardderchog a'm cyfeirio at Julia Fox Garrison.

Julia, diolch i ti. Gwnaeth dy haelioni newid fy mywyd.

Diolch i Vicky Bijur am fy nghynrychioli ac am fynnu fy
mod yn newid diwedd y stori. Diolch i Louise Burke, John
Hardy, Kathy Sagan ac Anthony Ziccardi am gredu yn y stori.

Yn olaf, diolch arbennig i aelodau'r teulu Genova am ddweud
wrth bawb am brynu copi o lyfr eu merch/nith/cefnder/
chwaer. Does neb gwell am farchnata yn y byd i gyd!

Hyd yn oed bryd hynny, dros flwyddyn ynghynt, roedd y niwronau yn ei phen, nid nepell o'i chlustiau, yn cael eu mygu i farwolaeth, yn rhy dawel iddi eu clywed. Byddai ambell un yn dadlau bod pethau'n mynd o chwith mor llechwraidd fel bod y niwronau eu hunain wedi dechrau ar daith a fyddai, yn y pen draw, yn eu dinistrio. Pa un ai mwrdwr moleciwlaidd ai celloedd yn lladd eu hunain oedd hynny, doedden nhw ddim wedi gallu'i rhybuddio cyn iddyn nhw farw.

Eisteddai Alys wrth ei desg yn ei llofft yn gwrando ar John yn mynd drwy bob ystafell fel corwynt. Ceisio gorffen ei hadolygiad o bapur a gyflwynwyd i'r *Journal of Cognitive Psychology* roedd hi cyn y byddai'n rhaid iddi droi am y maes awyr, ac roedd newydd ddarllen yr un frawddeg deirgwaith heb ei deall. Yn ôl ei chloc larwm, roedd hi'n 7:30 ac roedd hwnnw ddeg munud yn fuan. Gwyddai, yn ôl yr amser a gwylltineb cynyddol ei ymbalfalu, ei fod yn ceisio gadael, ond ei fod wedi anghofio rhywbeth ac yn methu'n deg â dod o hyd iddo. Tapiodd ei beiro goch ar ei gwefus isaf yn gytgord â'r rhifau digidol ar y cloc, gan wybod yn iawn beth a ddeuai nesaf.

"Ali?"

Ochneidiodd a thaflodd ei beiro ar y ddesg. Yn y lolfa ar ei liniau roedd o, yn ffureta o dan glustogau'r soffa.

"Goriade?" holodd hithau.

"Sbectol. Plis paid dechre. Dwi'n hwyr."

Dilynodd drywydd ei lygaid at y gornel, lle'r oedd yr hen

gloc mawr, oedd bob amser fel wats, yn dechrau taro wyth o'r
gloch. Dylai wybod yn well nag ymddiried yn hwnnw. Doedd
y clociau yn y tŷ fyth ar amser. Cawsai Alys ei thwyllo fwy nag
unwaith gan eu hwynebau rhadlon, ac roedd wedi dysgu ers
tro y dylai ddibynnu ar ei wats a dim arall. Wedi iddi fynd i'r
gegin, mynnai'r ffwrn nad oedd hi ond 6:52.

Edrychodd ar wyneb llyfn y garreg las, ac yno roedd y
sbectol, yn ymyl y fasged ffrwythau. Doedd hi ddim o dan
rywbeth, na'r tu ôl i rywbeth. Roedd hi yno, mor blaen â'r dydd.
Sut y gallai dyn mor glyfar, a gwyddonydd at hynny, fethu â
gweld beth oedd o flaen ei drwyn?

Wrth gwrs, roedd llawer o'i thrugareddau hithau wedi mynd
i guddio mewn mannau bach rhyfedd hefyd, ond doedd hi ddim
yn dweud hynny wrtho fo, a doedd hi ddim yn ei gynnwys o yn
yr helfa. Y dydd o'r blaen, yn ddiarwybod i John, treuliasai fore
cyfan yn chwilio drwy'r tŷ a thrwy'r swyddfa am gebl gwefru ei
BlackBerry. Yn y diwedd, bu'n rhaid iddi fynd i forol am un
newydd o'r siop, dim ond i ganfod yr hen un yn ddiweddarach y
noson honno yn y soced drydan wrth ei gwely. Gormod ar blât
y ddau ohonyn nhw, dyna oedd o. A mynd yn hen.

Safai yntau wrth y drws, yn syllu ar y sbectol yn ei llaw, ond
nid arni hi.

"Y tro nesa, tria esgus mai dynes wyt ti," meddai Alys gan
wenu.

"Mi wna i wisgo un o dy ffrogie di. Alys, tyrd, dwi'n hwyr
rhacs."

"Mae'r ffwrn yn deud fod gen ti hen ddigon o amser,"
meddai, gan estyn y sbectol iddo.

"Diolch."

Cythrodd am y sbectol fel petai mewn ras gyfnewid a
brasgamu am y drws ffrynt.

"Fyddi di yma pan ddof adre nos Sadwrn?" holodd yn ei gefn wrth iddo brysuro drwy'r cyntedd.

"Sa i'n gwbod. Mae 'da fi ddiwrnod mowr yn y lab ddydd Sadwrn."

Cododd ei gês gwaith o'r llawr, a'i ffôn a'i allweddi o'r bwrdd bach wrth y drws.

"Siwrne dda iti. Rho gwtsh i Lydia a chofia fi ati. Tria beidio cwympo mas â hi," meddai John.

Gwelodd lun y ddau ohonyn nhw yn y drych – dyn tal, gosgeiddig, gyda gwallt pupur a halen a sbectol; dynes fechan, gwallt cyrliog, a'i breichiau ymhleth, y naill a'r llall yn barod i neidio i bwll diwaelod o gega. Crensiodd ei dannedd a llyncodd ei phoer, gan orfodi ei hun i ddal yn ôl.

"Mae sbel ers inni weld ein gilydd yn iawn. Alli di drio bod adre?" gofynnodd.

"Dwi'n gwbod. Ie, dria i."

Cusanodd hi, ac er ei fod o'n daer am fynd, daliodd y gusan honno am eiliad yn hwy nag oedd raid. Tasai hi ddim yn gwybod yn well, mi fyddai wedi rhamanteiddio'r gusan honno. Gallai fod wedi sefyll yno'n obeithiol, yn meddwl ei fod o'n trio dweud wrthi, *Dwi'n dy garu di. Wela i dy isie di.* Ond wrth i'w llygaid ei ddilyn i lawr y stryd, gwyddai ym mêr ei hesgyrn ei fod wedi dweud wrthi, *Dwi'n dy garu di ond plis paid bod yn flin pan fydda i ddim gartre nos Sadwrn.*

Roedden nhw'n arfer cerdded efo'i gilydd i Barc Harvard bob bore. O'r holl bethau roedd hi'n eu hoffi am weithio o fewn tafliad carreg i'w cartref, ac yn yr un brifysgol, ei hoff beth oedd cerdded fel hyn efo'i gilydd. Bydden nhw wastad yn stopio yng nghaffi Jerri – coffi du iddo fo, te a lemwn iddi hi, oer neu boeth, yn dibynnu ar y tywydd – ac yna bydden nhw'n anelu am Barc Harvard gan drafod eu hymchwil a'u darlithoedd, problemau prifysgol, eu plant neu eu cynlluniau at fin nos. Roedden nhw hyd yn oed yn dal dwylo'i gilydd pan briodon nhw gyntaf. Roedd hi wrth ei bodd yn y boreau bodlon hynny efo fo, cyn i bwysau dyddiol eu swyddi a'u huchelgeisiau eu llethu a'u blino.

Ond ers tro bellach, cerddai'r ddau i'r brifysgol ar wahân. Bu Alys yn byw fel trafaeliwr te drwy'r haf, yn teithio i gynadleddau seicoleg yn Rhufain, New Orleans a Miami, ac yn arholi traethawd doethuriaeth yn Princeton. Yn y gwanwyn, roedd John, ar awr annaearol bob bore, wedi gorfod dawnsio tendans ar ryw gelloedd yr oedd yn eu meithrin. Doedd ganddo ddim ffydd yn ei fyfyrwyr i allu bod yno'n brydlon bob bore, felly fo oedd yn mynd. Allai Alys ddim cofio beth oedd y rhesymau cyn y gwanwyn, dim ond bod pob un yn ymddangos yn ddigon rhesymol a byrhoedlog ar y pryd.

Dychwelodd at y papur ar ei desg. Allai hi ddim canolbwyntio. Roedd y ffrae nad oedd hi wedi'i chael â John am Lydia, eu merch ieuangaf, yn ei chnoi. Pam na allai o sefyll yn ei chornel am unwaith? Aeth drwy'r papur yn frysiog, gan wybod nad oedd yn cyrraedd ei safon arferol, ond byddai'n rhaid iddo wneud y tro. Doedd ganddi ddim amser ac roedd ei meddwl ar chwâl. Wedi iddi orffen ei sylwadau a'i hawgrymiadau, rhoddodd y gwaith mewn amlen a'i selio, a hynny'n euog braidd. Beth petasai hi heb weld gwall yn nehongliad neu gynllun yr astudiaeth? Damia John.

Ailbaciodd ei chês, er nad oedd wedi'i wagio'n iawn ers ei thrip diwethaf. Doedd teithio ddim yn rhoi cymaint o wefr iddi erbyn hyn. Dim ond llond llaw o wahoddiadau oedd yng nghalendr yr hydref, ac roedd hi wedi trefnu'r rhan fwyaf ar ddydd Gwener pan nad oedd hi'n dysgu. Fel fory. Fory, hi fyddai'r prif ddarlithydd gwadd mewn cynhadledd seicoleg wybyddol yng Nghaliffornia. Wedyn, byddai'n mynd i weld Lydia.

Lle digon hawdd ei ganfod oedd Neuadd Cordura, Prifysgol Stanford. Adeilad gwyn ac iddo do o glai coch oedd y neuadd, ar gornel Campus Drive West a Panama Drive. Tyfai coed a phlanhigion ir o'i amgylch, a bron na thybiai Alys am funud ei bod yn y Caribî. Gwyddai ei bod yn llawer rhy gynnar, ond mentrodd i mewn beth bynnag, gan feddwl cael lle tawel i adolygu'i darlith.

Er mawr syndod iddi, roedd yr ystafell dan ei sang. Roedd haid go egr o gwmpas y bwrdd bwffe, fel gwylanod ar lwgu. Cyn y gallai sleifio i mewn, gwelodd Josh yn sefyll yn stond yn ei llwybr. Roedd hi'n ei adnabod o'i dyddiau coleg yn Harvard, ac nid oedd wedi newid o gwbl.

"Hyn oll er fy mwyn i?" gofynnodd Alys yn chwareus.

"Rydyn ni'n bwyta fel hyn bob dydd, wrth gwrs," atebodd yntau yr un mor chwareus. "Dathlu llwyddiant un o'n seicolegwyr yden ni. Mi gafodd o joban barhaol ddoe. Sut mae pethe yn Harvard?"

"Iawn, 'sti."

"Alla i ddim credu dy fod ti'n dal yn fanno ar ôl yr holl amser. Dylet ti ddod yma. Gwell tywydd!"

"Falle. Ti byth yn gwbod! Popeth yn iawn efo ti?"

"Ffantastig. Tyrd draw i'r swyddfa ar ôl y ddarlith i weld ein data diweddaraf. Gei di dy synnu."

"Sori, alla i ddim. Dwi'n gorfod mynd i LA ar fy union," meddai. Diolchodd i'r drefn fod ganddi esgus parod.

"O, dyna biti. Mi gollais dy ddarlith y tro dwytha roeddet ti yn y gynhadledd yma."

"Paid â phoeni, mi glywi di dalp go lew ohoni hi heddiw."

"Ailgylchu dy stwff, ie?"

Cyn y gallai ateb, achubwyd hi gan Gordon Miller, pennaeth yr adran, a ddaeth draw i ofyn i Josh weini'r siampên. Roedd cael swydd barhaol yn garreg filltir fawr yng ngyrfa darlithwyr prifysgol America.

Pan oedd cwpan gan bawb, camodd Gordon at y meic uwchben y ddarllenfa. "Ga i sylw pawb am eiliad?"

Atseiniodd chwerthiniad uchel a chras Josh drwy'r ystafell yn union cyn i Gordon barhau.

"Heddiw, rydyn ni'n llongyfarch Mark ar gael swydd barhaol. Llongyfarchiadau mawr iddo. I Mark!"

"I Mark!"

Cododd Alys ei chwpan fel pawb arall, ac aeth pawb rhagddynt â'r busnes o wledda ac yfed a thrafod. Pan oedd pob briwsionyn wedi'i fwyta a diferion olaf y siampên wedi'u hyfed, cododd Gordon unwaith eto.

"A fyddech chi cystal â chanfod sedd er mwyn inni ddechrau ar y drafodaeth?"

Arhosodd am funud neu ddwy i'r saith deg neu ragor eistedd ac ymdawelu.

"Heddiw, rwy'n hynod falch o gael y cyfle i'ch cyflwyno chi i siaradwr cynta'r flwyddyn, Dr Alys Howland. Hi yw Athro Seicoleg William James ym Mhrifysgol Harvard. Bu'n gweithio yn y maes ers chwarter canrif, ac yn ystod ei gyrfa ddisglair hi fu'n gyfrifol am rai o'r prif gonglfeini ym maes seicoieithyddiaeth. Roedd ar flaen y gad o ran cyflwyno dull amlddisgyblaethol ac integredig o astudio agweddau ar ieithyddiaeth. Yn wir, mae'n dal i arloesi yn hynny o beth. Braint yw ei chroesawu i'n plith heddiw i siarad am y cysyniadau ym maes trefnu iaith."

Cododd Alys, a ffeirio lle â Gordon, ac edrych ar y môr o wynebau yn syllu arni. Wrth aros i'r gymeradwyaeth dawelu, meddyliodd iddi glywed rywbryd fod gan bobl lai o ofn marw na siarad yn gyhoeddus. I'r gwrthwyneb, roedd hi wrth ei bodd. Roedd hi'n mwynhau pob elfen o gyflwyno i gynulleidfa – addysgu, perfformio, dweud stori, dechrau dadl. Po fwyaf y risg, po fwyaf soffistigedig neu elyniaethus y gynulleidfa, mwyaf oll yr oedd y profiad yn rhoi gwefr iddi. Roedd John yn athro penigamp, ond roedd codi a siarad yn gyhoeddus yn ei ddychryn, a rhyfeddai at frwdfrydedd Alys.

"Diolch, Gordon. Heddiw, mi fydda i'n siarad am rai o'r prosesau meddyliol sydd wrth wraidd caffael, trefnu a defnyddio iaith."

Er bod Alys wedi traddodi sgerbwd y ddarlith hon lawer gwaith o'r blaen, nid ailgylchu oedd hynny iddi hi. Gwreiddyn y ddarlith oedd prif elfennau ieithyddiaeth. Hi oedd wedi canfod llawer o'r rheini, a bu'n defnyddio llawer o'r un sleidiau ers blynyddoedd. Ond nid diogi oedd hynny, a doedd ganddi ddim cywilydd chwaith. Roedd hi'n falch, yn falch bod y pethau hyn a ddarganfu yn parhau yr un mor ddilys. Roedd ei chyfraniadau yn bwysig ac yn hybu canfyddiadau eraill.

Aeth ymlaen heb orfod edrych ar ei nodiadau, yn hwylus a bywiog, yn gwbl ddigymell. Yna, a hithau'n cyrraedd diwedd ei chyflwyniad, cododd wal ddiadlam o'i blaen.

"Mae'r data yn dangos bod yn rhaid i ferfau afreolaidd gael mynediad i'r ..."

Fedrai hi yn ei byw gofio'r gair. Gwyddai'n fras beth roedd hi am ei ddweud, ond roedd y gair ei hun wedi mynd. Wedi diflannu'n llwyr. Wyddai hi ddim beth oedd y llythyren gyntaf, sut sŵn oedd i'r gair na faint o sillafau oedd ganddo. Doedd o ddim ar flaen ei thafod nac yn unman arall.

Efallai mai ar y siampên roedd y bai. Ni fyddai fel arfer yn yfed alcohol cyn annerch cynulleidfa. Hyd yn oed pe byddai'r ddarlith wedi'i serio ar ei chof, roedd hi eisiau bod mor siarp â phosib bob amser, yn enwedig ar gyfer y sesiwn holi ac ateb ar y diwedd a allai fod yn llawn cynnen a gwrthdaro a'r dadlau'n eirias boeth. Ond doedd hi ddim am dramgwyddo neb, ac roedd wedi yfed ychydig yn fwy nag y bwriadai yn ystod y fagl o sgwrs gyda Josh.

Efallai fod y daith awyren wedi effeithio arni. Wrth i'w meddwl ymbalfalu am y gair, a rheswm call pam roedd o wedi'i heglu hi, roedd ei chalon yn curo fel gordd a'i hwyneb fel tân. Chollodd hi erioed air o flaen cynulleidfa o'r blaen. Doedd hi ddim wedi mynd i banig o flaen cynulleidfa erioed chwaith, ac roedd wedi sefyll o flaen digon o gynulleidfaoedd mwy o faint a mwy gelyniaethus na hon. Anadla, meddai wrthi'i hun, anghofia amdano fo.

Mwmialodd rywbeth yn lle'r gair coll, gadawodd pa bwynt bynnag roedd hi wedi bwriadu'i wneud, ac aeth ymlaen i'r sleid nesaf. Roedd y saib yn hir ac amlwg iddi hi, ond ni allai weld embaras na chynnwrf o unrhyw fath yn yr wynebau o'i blaen. Yna, gwelodd Josh yn sibrwd rhywbeth yng nghlust y ddynes agosaf ato, ei aeliau'n crychu a gwên gynnil ar ei wefusau.

Ar yr awyren yn disgyn i Los Angeles, LAX, daeth y gair i'w phen fel symbal.

Lexicon.

Bu Lydia yn byw yn Los Angeles ers tair blynedd. Pe byddai wedi mynd i'r brifysgol ar ei hunion o'r chweched dosbarth, byddai wedi graddio erbyn hyn. Byddai Alys wedi bod yn browd iawn ohoni. Roedd mwy ym mhen Lydia na'i brawd a'i chwaer hŷn, ac roedd y rheini wedi cael coleg, ac wedi graddio yn y gyfraith ac ym myd meddygaeth.

Yn hytrach na mynd i'r brifysgol, aethai Lydia i drafaelio drwy Ewrop. Gobeithiai Alys y deuai adref yn medru gweld pethau'n gliriach. Yn lle hynny, roedd wedi cael blas ar actio ac wedi mopio'i phen â rhyw ddyn. Symudodd ar unwaith i Los Angeles.

Bu bron i Alys fynd o'i cho'. Ynghanol ei rhwystredigaeth, gwyddai fod ganddi hithau ran yn y broblem. Oherwydd mai Lydia oedd y cyw melyn olaf, a hwythau, ei rhieni, yn gweithio bob awr o'r dydd ac yn teithio'n rheolaidd, a Lydia, hithau, yn gwneud yn dda yn yr ysgol, roedden nhw wedi'i hanwybyddu i raddau helaeth. Cawsai ormod o ryddid, gormod o amser i feddwl drosti'i hun, yn rhydd o'r ffrwynau a roddid ar lawer o blant ei hoed hi. Roedd bywydau proffesiynol ei rhieni yn esiamplau clodwiw o'r hyn y gellid ei ennill drwy osod nodau uchel ac ymgyrraedd atynt drwy lafur ac angerdd. Deallai Lydia gyngor ei mam am bwysigrwydd addysg brifysgol, ond roedd yn ddigon hy a beiddgar i'w wrthod.

Heblaw hynny, doedd Lydia ddim yn y gornel ar ei phen ei hun. Y ffrae fwyaf a gawsai Alys â John erioed oedd honno ynghylch ei geiniogwerth yntau ar y mater: *Rwy'n meddwl bod hyn yn grêt, gallith fynd i'r coleg wedyn os dyna fydd ei dewis.*

Chwiliodd Alys gof ei threfnydd electronig, y BlackBerry, am y cyfeiriad, canodd gloch fflat rhif saith, ac arhosodd. Roedd ar fin ei chanu eto pan ddaeth Lydia i'r drws.

"Mam, chi'n gynnar," meddai Lydia.

Edrychodd Alys ar ei wats.

"Dwi yma ar y dot."

"Ddwedoch chi mai am wyth roedd yr awyren yn glanio."

"Pump o'r gloch ddwedes i."

"Nage, wyth. Mae o yn fy nghalendr i."

"Lydia, yli, mae'n chwarter i chwech. Dwi yma."

Am funud, wyddai Lydia ddim ble i droi, fel sgwarnog yng ngolau car.

"Sori, sori. Dowch i mewn."

Bu eiliad letchwith cyn i'r ddwy gofleidio'i gilydd, fel petaent ar fin ymarfer dawns newydd ac yn ansicr o'r camau cyntaf, a phwy ddylai arwain. Ond efallai mai hen ddawns oedd hi, a hwythau heb ei pherfformio ers cyhyd.

Gallai Alys deimlo'r rhigolau ym meingefn Lydia drwy'i blows. Edrychai'n rhy denau, o leiaf ddeg pwys yn ysgafnach nag y cofiai Alys hi. Gobeithiai mai prysurdeb oedd y rheswm am hynny, ac nid hen ddeiet gwirion. Yn nhraed ei sanau, safai Lydia drwch blewyn o dan chwe throedfedd, yn llawer talach nag Alys. Tynnai'r benfelen dal sylw yn Cambridge, Massachusetts, ond roedd y clyweliadau yn Los Angeles yn llawn o ferched digon tebyg iddi.

"Dwi wedi bwcio lle i fwyta am naw. Arhoswch fan'ma. Bydda i'n ôl yn y munud."

O'r cyntedd, trawodd Alys gipolwg ar y gegin a'r lolfa. Rhyw bethau o ocsiynau a siopau ail-law oedd y dodrefn yn ôl pob tebyg, ond rywfodd roedden nhw'n gweddu i'w gilydd – soffa oren, bwrdd coffi o'r chwedegau, bwrdd a chadeiriau syml fel rhai Ercol ers talwm. Doedd yno ddim ar y waliau heblaw poster o Marlon Brando wedi'i selotepio uwchben y soffa. Gallai Alys arogleuo rhyw ffresni cemegol, fel petai Lydia wedi bod wrthi'n glanhau ar y funud olaf.

A dweud y gwir, roedd y lle'n llawer rhy lân. Doedd dim DVDs na chrynoddisgiau hyd y lle, dim llyfrau na chylchgronau ar y bwrdd coffi, dim lluniau ar yr oergell, dim arlliw o fywyd Lydia yn unman. Gallai fod yn gartref i unrhyw un. Yna, sylwodd Alys ar y pentwr o esgidiau dynion i'r chwith o'r drws.

"Pwy sy'n byw fan'ma efo ti?" holodd pan ddaeth Lydia'n ei hôl a'i ffôn yn ei llaw.

"Dau ddyn. Maen nhw'n gweithio."

"Be maen nhw'n neud?"

"Mae un yn cadw bar ac mae'r llall yn cludo bwyd o le i le."

"Roeddwn i'n meddwl mai actorion oedden nhw."

"Dyna ydyn nhw."

"Wela i. Be ydi'u henwau nhw, 'te?

"Doug a Malcolm."

Mewn amrantiad, gwelodd Alys fflach, ac yn yr un amrantiad, gwyddai Lydia iddi weld y fflach honno. Cochodd bochau Lydia pan enwodd hi Malcolm, ac ni allai ddal llygaid ei mam.

"Awn ni? Ddwedodd y bwyty y gallwn ni fynd yno'n gynt," meddai Lydia.

"Ocê, ond dwi am bicied i'r tŷ bach yn gynta."

Wrth i Alys olchi'i dwylo, astudiodd y cynhyrchion ar y bwrdd wrth y sinc – hylifau Neutrogena, past dannedd, caniau diaroglydd dynion, bocs o damponau Tampax. Meddyliodd am funud. Oedd hi wedi cael ei mislif yn ddiweddar? Allai hi ddim cofio. Byddai hi'n hanner cant y mis nesaf, doedd hi ddim yn poeni'n ormodol. Doedd hi ddim wedi cael y chwysfa na dim byd felly, chwaith, ond hyd y gwyddai doedd hynny ddim yn digwydd i bawb.

Estynnodd am y lliain a sylwodd ar y bocs o gondomau y tu ôl i gynnyrch gwallt Lydia. Byddai'n rhaid iddi holi rhagor am y dynion oedd yn byw yn y fflat. Yn enwedig Malcolm.

"Sut mae papur Dad ar gyfer *Science* yn dod yn ei flaen?" holodd Lydia. Eisteddai'r ddwy gyda'u diodydd allan ar y patio yn yr Ivy, un o fwytai trendi LA. Rhaid ei bod wedi siarad â'i thad yn ddiweddar, meddyliodd Alys. Ni chlywsai Alys air ganddi ers yr alwad ffôn ar Sul y Mamau.

"Mae o wedi gorffen. Mae o'n fodlon iawn ag o."

"Sut mae Anna a Tom?"

"Da, prysur, gweithio'n galed. Sut wnest ti gwrdd â Doug a Malcolm?"

"Mi ddaethon nhw i Starbucks un noson pan oeddwn i ar shifft yno."

Daeth y gweinydd i'r golwg ac archebodd y ddwy swper a rhagor o ddiodydd. Gobeithiai Alys y byddai'r alcohol yn lleddfu'r tensiwn a orweddai yn driog trwchus o dan bapur sidan tenau'r sgwrs.

"Sut wnest ti gwrdd â Doug a Malcolm?" holodd.

"Dwi newydd ddeud wrthoch chi. Gwrandewch am unweth. Daethon nhw i Starbucks un noson pan oeddwn i'n gweithio. Glywais i nhw'n siarad am gael rhywun i rannu fflat."

"Rown i'n meddwl dy fod ti'n gweini mewn bwyty."

"Dwi'n gwneud hynny hefyd. Dwi'n gweithio yn Starbucks yn ystod yr wythnos ac yn gweini nos Sadwrn."

"Dydi hynny ddim yn gadael llawer o amser iti actio, nac ydi?"

"Does gen i ddim rhan ar hyn o bryd, ond dwi'n mynd i ddosbarthiade, a lot fawr o glyweliade."

"Pa fath o ddosbarthiade?"

"Techneg Meisner."

"A be ydi'r clyweliade?"

"Teledu a phrint."

Cododd Alys weddill ei gwydr gwin ac yfed y cwbl oedd ynddo. Sychodd ei gwefusau â'i napcyn. "Lydia, be'n union ydi dy blanie di?"

"Dwi ddim yn pasa aros 'ma am byth, os dyna rydych chi'n ei feddwl."

Roedd yr alcohol yn cael effaith, ond nid fel roedd Alys wedi'i fwriadu. Yn lle hynny, taniai fymryn bach o'r papur sidan gyda phob diferyn, gan adael y tensiwn rhyngddyn nhw yn gwbl noeth, ac yn llywio sgwrs a oedd yn beryglus o gyfarwydd.

"Alli di ddim byw fel hyn am byth. Wyt ti'n dal yn bwriadu gweithio yn Starbucks pan fyddi di'n ddeg ar hugen?"

"Mae hynna wyth mlynedd i ffwrdd! Ydech chi'n gwybod beth fyddwch chi'n ei wneud mewn wyth mlynedd?"

"Ydw, dwi *yn* gwybod. Rhaid iti ddechrau cymryd cyfrifoldeb; rhaid iti allu fforddio pethau fel yswiriant iechyd – os mai yn LA fyddi di – morgais, cynilo ar gyfer ymddeol —"

"Mae gen i yswiriant iechyd. Pwy a ŵyr, falle wna i lwyddo efo'r actio. Ac mae actorion yn gwneud llawer iawn mwy o bres na chi a Dad efo'i gilydd."

"Mae mwy i hyn na phres."

"Be 'te? Fy mod i ddim fel chi?"

"Paid â gweiddi."

"Peidiwch â dweud wrtha i beth i'w wneud."

"Dim isio iti fod fel fi ydw i, Lydia. Dwi jyst ddim isio iti gyfyngu ar dy ddewisiade."

"Rydych chi isio gwneud fy newisiade drosta i."

"Nac ydw."

"Dyma pwy ydw i, a dyma be dwi isio'i wneud."

"Gwneud *capuccinos* a *lattes* i bobl eraill, ie? Dylet ti fod mewn coleg. Dylet ti ddechrau dysgu rhywbeth."

"Dwi *yn* dysgu rhywbeth! Yr unig wahaniaeth ydi 'mod i ddim yn gwneud hynny mewn rhyw ystafell boring yn hanner lladd fy hun yn trio cael dosbarth cyntaf mewn gwyddoniaeth.

Dwi'n mynd i ddosbarth actio hollol wych am bymtheg awr yr wythnos. Faint o oriau mae'ch myfyrwyr chi yn ei gael? Deuddeg?"

"Dydi hynny ddim yr un peth."

"Ydi, mae o. Ac mae Dad yn meddwl yr un peth. Fo sy'n talu am hyn i gyd."

Gwasgodd Alys ei dyrnau i'w choesau dan y bwrdd, a brathodd ei thafod.

"Dydych chi erioed wedi fy ngweld i'n actio, beth bynnag."

Yn wahanol i John. Roedd o wedi hedfan allan y gaeaf diwethaf i weld drama yr oedd hi'n rhan ohoni. Ar y pryd, roedd gan Alys ormod ar ei phlât. Wrth iddi weld y boen yn llygaid Lydia, allai hi ddim cofio rŵan beth yn union oedd y pethau pwysig hynny. Doedd ganddi ddim byd yn erbyn gyrfa fel actores, ond roedd hi'n credu bod penderfyniad unllygeidiog ei merch i fynd ar y trywydd hwnnw yn wirion bost. Os na châi hi addysg brifysgol rŵan, dysgu rhywbeth, neu gael hyfforddiant ffurfiol mewn rhyw faes, beth fyddai ei hanes pe na byddai hi'n llwyddo efo'r actio?

Cofiodd Alys am y condomau yn y bathrwm. Beth petasai Lydia'n beichiogi? Poenai Alys y byddai Lydia'n ei chael ei hun ryw ddydd mewn magl o fywyd a'i gobeithion yn chwilfriw. Edrychai ar ei merch, a gwelai gymaint o botensial a chymaint o amser yn cael ei wastraffu.

"Dwyt ti'n mynd ddim iau, Lydia. Mae bywyd yn gwibio heibio, wyddost ti."

"Dwi'n gwybod."

Pan osodwyd y bwyd o'u blaenau, estynnodd yr un ohonyn nhw ato. Sychodd Lydia'i llygaid â'i napcyn. Yr un frwydr oedd hi bob tro, a theimlai Alys fel petaent yn bwrw'u talcen ar wal goncrid. Ddeuai dim da o hynny, dim ond loes. Pam na allai

Lydia weld y cariad yn yr hyn roedd arni ei eisiau ar ei chyfer? Pam na allai estyn ar draws y bwrdd a chofleidio'i merch? Ond roedd pellterau o lestri, gwydrau a blynyddoedd rhyngddyn nhw.

Tynnwyd sylw'r ddwy gan ryw halibalŵ yr ochr draw i'r ystafell. Cleciai camerâu a llygadrythai criw o westeion a staff gweini ar ddynes a oedd yn ddigon tebyg i Lydia.

"Pwy ydi honna?" holodd Alys.

"Mam," atebodd Lydia, a thôn ei llais yn nawddoglyd ac yn diferu cywilydd yr un pryd. Roedd hi'n feistres ar hynny ers ei harddegau cynnar. "Jennifer Aniston ydi honna."

Trodd y ddwy at eu swper gan sgwrsio am bethau saff, fel y bwyd a'r tywydd. Roedd Alys ar bigau eisiau gwybod mwy am berthynas Lydia â Malcolm, ond roedd emosiynau Lydia yn gwreichioni o hyd, ac ofnai Alys gynnau coelcerth arall. Talodd y bil, ac aeth y ddwy allan o'r bwyty i'r nos, yn llawn ond heb eu digoni.

"Excuse me, ma'am!"

Rhedai gweinydd tuag atynt, yn chwifio rhywbeth.

"You left this."

Syllodd Alys yn ddiddeall ar ei BlackBerry. Sut yn y byd roedd hwnnw yn nwylo'r gweinydd? Doedd hi ddim wedi edrych ar ei negeseuon yn y bwyty. Teimlodd gorneli'i bag. Nid oedd golwg o'r BlackBerry. Rhaid ei bod wedi'i dynnu allan gyda'i phwrs wrth dalu.

"Thank you."

Edrychodd Lydia arni'n chwilfrydig, fel petai am ddweud rhywbeth am rywbeth heblaw'r bwyd a'r tywydd, ond wnaeth hi ddim. Cydgerddodd y ddwy'n ôl i'r fflat heb dorri gair.

*

"John?"

Safai Alys yn y cyntedd a'i chês yn ei llaw. Gorweddai'r *Harvard Magazine* ar ben pentwr o bost heb ei agor. Ticiai'r cloc yn yr ystafell fyw, a mwmialai'r oergell yn y gegin. Mwythai haul diwedd y prynhawn ei chefn, ond o'i blaen teimlai'r aer yn oeraidd, pŵl a mwll. Fel tŷ gwag.

Cododd y post a chamu draw i'r gegin, ei chês ar olwynion yn ei dilyn fel ci. Roedd yr awyren wedi'i gohirio, ac roedd hi'n hwyr yn cyrraedd, hyd yn oed yn ôl y cloc ar y microdon. Cawsai John ddiwrnod cyfan, dydd Sadwrn cyfan, i weithio.

Syllai golau coch y peiriant ateb arni'n ddisymud. Edrychodd ar yr oergell. Dim nodyn ar y drws. Affliw o ddim.

Safodd yno a handlen ei chês yn ei dwrn yn gwylio sawl munud yn mynd heibio ar y microdon. O dipyn i beth, disodlwyd y llais bach siomedig, ond maddeugar, yn ei phen gan rywbeth llawer mwy cyntefig. Cysidrodd ei ffonio, ond gwrthododd y llais y cynnig hwnnw ar unwaith, ynghyd â phob esgus posib. Ceisiodd beidio â malio, ond roedd y llais, a oedd erbyn hyn yn ymdreiddio drwy bob gewyn ac asgwrn yn ei chorff, yn rhy rymus i'w anwybyddu.

Pam roedd hi'n malio gymaint? Ynghanol arbrawf roedd o, ac yn methu â'i adael. Bu hithau yn yr un sefyllfa droeon. Dyma beth roedden nhw'n ei wneud. Dyma pwy oedden nhw. Y ffŵl gwirion, meddai'r llais.

Gwelodd ei hesgidiau rhedeg wrth y drws cefn. Penderfynodd fynd i redeg. Siawns na fyddai'n teimlo'n well wedyn.

Bob cyfle a gâi, byddai'n rhedeg. Ers blynyddoedd bellach, roedd rhedeg yn gymaint rhan o'i bywyd â bwyta ac yfed a chysgu. Ambell dro, bu'n rhedeg ganol nos ac unwaith ynghanol storm eira hyd yn oed. Ond ni fu'n rhedeg ers rhai misoedd bellach. Bu'n rhy brysur. Wrth iddi glymu'i chareiau, ceisiodd ddarbwyllo'i hun nad oedd wedi mynd â'i hesgidiau gyda hi i Galiffornia am ei bod yn gwybod na fyddai ganddi amser i redeg. Mewn gwirionedd, wedi anghofio eu pacio roedd hi.

Wrth gychwyn o'i chartref ar Stryd Poplys, byddai fynychaf yn dilyn yr un llwybr – i lawr Coedlan Mass, drwy Sgwâr Harvard i Memorial Drive, ar hyd afon Charles i Bont Harvard ac yn ôl – pellter o ryw bum milltir, tua thri chwarter awr. Bu arni awydd rhedeg Marathon Boston ers tro, ond penderfynai bob blwyddyn nad oedd ganddi amser i ymarfer ar gyfer y pellter hwnnw. Rhyw ddydd. Roedd Alys yn neilltuol o heini o ystyried ei hoedran, a dychmygai ei hun yn rhedeg ymhell dros ei thrigain.

Roedd y palmentydd a'r lonydd o boptu Sgwâr Harvard yn orlawn y prynhawn Sadwrn hwnnw. Safai tyrfaoedd ar gorneli'r strydoedd yn aros am yr arwydd i groesi, y tu allan i fwytai yn aros am fyrddau, y tu allan i theatrau yn aros am docynnau, ac mewn ceir yn aros am le parcio. Roedd angen iddi fod o gwmpas ei phethau a chanolbwyntio'n ofalus yn ystod y deg munud cyntaf, ond wedi iddi gyrraedd yr afon, gallai redeg yn rhydd a gadael i'w meddwl grwydro.

Fel gyrrwr profiadol ar ffordd gyfarwydd, ychydig a sylwai Alys ar yr hyn a ddigwyddai o'i hamgylch. Wrth iddi redeg ar hyd glan yr afon, daeth yn ymwybodol o guriad ei gwadnau yn cadw rhythm â thrymder ei hanadl. Anghofiodd am ei ffrae â Lydia. Anwybyddodd gwynfan ei stumog wag. Anghofiodd am John. Rhedodd.

Yn ôl ei harfer, rhoddodd y gorau i redeg wedi iddi gyrraedd lawntiau perffaith Parc John F. Kennedy. Roedd ei phen bellach yn glir a theimlai iddi fwrw'i blinder. Dechreuodd gerdded adref drwy'r parc i gyfeiriad Sgwâr Harvard, ar hyd coedlan brydferth rhwng Gwesty'r Charles ac Ysgol Lywodraeth Kennedy.

Ym mhen eithaf y goedlan, wrth iddi sefyll ar fin y palmant yn barod i groesi, bachodd dynes ei braich fel gefel, a gofyn iddi, "Have you thought about heaven today?" Syllai'r ddynes yn daer i fyw llygaid Alys. Roedd ganddi wallt hir fel brws sgwrio a gwisgai gardfwrdd ar draws ei brest yn dwyn y geiriau AMERICA REPENT, TURN TO JESUS FROM SIN. Roedd rhywun wastad yn gwerthu Duw yn Sgwâr Harvard, ond ni chawsai Alys erioed ei dethol mor uniongyrchol ac mor bersonol o'r blaen.

"Sorry," meddai, a phan welodd fwlch yn y traffig, dihangodd o'r tu arall heibio.

Bwriadai barhau i gerdded, ond ni allai. Nid oedd ganddi'r syniad lleiaf ble'r oedd hi. Bwriodd drem yn ôl ar y stryd lle bu'n sefyll gynnau. Roedd y ddynes â'r gwallt rhyfedd yn erlid pechadur arall i lawr y goedlan. Gallai weld y gwesty, y siopau, y strydoedd igam-ogam. Gwyddai ei bod yn Sgwâr Harvard, ond wyddai hi ddim, dros ei chrogi, pa ffordd i droi.

Ceisiodd feddwl. Roedd hi'n adnabod pobman o'i chwmpas – wedi'r cyfan, yma y bu'i chartref ers chwarter canrif – ond am ryw reswm nid oedd yr un siop na gwesty yn gallu ei rhoi ar ben y ffordd. Roedd arwydd 'T' crwn du a gwyn yn union o'i blaen yn dangos y fynedfa at y trenau tanddaearol, ond roedd tair mynedfa o'r fath yn Sgwâr Harvard, ac ni allai amgyffred pa un o'r tair oedd yr un a welai o'i blaen.

Dechreuodd ei chalon rasio, ac roedd yn foddfa o chwys oer. Ceisiodd ddarbwyllo'i hun bod hynny i'w ddisgwyl ar ôl bod yn rhedeg, ac yn ddigon normal, ond wrth iddi sefyll ar y palmant, bron na theimlai fel panig llwyr.

Gorfododd ei hun i gerdded ymhellach, ac ymhellach eto, er

bod ei choesau'n bygwth ei gollwng â phob cam. Y Co-op, siop Cardullo, y cwt cylchgronau ar y gornel, canolfan ymwelwyr Cambridge gyferbyn, Parc Harvard y tu hwnt i hynny. Cysurodd ei hun ei bod yn dal i allu darllen ac adnabod, ond doedd dim yn tycio.

Prysurai pobl, ceir a bysiau tuag ati, o'r tu ôl iddi a heibio iddi, y cwbl yn troi a throelli mewn tonnau annioddefol o sŵn. Caeodd ei llygaid. Gwrandawodd ar ei gwaed ei hun yn ffrystio a ffustio rhwng ei chlustiau.

"Plis, plis, dim rhagor," sibrydodd wrthi'i hun.

Agorodd ei llygaid. Aeth y darnau'n ôl i'w lle yr un mor sydyn ag y chwalwyd hwy. Y Co-op, siop Cardullo, y cwt cylchgronau ar y gornel, Parc Harvard. Deallai ar unwaith y dylai droi i'r chwith ar y gornel ac anelu am y gorllewin ar Goedlan Mass. Dechreuodd anadlu'n esmwythach. Nid oedd bellach ar goll filltir o'i chartref. Ond fe ddigwyddodd hynny, doedd mo'i wadu. Cerddodd oddi yno yn fân ac yn fuan, mor gyflym ag y gallai heb redeg.

Â dwy droed ar y llawr a'i thŷ o fewn cyrraedd, teimlai'n fwy diogel, er nad oedd eto'n saff. Hoeliodd ei llygaid ar ei drws ffrynt, gorfododd ei choesau i symud, ac addawodd iddi'i hun y byddai'r corddi yn ei chrombil yn peidio cyn gynted ag y croesai'r trothwy a gweld John. Hynny yw, os oedd o gartref.

"John?"

Daeth i'r golwg ar drothwy'r gegin, a chysgod barf ar ei ên, ei sbectol ar gopa'i dalcen ynghanol ei grop blêr o wallt, yn sugno lolipop coch ac yn gwisgo'i grys-T llwyd lwcus. Roedd yn amlwg heb gysgu. Teimlodd ei gofid yn darfod, ond aeth â'i hegni a'i dewrder gydag ef, gan ei gadael yn wan a bregus.

"Heia. Roeddwn i'n dyfalu ble'r oeddet ti, ac ar fin gadael nodyn iti. Sut aeth pethau?" holodd.

"Be?"

"Stanford."

"O, iawn."

"A sut roedd Lydia?"

Teimlodd y brad a'r loes am Lydia, a'r ffaith nad oedd ei gŵr gartref pan gyrhaeddodd, a fwriwyd ohoni wrth redeg ac a ddisodlwyd gan ei braw o fod ar goll, yn codi i'r brig unwaith eto.

"Dwed ti wrtha i," meddai.

"Fe wnaethoch chi gwmpo mas, yn do fe?"

"Pryd oeddet ti'n mynd i ddweud wrtha i dy fod ti'n talu am ei dosbarthiade actio hi?" cyhuddodd ef.

"O," meddai, a'r lolipop yn creu staen coch ar ei wefusau. "Gawn ni siarad am hyn rywbryd eto? 'Sdim amser 'da fi nawr."

"Wel, gwna amser, John. Rwyt ti'n ei chadw hi i fynd draw fan'na heb sôn gair wrtha i, a doeddet ti ddim gartre pan ddois i adre a —"

"A doeddet ti ddim gartre pan ddes i adre. Sut hwyl gest ti ar y rhedeg?"

Clywodd y rhesymu syml yn ei gwestiwn amwys. Pe byddai wedi aros amdano, pe byddai wedi ffonio, pe na byddai wedi plesio'i hun ac wedi mynd i redeg, gallai fod wedi treulio'r awr ddiwethaf yn ei gwmni. Nid oedd dewis ond cytuno.

"Iawn."

"Sori, arhosais i gyment ag y gallen i, ond roedd rhaid i fi fynd yn ôl i'r lab. Rwy wedi cael diwrnod ffantastig hyd yma, canlyniadau rhyfeddol, ond dydyn ni ddim wedi gorffen, ac mae'n rhaid ifi ddadansoddi'r ffigurau cyn inni ddechrau eto yn y bore. Dim ond dod adre i dy weld di wnes i."

"Dwi isio siarad am hyn efo ti rŵan."

"Does dim byd newydd i'w ddweud, Ali. Rydyn ni'n anghytuno am Lydia. Allith e ddim aros nes dof i'n ôl?"

"Na."

"Licet ti gerdded draw 'da fi, a siarad ar y ffordd?"

"Dwi ddim yn mynd i'r swyddfa. Dwi isio bod gartre."

"Rwyt ti eisiau siarad, rwyt ti eisiau bod gartre. Rwyt ti eisiau lot o bethe, mwya sydyn. Oes gen ti ryw wendid neu rywbeth?"

Gwasgodd y gair 'gwendid' ar nerf. Roedd 'gwendid' yn gyfystyr â bod yn fregus, yn ddibynnol, yn batholegol. Fel ei thad. Roedd wedi gwneud pwynt erioed o beidio â bod fel yna, fel fo.

"Wedi blino ydw i."

"Mae golwg felly arnat ti, mae eisiau iti bwyllo."

"Nid dyna dwi isio."

Arhosodd iddi ymhelaethu, ond aeth eiliad yn ormod heibio.

"Drycha, po gyntaf yr af i, cynhara i gyd fydda i gartre. Cer i orffwys. Fydda i gartre nes 'mlaen."

Cusanodd ei thalcen llaith, ac i ffwrdd ag ef.

Yn y cyntedd lle gadawodd hi, heb neb i ymddiried ynddo nac i fwrw'i bol wrtho, teimlodd Alys holl rym emosiynol yr hyn a ddigwyddodd iddi ym Mharc Harvard yn sgubo drosti fel ton. Disgynnodd i'r llawr fel doli glwt a phwysodd yn erbyn y wal oer, yn gwylio'i dwylo yn dawnsio fel pyped. Ceisiodd ganolbwyntio ar arafu ei hanadl.

Ar ôl munudau lawer o anadlu i mewn ac anadlu allan, roedd wedi pwyllo ddigon i geisio gwneud synnwyr o'r hyn a ddigwyddodd. Myfyriodd am y gair coll yn ystod ei darlith yn Stanford. Myfyriodd am golli mislif. Cododd, ac aeth at ei gliniadur a chwilota'r we am 'symptomau'r menopos'.

Ymddangosodd rhestr hirfaith ar y sgrin – pyliau o wres,

chwysu yn y nos, methu cysgu, lludded, gofid, y bendro, curiad calon afreolaidd, iselder, tymer flin, hwyliau oriog, dryswch, penbleth, anghofio pethau.

Dryswch, penbleth, anghofio pethau. Ie, ie, ac ie. Pwysodd yn ôl yn ei chadair a thynnu'r bysedd drwy'i chyrls du. Edrychodd ar y lluniau ar y cwpwrdd llyfrau – ei diwrnod graddio, hi a John yn dawnsio ar ddydd eu priodas, lluniau'r plant yn fach, llun o briodas Anna. Edrychodd eto ar y rhestr ar y sgrin. Y cam nesaf, naturiol yn ei bywyd hi fel dynes oedd hwn. Roedd cannoedd ar filoedd o ferched yn ymdopi ag ef bob dydd. Dim byd bygythiol. Dim byd nad oedd o'n normal.

Gwnaeth nodyn iddi'i hun i wneud apwyntiad gyda meddyg. Efallai y dylai gael therapi estrogen. Darllenodd y rhestr unwaith eto. Tymer flin. Hwyliau oriog. Ei ffrae efo John. Roedd popeth yn gwneud synnwyr. Caeodd ei gliniadur yn fodlon.

Eisteddodd yn nhywyllwch y stydi am ychydig yn gwrando ar dawelwch y tŷ, a'r synau o erddi'i chymdogion. Gallai arogli cig yn coginio. Am ryw reswm, doedd arni ddim archwaeth at fwyd mwyach. Llyncodd dabled fitamin gyda gwydraid o ddŵr, dadbaciodd, darllenodd ambell erthygl yn *The Journal of Cognition*, ac aeth i'r gwely.

Yn oriau mân y bore, daeth John adref. Dihunwyd Alys gan ei bwysau wrth ei hymyl, ond arhosodd yn llonydd gan esgus cysgu. Roedd o'n siŵr o fod wedi ymlâdd ar ôl bod ar ei draed drwy'r nos a gweithio drwy'r dydd. Byddai digon o amser i siarad am Lydia yn y bore. Fe ymddiheurai am fod mor sensitif ac oriog yn ddiweddar. Teimlodd wres ei law ar ei chlun yn ei thynnu i glydwch ei gorff. Gyda'i anadl ar ei gwar, cysgodd yn drwm, yn argyhoeddedig ei bod hi'n gwbl, gwbl saff.

"Yffach, dwi'n llawn dop," meddai Alys, gan agor drws ei swyddfa.

"Roedd y pitsa yna'n *anferth*," meddai Dan, gan wenu fel giât y tu ôl iddi.

Trawodd Alys o'n ysgafn ar ei fraich â'i llyfr. Ar eu ffordd 'nôl o seminar dros ginio yr oedd y ddau. Myfyriwr ôl-raddedig oedd Dan. Roedd yn gyhyrog, roedd ganddo wallt melyn cwta a gwên ddireidus. Doedd o ddim byd tebyg i John, ond roedd ganddo hyder a synnwyr digrifwch a oedd yn atgoffa Alys o John pan oedd o'n iau.

Ar ôl colli'r trywydd fwy nag unwaith, roedd gwaith ymchwil Dan yn dechrau siapio, ac roedd o'n meddwi ar ei lwyddiant. Gwyddai Alys yn iawn sut beth oedd hynny a gobeithiai y byddai'n datblygu'n awch parhaol. Gallai unrhyw un gael ei hudo gan waith ymchwil pan fyddai canlyniadau'n dechrau dod i'r fei, ond y gamp oedd meddwi arno pan nad oedd pethau cystal, a'r rhesymau'n annelwig.

"Pryd wyt ti'n mynd i Atlanta?" holodd wrth iddi chwilota

drwy'r papurau ar ei desg am y drafft o'i bapur ymchwil y bu'n ei olygu.

"Wythnos nesa."

"Alli di ei gyflwyno erbyn hynny; mae'n ddigon da."

"Alla i ddim credu 'mod i'n priodi. Argol, dwi'n mynd yn hen."

Daeth o hyd i'r drafft a'i rhoi iddo. "O, tyd 'laen, dwyt ti fawr o oed i gyd. Dim ond megis dechrau rwyt ti."

Eisteddodd a bodiodd drwy'r tudalennau, gan grychu'i dalcen wrth weld y sgribls coch yn yr ymylon. Cyfrannu at y rhagarweiniad a'r drafodaeth a wnaeth Alys yn bennaf, gan lenwi'r bylchau yn ei destun a chreu darlun llawnach o'r modd yr oedd y darn newydd hwn yn ffitio yn noe a heddiw'r jig-so ieithyddol.

"Be ydi hwn?" holodd Dan, gan bwyntio at rai o'r sgribls.

"Effeithiau gwahaniaethol ... o gymharu â sylw gwasgaredig."

"Be ydi'r cyfeiriad sy'n sail i hynny?" holodd wedyn.

"O ... be ydi o, hefyd? Mae o ar flaen fy nhafod ..." Caeodd ei llygaid, yn aros i enw'r awdur a blwyddyn y gwaith ymddangos yn ei chof. "Dyma fydd yn digwydd pan fyddi di'n hen."

"Yffach, chi ddim yn hen. Peidiwch â phoeni, galla i ddod o hyd iddo fy hun."

Un o'r beichiau mwyaf i unrhyw un a oedd o ddifrif am gael gyrfa ym maes gwyddoniaeth oedd gwybod beth oedd yr arbrofion, pwy wnaeth nhw, ac ym mha flwyddyn y cafodd yr astudiaethau eu cyhoeddi. Byddai myfyrwyr Alys yn rhyfeddu at ei gallu i gofio'r saith astudiaeth a oedd yn gysylltiedig â ffenomenon benodol. Roedd y rhan fwyaf o'r staff hŷn yn ei hadran yn gallu gwneud hyn. Mewn gwirionedd, yn dawel fach, roedden nhw i gyd am y gorau yn ceisio gweld pwy oedd â'r llyfrgell fwyaf cyflawn o gyhoeddiadau eu disgyblaeth ar eu cof. Alys oedd yn ennill y rhith-wobr honno bob tro.

"Nye, MBB, 2000!" cofiodd yn sydyn.

"Mae'n anhygoel fel rydych chi'n gallu gwneud hynna! Sut ar y ddaear rydych chi'n cadw popeth yn eich pen?"

Gwenodd, gan fwynhau ei edmygedd. "Mi ddoi di i weld. Fel ddwedes i, dwyt ti ond megis dechrau."

Bodiodd yn fodlon drwy weddill y tudalennau. "Ocê, grêt. Diolch yn fawr iawn i chi. Bydd o'n ôl efo chi fory!"

Ac i ffwrdd â fo. Edrychodd Alys ar y papur melyn ar sgrin ei chyfrifiadur.

Dosbarth gwybyddiaeth ✓
Seminar dros ginio ✓
Papur Dan
Eric
Parti pen-blwydd

Rhoddodd dic bodlon yn ymyl 'Papur Dan'.

Eric? Be ydi hwnna?

Eric oedd pennaeth yr adran seicoleg. Oedd hi wedi bwriadu dweud rhywbeth wrtho, dangos rhywbeth iddo, ei holi am rywbeth? Oedd ganddi gyfarfod efo fo? Edrychodd ar ei chalendr. 11 Hydref, ei phen-blwydd hi. Dim byd am Eric. *Eric.* Doedd ganddi ddim clem. Edrychodd ar ei negeseuon e-bost. Dim byd oddi wrth Eric. Gobeithiai'r nefoedd nad oedd brys am beth bynnag oedd o. Roedd problem Eric yn ei phigo, ond tybiai y byddai'n siŵr o ddatrys ei hun maes o law. Taflodd y rhestr dasgau, ei phedwaredd y diwrnod hwnnw, i'r bin a chododd bapur melyn newydd.

Eric?
Ffonio'r meddyg

Roedd yr achosion bach hyn o anghofio yn digwydd yn llawer rhy aml iddi allu eu hanwybyddu. Roedd hi wedi gohirio ffonio'i meddyg oherwydd ei bod wedi cymryd yn ganiataol y byddai'r broblem yn datrys ei hun gydag amser wrth i'w hormonau setlo. Allai hi ddim gofyn i neb yn y gwaith am gyngor am mai dynion oedd pob un o'r un oed â hi. Hen bryd iddi ffonio'i meddyg.

Cydgerddodd Alys a John o'r campws i'r bwyty yn Sgwâr Inman. Yno, gwelodd Alys ei merch hynaf, Anna, yn sefyll wrth y bar gyda Charlie, ei gŵr. Gwisgai'r ddau siwtiau glas, corfforaethol, y naill â chadwen o berlau a'r llall â thei euraidd. Ers rhai blynyddoedd gweithiai'r ddau yn un o gwmnïau cyfreithiol mwyaf y ddinas, Anna ym maes eiddo deallusol a Charlie ym maes ymgyfreitha.

O'r gwydr martini yn ei llaw, a maint ei bronnau, gwyddai Alys nad oedd Anna'n feichiog. Bu'n ceisio beichiogi ers chwe mis a mwy. Fel popeth yn achos Anna, po fwyaf anodd yr oedd hi i gael rhywbeth, mwyaf roedd hi ei eisiau. Roedd Alys wedi'i chynghori i bwyllo, i beidio â bod mewn ffasiwn frys i gyrraedd y garreg filltir fawr hon yn ei bywyd. Dim ond saith ar hugain oedd Anna a dim ond y llynedd briododd hi Charlie. Gweithiai oriau maith bob wythnos. Ateb Anna oedd bod pob dynes broffesiynol yn sylweddoli'n hwyr neu'n hwyrach nad oedd yr amser fyth yn iawn.

Poenai Alys sut y byddai magu teulu yn effeithio ar yrfa Anna. Nid ar chwarae bach y cafodd Alys ei dyrchafu'n Athro, nid am fod y cyfrifoldebau'n ormod iddi nac am nad oedd hi wedi cyhoeddi gweithiau o bwys yn ei maes, ond oherwydd ei bod hi'n ddynes a gafodd blant. Doedd dim dwywaith nad oedd y cyfog cyson, yr anemia a'r cyn-eclampsia a ddioddefodd yn ystod tri chyfnod o feichiogrwydd dros ddwy flynedd a hanner wedi ei harafu. Ac roedd gofalu am dri bod dynol bychan yn dreth ar ei hamser ac yn fwy blinderus nag unrhyw beth y daethai ar ei draws cynt nac wedyn.

Dro ar ôl tro, gwelsai yrfaoedd addawol ei chyd-weithwyr benywaidd yn arafu'n ddim. Roedd gweld John, a oedd yn gydradd â hi yn ddeallusol, yn hedfan yn ei flaen wedi bod yn anodd. Holai'n aml a fyddai ei yrfa wedi llwyddo pe bai o wedi cael tri episiotomi, wedi bwydo ar y fron, wedi newid napis, wedi canu 'Dacw mam yn dŵad' a 'Gee ceffyl bach' bob dydd hyd syrffed, a hynny ar ddim ond dwy neu dair awr o gwsg bob nos. Amheuai hynny'n fawr.

"Ydi pawb yma erbyn hyn?" holodd y ddynes tu ôl i'r bar, gan awgrymu'n glir ei bod hi'n bryd i bawb fod yno.

"Na. Mae un i ddod eto," atebodd Anna.

"Dwi yma!" meddai Tom yn fyr ei wynt. "Pen-blwydd hapus, Mam."

"Oes angen inni aros am ...?" holodd hithau gan sylweddoli fod Tom wrtho'i hun.

"Jill? Nag oes, ni wedi bennu."

"Ti a dy ferched!" meddai Anna. "Mae'n anodd cadw trac. Oes rhywun newydd ddylen ni gadw sedd iddi?"

"Ddim hyd yn hyn," meddai Tom wrth Anna. "Rydyn ni i gyd 'ma nawr," meddai wrth y ddynes tu ôl i'r bar.

Roedd Tom yn newid cariadon fel newid olwyn car. Doedden nhw byth yn para'n hir. Roedd o'n hogyn smart, dwys, yr un boerad â'i dad, ac yn ei drydedd flwyddyn yn Ysgol Feddygol Harvard a'i fryd ar fod yn llawfeddyg ym maes calonnau.

Roedd o cyn feined â rhaca. Cyfaddefai fod pob myfyriwr meddygol a llawfeddyg yn bwyta'n uffernol o wael ac yn bwyta ar redeg, bron – creision, sglodion a siocled, lot o siocled. Doedd gan neb amser i gadw'n heini. Fel y byddai'n hoff o gellwair weithiau, o leia bydden nhw'n gallu trin ei gilydd am glefyd y galon maes o law.

Pan oedd pawb wedi setlo a phob un â'i ddiod a thamaid i'w gnoi, trodd y sgwrs at yr unig un nad oedd yno.

"Pryd oedd y tro diwetha i Lydia fod draw?" gofynnodd Anna.

"Fuodd hi yn fy mharti i'n un ar hugain," meddai Tom.

"Mae pum mlynedd ers hynny! Ai dyna'r tro diwetha?" holodd Anna.

"Nage, 'sdim posib," atebodd John heb fanylu.

"Ie, fi'n eitha siŵr," mynnodd Tom.

"Nage ddim. Fuodd hi draw adeg pen-blwydd dy dad yn hanner cant, dair blynedd yn ôl," meddai Alys.

"Sut mae hi?" holodd Anna.

Cymerai Anna bleser amlwg yn y ffaith nad aeth Lydia i goleg; roedd hynny, rywfodd, yn crisialu sefyllfa Anna fel merch glyfraf, fwyaf llwyddiannus y teulu.

"Iawn," meddai Alys.

"Alla i ddim coelio ei bod hi'n dal yn LA. Ydi hi wedi cael rhan yn unrhyw beth eto?" gofynnodd Anna.

"Roedd hi'n ffantastig yn y ddrama yna y llynedd," meddai John.

"Mae'n mynd i ddosbarthiade," meddai Alys.

Wrth i'r geiriau adael ei cheg, cofiodd fod John wedi bod yn talu am wersi Lydia heb ddweud wrthi. Sut allai hi fod wedi anghofio siarad efo fo am hynny? Taflodd olwg cyhuddgar i'w gyfeiriad, a gwelodd yr ergyd yn cyrraedd ei nod. Ysgydwodd ei ben yn gynnil. Nid dyma'r lle na'r amser. Byddai'n rhaid iddi gofio sôn wrtho yn nes ymlaen.

"Wel, o leia mae'n gwneud rhywbeth," meddai Anna, yn fodlon fod pawb yn gwybod pwy oedd y blaenaf o'r merched.

"Sut aeth eich arbrawf chi, Dad?" holodd Tom.

Wrth i John fanylu ar ei astudiaeth ddiweddaraf, gwyliodd Alys ei gŵr a'i mab, biolegwyr ill dau, yn ymgolli'n llwyr mewn sgwrs ddadansoddol, y naill a'r llall yn ceisio gwneud argraff ar ei gilydd. Roedd y crychau bychain yng nghorneli llygaid John yn dwysáu wrth siarad am ei ymchwil, a'i ddwylo'n bywiogi fel pe bai'n arwain cerddorfa.

Roedd hi wrth ei bodd yn ei wylio fel hyn. Doedd o ddim yn siarad â hi am ei ymchwil gyda'r fath fanylder a brwdfrydedd. Ddim i'r un graddau ag y bu. Gwyddai ddigon am ei waith i roi crynodeb i unrhyw un fyddai â diddordeb, ond dim mwy na'r esgyrn sychaf oll. Arferai ddweud popeth wrthi, ac arferai hithau wrando'n edmygus. Tybed pryd newidiodd hynny, a phwy gollodd ddiddordeb gyntaf? Ai fo a'i ddweud, ynteu hi a'i gwrando?

Ar ôl y wledd, canodd pawb 'Pen-blwydd Hapus' yn uchel ac allan o diwn, gan ennyn ambell chwerthiniad smala a chymeradwyaeth gan bobl y byrddau eraill. Chwythodd Alys ar y gannwyll yn ei chacen siocled i ddiffodd y fflam fach unig arni ac estynnodd pob un am ei wydryn o Veuve Clicquot. Cododd John ei wydryn yn uwch na neb.

"Pen-blwydd hapus i'm gwraig bert a hollol wych. I'r pum deg mlynedd nesa!"

Yfodd pawb eu diod. Adleisiai tincial y gwydrau o amgylch y bwrdd.

Yn y tŷ bach, astudiodd Alys ei hun yn y drych. Nid oedd yr adlewyrchiad yn union fel y gwelai hi ei hun. Roedd blinder o amgylch ei llygaid, er nad oedd hi wedi blino o gwbl, ac roedd ei chroen yn fwy pŵl ac yn fwy llac. Roedd yn amlwg ei bod hi dros ei deugain, ond doedd hi ddim yn edrych yn hen. Doedd hi ddim yn teimlo'n hen chwaith, er y gwyddai ei bod yn heneiddio. Roedd ei hoedran yn gweiddi arni'n rheolaidd yn yr achosion menoposaidd o anghofio, ond heblaw hynny, roedd hi'n teimlo'n ifanc, yn gryf, ac yn iach.

Meddyliodd am ei mam. Roedden nhw'n ddigon tebyg. Yn y darlun a oedd ganddi ar ei chof, nid oedd yr un crych ar wyneb ei mam, dim ond ambell frycheuyn haul ar ei thrwyn a'i bochau. Chafodd hi ddim byw'n ddigon hir i'w cael nhw. Bu farw mam Alys yn un a deugain. Byddai Anne, chwaer Alys, yn wyth a deugain erbyn hyn. Ceisiodd Alys ddychmygu Anne yn eistedd gyda nhw yn y bwyty'r noson honno, gyda'i gŵr a'i phlant ei hun, ond allai hi ddim.

Pan eisteddodd ar y toiled, sylwodd ar y gwaed. Ei mislif. Gwyddai wrth gwrs fod gwaedu'n afreolaidd yn beth digon cyffredin ar ddechrau'r menopos, ac nad oedd yn peidio ar unwaith. Efallai nad oedd hi yng nghyfnod y menopos wedi'r cyfan. Gwasgai'r posibilrwydd hwnnw fel feis amdani.

Rhwng effaith y siampên a'r gwaed, dechreuodd feichio crio. Allai hi ddim anadlu. Roedd hi'n hanner cant, ac roedd hi'n colli gafael.

Cnociodd rhywun ar y drws.

"Mam?" holodd Anna. "Ydech chi'n iawn?"

Roedd meddygfa Dr Tamara Moyer mewn adeilad tri llawr traddodiadol nid nepell o Sgwâr Harvard a heb fod ymhell o'r fan lle'r aeth Alys ar goll am funud. Roedd Alys yn hen gyfarwydd â'r ystafelloedd aros, a'r posteri a'r lluniau fferyllol ar y waliau. Nid oedd ganddi unrhyw deimladau negyddol am y lle. Yn y ddwy flynedd ar hugain y bu Dr Moyer yn feddyg arni, dim ond i gael yr archwiliadau meddygol arferol, ac yn fwy diweddar, archwiliadau ceg y groth, y bu yno.

"Beth alla i wneud i chi heddiw, Alys?" gofynnodd Dr Moyer.

"Dwi'n cael trafferth cofio pethau'n ddiweddar. Dwi'n meddwl mai'r menopos ydi'r achos. Stopiodd y mislif rhyw chwe mis yn ôl, ond daeth o'n ôl fis dwytha. Falle 'mod i ddim wedi dechrau'r menopos wedi'r cyfan, a wel, meddylies i fydde'n well dod i'ch gweld chi."

"Pa fath o bethe rydych chi'n eu hanghofio?" gofynnodd Dr Moyer gan ysgrifennu ar ddarn o bapur a heb godi'i phen.

"Enwau, geiriau mewn sgwrs, lle wnes i adael fy ffôn, pam mae rhywbeth ar fy rhestr dasgau."

"Ocê."

Astudiodd Alys ei meddyg. Nid oedd ei chyfaddefiad yn mennu dim arni. Derbyniodd Dr Moyer yr wybodaeth fel offeiriad yn gwrando cyffes hogyn ifanc am ferched. Roedd hi'n clywed y math yma o beth gan bobl holliach sawl gwaith y dydd. Bu ond y dim i Alys ymddiheuro am fod mor wirion ac am wastraffu amser ei meddyg. Roedd pobl yn anghofio pethau fel hyn o hyd, yn enwedig wrth iddyn nhw heneiddio. O ystyried y menopos a'r ffaith ei bod yn gwneud tri pheth ar unwaith, ac yn meddwl am ddeuddeg, roedd y llithriadau y cyfeiriodd atyn nhw yn ymddangos yn bethau dibwys, pitw, yn bethau i'w disgwyl hyd yn oed. Roedd straen yn effeithio ar bawb. A blinder. Roedd pawb yn anghofio pethau o dro i dro.

"Es i ar goll yn Sgwâr Harvard hefyd. Wyddwn i ddim lle'r oeddwn i am funud neu ddwy, ond daeth popeth yn ôl i fi wedyn."

Peidiodd Dr Moyer ag ysgrifennu ac edrychodd i fyw llygaid Alys. Roedd ei sylw wedi'i fachu rŵan.

"Oedd eich *chest* chi'n dynn?"

"Nag oedd."

"Ddaru chi deimlo pinne bach neu ddiffyg teimlad?"

"Naddo."

"Oedd eich calon chi'n curo'n rhyfedd, *palpitations*?"

"Roedd fy nghalon i'n curo'n drwm, ond dim ond wedyn digwyddodd hynny, ar ôl i fi ddechre drysu, bron fel effaith adrenalin ar y corff. A deud y gwir, rown i'n teimlo'n grêt cyn hynny."

"Ddigwyddodd rhywbeth arall anarferol y diwrnod hwnnw?"

"Naddo. Rown i newydd ddod adre o Los Angeles."

"Ydech chi'n cael tonnau poeth drosoch?"

"Na, ddim felly. Teimlais i rywbeth tebyg pan es i ar goll, ond falle mai ofn oedd hwnna."

"Ocê. Chi'n cysgu'n iawn?"

"Ydw."

"Sawl awr o gwsg rydech chi'n eu cael bob nos?"

"Rhwng pump a chwech."

"Ydi hyn yn wahanol i'r arfer?"

"Nac ydi."

"Ydech chi'n ei chael hi'n anodd mynd i gysgu?"

"Nac ydw."

"Sawl gwaith fyddwch chi'n dihuno yn y nos?"

"Dwi ddim yn meddwl 'mod i."

"Ydech chi'n mynd i'r gwely tua'r un adeg bob nos?"

"Ydw, fel arfer. Heblaw pan fydda i wedi bod yn teithio. A deud y gwir, dwi wedi bod yn teithio lot yn ddiweddar."

"I ble?"

"Yn y misoedd dwytha, dwi wedi bod yn yr Eidal, Califfornia, Florida a llefydd felly."

"Fuoch chi'n sâl ar ôl unrhyw un o'r tripie yna?"

"Naddo."

"Ydech chi'n cymryd unrhyw foddion, unrhyw beth at alergeddau, unrhyw fitaminau, unrhyw beth fyddech chi ddim fel arfer yn ei ystyried yn feddyginiaeth?"

"Dwi'n cymryd tabledi fitamin."

"Ydech chi'n cael dŵr poeth?"

"Nac ydw."

"Wedi colli pwyse? Neu fagu pwyse?"

"Nac ydw."

"Wedi gweld gwaed wrth basio dŵr neu garthion?"

"Nac ydw."

Gofynnai'r meddyg bob cwestiwn yn gyflym, y naill ar sawdl y llall, a neidiai'r pynciau o un i'r llall cyn i Alys gael amser i ddilyn y rhesymu oedd yn sail iddyn nhw. Teimlai fel petai hi ar reid ffair a'i llygaid ynghau. Allai hi ddim rhagweld pa ffordd y byddai'n cael ei lluchio nesaf.

"Ydech hi'n teimlo'n fwy gofidus neu dan fwy o straen nag arfer?"

"Dim ond am fethu â chofio pethau. Fel arall, na."

"Sut mae pethau rhyngoch chi a'ch gŵr?"

"Iawn."

"Ydech chi'n meddwl bod eich hwyliau yn eithaf da?"

"Ydw."

"Allech chi fod yn dioddef o iselder?"

"Na."

Roedd iselder ac Alys yn hen lawiau. Wedi iddi golli ei mam a'i chwaer pan oedd hi'n ddeunaw, roedd hi wedi colli archwaeth at fwyd, allai hi ddim cysgu am fwy nag awr neu ddwy er ei bod wedi blino'n lân, a doedd dim byd yn rhoi pleser iddi mwyach. Roedd hynny wedi para am ryw flwyddyn, ac ni theimlodd ddim byd tebyg iddo wedyn. Roedd hyn yn gwbl wahanol. Nid jobyn i Prozac oedd hwn.

"Ydech chi'n yfed alcohol?"

"Dim ond yn gymdeithasol."

"Faint?"

"Glasied neu ddau o win efo bwyd, falle rhagor ar achlysuron arbennig."

"Cyffuriau?"

"Na."

Edrychodd Dr Moyer arni'n feddylgar. Tapiai ei beiro ar ei nodiadau wrth iddi eu darllen. Gwyddai Alys yn reddfol nad oedd yr ateb a geisiai ar y darn papur hwnnw.

"Felly, ydw i wedi dechrau'r menopos?" gofynnodd gan wasgu ochrau'i chadair â'i dwy law.

"Ydych. Gallwn ni wneud prawf FSH, ond mae popeth ddywedoch chi wrtha i yn bethau arferol adeg y menopos. Ar gyfartaledd mae dynes yn dechrau'r menopos rhwng pedwar deg wyth a phum deg dau oed, felly rydych chi reit yn y canol. Mi gewch chi fislif neu ddau y flwyddyn am ychydig, ac mae hynna'n gwbl normal."

"Fydde estrogen yn helpu efo'r busnes anghofio 'ma?"

"Dyden ni ddim yn rhoi estrogen i fenywod rhagor, oni bai eu bod nhw'n cael trafferth cysgu neu'n cael tonnau poeth gwaeth nag arfer. Dwi ddim yn credu mai'r menopos sy'n achosi'r problemau efo'r cof."

Aeth Alys yn wan. Yr union eiriau roedd hi'n ofni'u clywed. Y geiriau roedd hi wedi'u diystyru am fod ganddi esboniad dilys. A rŵan dyna farn broffesiynol yn chwalu popeth. Roedd rhyw gyflwr arni, a doedd hi ddim cweit yn barod i glywed beth yn union oedd hwnnw. Brwydrodd yn erbyn yr ysfa i redeg allan o'r feddygfa nerth ei thraed.

"Pam ddim?"

"Efo'r menopos, colli cwsg sydd fel arfer yn achosi'r problemau efo'r cof a drysu ac ati. Dydyn nhw ddim yn rhai o brif symptomau'r menopos. Efallai nad ydych chi'n cysgu gystal ag y tybiwch. Efallai fod eich gwaith a'r holl deithio yn dechrau dweud arnoch chi. Efallai eich bod chi'n poeni am bethau yn y nos."

Meddyliodd Alys am y troeon hynny y bu'n teimlo ychydig yn niwlog oherwydd nad oedd wedi cysgu. Doedd hi'n sicr ddim ar ei gorau yn ystod wythnosau olaf eich beichiogrwydd, ar ôl geni pob plentyn, ac weithiau pan oedd dyddiad cau grant yn gwasgu ar ei gwynt. Aeth hi ddim ar goll yn Sgwâr Harvard bryd hynny.

"Falle. Oes posib 'mod i angen rhagor o gwsg achos 'mod i'n hŷn neu ar y menopos?"

"Na, ddim fel arfer."

"Os nad diffyg cwsg yw'r achos, beth ydi o?" gofynnodd a'r pryder bellach yn amlwg yn ei llais.

"Y drysu sy'n fy mhoeni i'n benna. Dwi ddim yn meddwl mai strôc oedd o. Dwi'n mynd i'ch anfon chi am brofion gwaed, mamogram, a phrawf dwysedd asgwrn am ei bod hi'n bryd inni wneud hynny, ac MRI ar yr ymennydd."

Tiwmor ar yr ymennydd. Doedd hi ddim wedi meddwl am hynny. Cododd bwgan arall ei ben yn ei dychymyg, a theimlodd ei stumog yn troi.

"Os nad ydych chi'n meddwl mai strôc oedd o, pam gwneud MRI?"

"Er mwyn cael gwybod yn bendant nad strôc oedd o. Mi wna i lythyr i chi gael apwyntiad MRI, a gwnewch chithe apwyntiad i ddod 'nôl i'm gweld i yn syth wedyn, ac mi edrychwn ni'n fanylach ar bethe."

Roedd Dr Moyer wedi osgoi ateb ei chwestiwn yn uniongyrchol, ac ni phwysodd Alys arni. Soniodd Alys ddim am ei hofnau newydd am diwmor chwaith. Doedd dim i'w wneud ond aros.

Yn Neuadd William James yr oedd yr adrannau seicoleg, cymdeithaseg ac anthropoleg gymdeithasol, nid nepell o Barc Harvard. Gellid yn hawdd gamgymryd yr adeilad am faes parcio aml-lawr. Nid oedd yno golofnau cain na bricwaith coch, dim gwydr lliw, na chyntedd crand, na'r un manylyn o gwbl i'w gysylltu â'r prif sefydliad. Bocs oedd o, bocs diddychymyg. Doedd ryfedd na chawsai ei gynnwys yng nghalendr Harvard, nac yn y teithiau cerdded ar gyfer glasfyfyrwyr.

Er nad oedd amheuaeth fod Neuadd William James, o ran ei golwg, yn ddychrynllyd, nid oedd amheuaeth chwaith fod yr olygfa ohoni, yn enwedig o'r swyddfeydd a'r ystafelloedd cynadledda ar y lloriau uchaf, yn wirioneddol fendigedig. Wrth i Alys lymeitian ei the yn ei swyddfa ar y degfed llawr, teimlodd ei hun yn ymlacio yn harddwch afon Charles a Bae Boston a ymestynnai tua'r gorwel o'i blaen.

Ysgydwodd ei hun o'i myfyrdod. Y prynhawn hwnnw, roedd yn mynd i gyfarfod blynyddol y Gymdeithas Seiconomig yn Chicago, ac roedd ganddi lwyth o waith i'w wneud cyn hynny. Edrychodd ar ei rhestr dasgau.

Adolygu'r papur ar niwrowyddoniaeth ✓
Cyfarfod yr Adran ✓
Cwrdd â'r TAs ✓
Dosbarth gwybyddiaeth
Gorffen poster a rhaglen y gynhadledd
Rhedeg
Maes awyr

Yfodd ddiferion olaf ei the a dechreuodd astudio nodiadau ei darlith. Pwnc y ddarlith y diwrnod hwnnw oedd semanteg, ystyr iaith, a hwn oedd y trydydd o chwe dosbarth ar ieitheg, ei hoff gyfres ar y cwrs yma. Hyd yn oed ar ôl chwarter canrif o ddarlithio, roedd Alys yn dal i neilltuo awr cyn y dosbarth i baratoi. Wrth gwrs, ar yr adeg hon yn ei gyrfa, gallai Alys gyflwyno tri chwarter unrhyw ddarlith heb feddwl fawr amdani. Roedd y chwarter arall, fodd bynnag, yn cynnwys ystyriaethau, technegau neu bwyntiau trafod a oedd yn deillio o'r canfyddiadau diweddaraf yn y maes, a byddai'n defnyddio'r amser cyn y ddarlith i feddwl sut roedd hi am gyflwyno'r wybodaeth newydd hon. Dyma'r math o wybodaeth a oedd yn cynnal ei brwdfrydedd am ei maes ac yn sicrhau ei bod hi'n feddyliol effro.

Ymchwil oedd prif bwyslais y gyfadran yn Harvard, felly roedd yno lai o ddarlithoedd nag arfer. Ond roedd addysgu'n bwysig i Alys, am fod ganddi, dybiai hi, ddyletswydd a chyfle i ysbrydoli'r genhedlaeth nesaf yn y maes. Y gwir plaen oedd bod Alys wrth ei bodd o flaen dosbarth.

A hithau wedi gorffen paratoi, agorodd ei negeseuon e-bost.

Alys

Oes modd cael y sleidiau yn fuan? Addewaist ti eu hanfon ar gyfer cyflwyniad Michael: 1 graff cyrchu geiriau, 1 cartŵn model iaith ac 1 sleid destun. Dydi'i gyflwyniad o ddim tan ddydd Iau nesa am 1.00 ond da o beth fyddai cael y sleidiau cyn hynny i wneud yn siŵr bod Michael yn hapus efo popeth, ac nad ydi'r cyflwyniad yn hwy na'r amser a neilltuwyd ar ei gyfer. Croeso iti eu hanfon ataf i neu at Michael.

Yn yr Hyatt fyddwn ni'n aros. Wela i di yn Chicago.

Cofion atat

Eric

Daeth goleuni sydyn i Alys. Dyna pwy oedd yr 'Eric' oedd ar ei rhestr dasgau'r mis diwethaf! Nid Eric Wellman oedd o. Diben yr 'Eric' ar y rhestr oedd ei hatgoffa hi i anfon y sleidiau at Eric Greenberg. Athro yn yr adran seicoleg yn Princeton oedd yr Eric hwn ac amser maith yn ôl arferai Alys ac yntau gydweithio. Roedd Alys a Dan wedi creu tair sleid yn disgrifio arbrawf a wnaeth Dan fel rhan o waith ar y cyd â Michael, un o griw ôl-ddoethurol Eric, ac roedd y sleidiau i fod yn rhan o gyflwyniad Michael yn y cyfarfod seiconomig. Anfonodd Alys y sleidiau'r foment honno rhag i ddim arall fynd â'i sylw, gan ymddiheuro'n llaes i Eric. Yn ffodus, byddai Michael yn eu cael mewn da bryd. Dim problem.

Roedd y ddarlithfa a ddefnyddiai Alys ar gyfer ei chwrs gwybyddiaeth yn fwy o lawer na'r rhelyw, ac o bosibl yn fwy crand. Roedd rhai degau yn rhagor o seddau yno nag o fyfyrwyr a gofrestrodd ar gyfer y cwrs. Sodrwyd cyfarpar clyweled enfawr yng nghefn yr ystafell ac roedd sgrin, gystal ag unrhyw sgrin sinema, yn hawlio'r sylw yn y pen blaen. Wrth i'r myfyrwyr gyrraedd yn drib-drabs gyda'u cleber arferol, prysurodd cynorthwyydd technegol i gysylltu ceblau â chyfrifiadur Alys, ac agorodd hithau'r ffolder 'Ieitheg' ar ei gliniadur.

Ynddi roedd chwe ffeil: 'Caffael Iaith', 'Cystrawen', 'Semanteg', 'Dealltwriaeth', 'Modelu' a 'Patholeg'. Darllenodd Alys y teitlau am yr eildro. Ni allai gofio pwnc ei darlith y diwrnod hwnnw. Roedd newydd dreulio awr dda yn darllen ei nodiadau ar gyfer un o'r rhain. Ond pa un? 'Cystrawen' efallai? Edrychai pob un yn gyfarwydd, ond doedd yr un yn canu cloch.

Byth oddi ar iddi ymweld â Dr Moyer, bob tro y byddai Alys yn anghofio rhywbeth, byddai ei gofid yn dwysáu. Nid mater o anghofio ble'r oedd cebl gwefru ei ffôn oedd hwn neu ble'r oedd John wedi gadael ei sbectol. Nid peth normal mo hyn. Roedd y llais bach arteithiol yn ei phen wedi dechrau dweud wrthi fod ganddi diwmor ar yr ymennydd. Roedd o hefyd yn dweud wrthi am beidio â dychryn na dweud wrth John hyd nes y byddai wedi clywed gan Dr Moyer. Yn anffodus, fyddai hynny ddim tan yr wythnos nesaf, ar ôl y gynhadledd yn Chicago, ac roedd ganddi awr o ddarlith o'i blaen y foment honno.

Syllodd ar ei myfyrwyr, a chafodd ysbrydoliaeth.

"All rhywun ddweud wrtha i beth sydd ar eich amserlen heddiw?" gofynnodd Alys.

"Semanteg," atebodd nifer o fyfyrwyr, gan hanner cydadrodd.

Hyderodd y byddai un neu ddau o leiaf yn falch o'r cyfle i ddangos eu gwybodaeth. Gwyddai na fyddai'n beth rhyfedd iddi ofyn cwestiwn o'r fath. Roedd pellter mawr mewn oedran, gwybodaeth a phŵer rhwng myfyrwyr israddedig ac athrawon prifysgol. Heblaw hynny, yn ystod y tymor roedden nhw wedi gweld mor alluog oedd hi ac roedd ei hamlygrwydd yn y gweithiau cyhoeddedig yn creu parchedig ofn. Pe bai unrhyw rai yn cwestiynu'i bwriad am eiliad, bydden nhw hefyd, yn yr eiliad honno, yn cymryd yn ganiataol bod ganddi lawer o bethau pwysicach na myfyrwr seicoleg i boeni amdanyn nhw ac nad oedd ganddi amser i edrych ar beth mor bitw ag amserlen. Ychydig a wydden nhw ei bod newydd dreulio awr yn gwneud dim ond astudio'i darlith ar semanteg.

Erbyn diwedd y prynhawn aethai'r haul i guddio, a theimlai'r hin yn oer a gaeafol. Roedd glaw trwm y noson cynt wedi golchi gweddill y dail ymaith, a chrynai'r coed yn eu noethni, heb lwyr baratoi ar gyfer y gaeaf. Ymlwybrodd Alys adref yn gynnes braf yn ei chôt wlân gan fwynhau naws yr hydref a chrensian rhythmig ei thraed drwy'r twmpathau dail.

Roedd golau yn y tŷ ac roedd bag ac esgidiau John o dan y bwrdd yn y cyntedd.

"Helô! Dwi adre," meddai Alys.

Brasgamodd John allan o'r stydi yn edrych yn fud arni ac wedi drysu'n lân. Syllodd Alys yn ôl arno ac arhosodd iddo ddweud rhywbeth, gan synhwyro fod rhywbeth mawr o'i le. Y plant, meddyliodd ar unwaith. Arfogodd ei hun am newyddion drwg, gan sefyll ar y trothwy fel delw.

"Alys? Dwyt ti ddim i fod yn Chicago?"

"Wel, Alys, mae'ch profion gwaed yn iawn, a doedd dim byd ar yr MRI," meddai Dr Moyer. "Mi allwn ni wneud un o ddau beth. Mi allwn ni aros, gweld sut eith hi, gweld sut rydech chi'n cysgu, a gweld sut mae pethau mewn tri mis, neu —"

"Dwi isio gweld niwrolegydd."

Noson parti Eric Wellman oedd hi, a theimlai'r awyr yn isel a thrwm, fel petai eira ar y gorwel. Roedd Alys wrth ei bodd ag eira erioed, a byddai'n siomedig iawn pe byddai gaeaf yn mynd heibio heb yr un bluen wen. Wyddai hi ddim ai cof plentyn oedd hynny, ond credai fod eira bob gaeaf ers talwm. Y tro diwethaf iddi weld eira, roedd hi wedi dawnsio yn ei lendid a'i wynder, ond o fewn ychydig ddyddiau, cawsai lond bol, a'r eira bellach yn hen slwtsh llwyd dan draed ac olwynion ceir. Ond heno, byddai eira'n hyfryd.

Bob Nadolig, byddai Eric a'i wraig, Marjorie, yn cynnal parti yn eu cartref ar gyfer yr adran seicoleg. Doedd braidd dim yn digwydd ar yr achlysuron hyn, ond roedd Alys wrth ei bodd yn gweld Eric yn eistedd ar y llawr yng nghanol ystafell o fyfyrwyr a darlithwyr iau ar soffas a chadeiriau, y ras i gael darn o gacen gaws Marty, a'r ffug-frwydr rhwng Kevin a Glen am rywbeth neu'i gilydd.

Roedd ei chyd-weithwyr yn dalentog a hefyd yn wahanol, yr un mor barod i helpu ag y byddent i ddadlau, yn uchelgeisiol a diymhongar fel ei gilydd. Roedden nhw'n rhan o'r teulu. Efallai ei bod hi'n teimlo fel hyn am nad oedd ganddi frodyr na chwiorydd na rhieni ar dir y byw. Efallai fod y tymor yn ei gwneud hi'n sentimental, yn ei harwain i chwilio am ystyr a pherthyn. Efallai fod a wnelo hynny â'r peth, ond roedd iddo fwy na hynny hefyd.

Nid cyd-weithwyr yn unig mohonyn nhw. Byddai darganfyddiadau a chyhoeddiadau newydd a dyrchafiadau oll yn destun dathlu, ond hefyd priodasau a genedigaethau, a llwyddiannau plant ac wyrion. Bydden nhw'n teithio gyda'i gilydd i gynadleddau ledled y byd ac roedd ambell wyliau teuluol yn cael ei drefnu yr un pryd. Ac fel ym mhob teulu, nid dyddiau da a chacen gaws oedd popeth. Bydden nhw hefyd yn gefn i'w gilydd drwy gyfnodau o ddata negyddol, grantiau'n cael eu gwrthod, hunanamheuaeth, afiechyd, ysgariad.

Ond yn anad dim, roedden nhw ar dân i ddeall y meddwl, i wybod beth oedd yn gyrru ymddygiad ac iaith, emosiwn ac archwaeth. Y greal sanctaidd i unigolion, wrth gwrs, oedd y parch, y mawl a'r bri, ond wrth wraidd hynny roedd cydweithio i ganfod rhywbeth o werth a'i roi i'r byd. Cyfalafiaeth yn grymuso sosialaeth. Bywyd rhyfedd, cystadleuol, ymenyddol a breintiedig oedd o. Ac roedden nhw, bob un, yn rhan ohono.

Dim ond briwsion y gacen gaws oedd ar ôl. Bachodd Alys ddarn o'r paflofa mefus ac aeth i chwilio am John. Yn yr ystafell fyw roedd o, yn rhoi'r byd yn ei le gydag Eric a Marjorie. Ar hynny, cyrhaeddodd Dan.

Cyflwynodd Dan hwy i'w wraig, Beth, a llongyfarchwyd y ddau yn wresog. Cymerodd Marjorie gotiau'r ddau. Gwisgai Dan siwt a thei, a Beth ffrog laes, goch. Cynigiodd Eric ddiodydd iddyn nhw.

"Mi gymra i un arall hefyd," meddai Alys er bod y gwydr gwin yn ei llaw yn hanner llawn.

Gofynnodd John i Beth sut roedd hi'n mwynhau bywyd priodasol hyd yma. Er na chyfarfu Alys mohoni erioed, cawsai ychydig o'i hanes gan Dan. Roedd hi a Dan yn cyd-fyw yn Atlanta pan gafodd Dan ei dderbyn i Harvard. Arhosodd Beth yn Atlanta, a chynhaliodd y ddau berthynas o hirbell am dair blynedd, hyd nes y digwyddodd Dan grybwyll y gallai cymaint â saith mlynedd fynd heibio cyn y byddai wedi gorffen ei astudiaethau. Priododd y ddau y mis diwethaf.

Gwnaeth Alys ei hesgusodion i fynd i'r tŷ bach. Ar y ffordd, oedodd ychydig yn y cyntedd hir a oedd yn cysylltu darn mwy newydd y tŷ â'r hen ddarn yn y cefn, gan orffen ei gwin ac edmygu'r lluniau hapus o wyrion Eric ar y waliau. Wedi iddi ganfod y tŷ bach, a'i ddefnyddio, crwydrodd i'r gegin i arllwys gwydraid arall a'i chael ei hun ynghanol criw swnllyd o wragedd dynion y gyfadran.

Symudai'r menywod yn gyfforddus o amgylch ei gilydd ac o amgylch y gegin; roedden nhw'n adnabod y cymeriadau yn storïau ei gilydd, gallen nhw ganmol a thynnu coes ei gilydd, gan chwerthin yn iach yng nghwmni'i gilydd. Byddai'r menywod hyn yn siopa ac yn ciniawa ac yn mynd i glybiau darllen gyda'i gilydd. Roedd perthynas glòs rhyngddyn nhw. Roedd gan Alys berthynas glòs â'u gwŷr, ac roedd hynny'n ei gwneud hi'n wahanol. Safodd yno'n gwrando ac yn llymeitian, yn dilyn y sgwrs â gwên, a'i meddwl ymhell i ffwrdd, fel petai'n loncian ar beiriant rhedeg yn hytrach nag ar ffordd go iawn.

Llenwodd ei gwydryn eto, a sleifiodd allan o'r gegin heb i neb sylwi, a chanfu John yn yr ystafell fyw yn dal pen rheswm ag Eric, Dan a merch ifanc mewn ffrog goch. Safodd Alys wrth y piano gan chwarae tiwn ar y casyn. Bob blwyddyn, gobeithiai Alys y byddai rhywun yn cynnig canu'r piano, ond fyddai neb fyth yn gwneud. Roedd hi ac Anne wedi cael gwersi pan oedden nhw'n blant, ond erbyn hyn ni allai gofio braidd dim heb gopi o'i blaen, a dim ond y rhannau llaw dde ar y gorau. Efallai fod y ferch yn y ffrog goch grand yn gwybod sut i ganu'r piano.

Ar adeg addas yn y sgwrs, daliodd Alys lygad y ferch yn y ffrog goch.

"Mae'n ddrwg gen i, Alys Howland ydw i. Dwi ddim yn meddwl ein bod ni wedi cwrdd."

Edrychodd y ferch yn nerfus ar Dan cyn ateb. "Beth ydw i."

Edrychai'n ddigon ifanc i fod yn fyfyriwr graddedig, ond erbyn mis Rhagfyr byddai Alys wedi gallu adnabod pob un o'r myfyrwyr, hyd yn oed y rhai a oedd ar eu blwyddyn gyntaf. Cofiodd fod Marty wedi sôn ei fod wedi cyflogi dynes i fod yn gymrawd ôl-ddoethurol.

"Chi ydi *postdoc* newydd Marty?" holodd Alys.

Edrychodd y ddynes ar Dan eto. "Gwraig Dan ydw i."

"O! Neis iawn cwrdd â chi o'r diwedd. Llongyfarchiade!"

Aeth pawb yn dawel. Trodd Eric ei olygon oddi wrth John at wydryn gwin Alys ac yn ôl at John, fel llatai yn cario cyfrinach. Wyddai Alys ddim beth allai honno fod.

"Be sy?" gofynnodd Alys.

"Wyddost ti be? Mae'n hwyr ac mae'n rhaid ifi ddechrau'n gynnar bore fory. Awn ni?" gofynnodd John.

Roedd Alys wedi llwyr fwriadu holi John cyn gynted ag y bydden nhw allan o'r tŷ beth oedd ystyr yr howdidŵ lletchwith yna gynnau fach, ond cipiwyd ei sylw gan wlân cotwm prydferth y plu eira a oedd wedi dechrau disgyn tra oedden nhw yn y parti, ac fe anghofiodd.

Dridiau cyn y Nadolig, eisteddai Alys yn ystafell aros yr arbenigwr yn yr ysbyty cyffredinol yn esgus darllen hen rifyn o

Women's Health. Mewn gwirionedd, sbecian ar y lleill roedd hi. Roedden nhw i gyd mewn parau. Eisteddai dynes a edrychai ugain mlynedd yn hŷn nag Alys yn ymyl dynes a edrychai o leiaf ugain mlynedd yn hŷn na honno – ei mam, decini. Yn ymyl y rheini, roedd dynes â gwallt annaturiol o ddu a chlustdlysau aur enfawr. Siaradai yn uchel ac yn ffug-bwyllog â'i thad a oedd yn gaeth i gadair olwyn. Chododd hwnnw mo'i ben unwaith. Bodiai dynes esgyrnog dan grop o wallt pupur-a-halen drwy dudalennau cylchgrawn yn llawer rhy gyflym i allu darllen unrhyw beth. Nesaf ati roedd dyn tew â gwallt tenau, brith, ac ychydig o gryndod yn ei law dde. Pâr priod, tybiodd Alys.

Aeth awr dda heibio cyn iddi gael ei galw, ond teimlai hyd yn oed yn hwy. Wyneb ifanc, glân, oedd gan Dr Davies. Ar ei drwyn, gorffwysai sbectol ac iddi ffrâm ddu, drwchus, ac roedd y siaced a wisgai dros ei grys a'i dei heb ei chau. Edrychai fel rhywun a arferai fod yn denau, ond erbyn hyn roedd ei fol yn gwasgu dros ganol ei drowsus gan atgoffa Alys am sylwadau Tom bod meddygon yn rhai gwael am fwyta'n iach. Aeth i eistedd wrth ei ddesg ac amneidiodd ar Alys i eistedd gyferbyn ag o.

"Wel, Alys, beth yw'r broblem, a sut alla i helpu?"

"Dwi wedi bod yn cael trafferth cofio, ac mae'n fwy o beth nag sy'n arferol. Dwi'n anghofio geiriau mewn darlithoedd ac mewn sgyrsiau. Dwi'n gorfod rhoi 'darlith gwybyddiaeth' ar fy rhestr dasgau neu mi fydda i wedi anghofio mynd iddi. Wnes i anghofio'n llwyr fy mod i ddal awyren i fynd i gynhadledd yn Chicago. Wyddwn i ddim ble'r oeddwn i am funud yn Sgwâr Harvard. Dwi'n athro yn y brifysgol a dwi'n mynd drwy'r sgwâr bob dydd."

"Ers pryd mae hyn wedi bod yn digwydd?"

"Ers mis Medi, falle'r haf."

"Ddaeth rhywun yma efo chi heddiw?"

"Naddo."

"Ocê. O hyn ymlaen, bydd raid ichi ddod â rhywun o'r teulu efo chi, neu rywun sy'n eich adnabod chi'n dda. Rydych chi'n cwyno am broblem efo'ch cof. Mae'n bosib nad chi ydi'r person gorau i ddweud yn iawn be sy wedi bod yn digwydd."

Teimlai Alys yn chwithig, fel plentyn bach. Allai hi ddim peidio â meddwl am ei eiriau "o hyn ymlaen". Roedden nhw'n hawlio'i sylw, fel tap yn diferu'n gyson.

"Ocê," meddai.

"Ydych chi'n cymryd unrhyw feddyginiaeth?"

"Na, dim ond tabledi fitamin."

"Unrhyw dabledi cysgu, deiet, cyffuriau o unrhyw fath?"

"Na."

"Faint rydych chi'n ei yfed?"

"Fawr o ddim. Glasied neu ddau o win efo swper."

"Ydych chi'n figan?"

"Nac ydw."

"Ydych chi wedi cael anaf i'ch pen yn y gorffennol?"

"Nac ydw."

"Unrhyw lawdriniaethau?"

"Naddo."

"Ydych chi'n cysgu'n iawn?"

"Ydw, hollol iawn."

"Ydych chi wedi dioddef o iselder erioed?"

"Ddim ers pan o'n i'n ddeunaw."

"Faint o stres sydd arnoch chi?"

"Dim mwy nag arfer. Dwi'n ffynnu ar stres."

"Beth am eich rhieni? Ydyn nhw'n weddol iach?"

"Collais i fy mam a'm chwaer mewn damwain car pan oeddwn i'n ddeunaw. Bu Dad farw o glefyd yr afu y llynedd."

"Hepatitis?"

"Sirosis. Roedd o'n alcoholig."

"Faint oedd ei oed e?"

"Saith deg un."

"Oedd unrhyw brobleme eraill gyda'i iechyd e?"

"Ddim hyd y gwn i. Welais i fawr arno yn y blynyddoedd diwetha."

A'r troeon hynny, roedd o'n feddw dwll.

"Beth am aelodau eraill y teulu?"

Disgrifiodd hynny a wyddai am hanes meddygol ei theulu estynedig.

"Nawr 'te, rwy'n mynd i ddweud enw a chyfeiriad wrthych chi, a bydd angen i chi ei adrodd yn ôl wrtha i. Byddwn ni wedyn yn gwneud rhai pethau eraill, ac ar ryw bwynt rwy'n mynd i ofyn ichi ddweud beth oedd yr enw a'r cyfeiriad yna. Iawn? Dyma ni – John Black, 42 Heol y Gorllewin, Brighton. Allwch chi ailadrodd hwnna?"

Ufuddhaodd Alys.

"Faint yw'ch oed chi?"

"Hanner cant."

"Beth yw'r dyddiad heddi?"

"Yr ail ar hugain o Ragfyr, 2003."

"Pa dymor yw hi?"

"Gaeaf."

"Ble ydyn ni nawr?"

"Ar wythfed llawr yr ysbyty cyffredinol."

"Allwch chi enwi rhai o'r strydoedd rownd ffordd hyn?"

"Cambridge, Storrow Drive."

"Ocê, pa adeg o'r dydd yw hi?"

"Ddiwedd y bore."

"Rhestrwch y misoedd o fis Rhagfyr, am yn ôl."

Fe wnaeth Alys hynny.

"Cyfrwch yn ôl o gant fesul chwech."

Stopiodd y meddyg hi wedi iddi gyrraedd saith deg chwech.

"Beth yw'r eitemau hyn?"

Dangosodd gyfres o chwe cherdyn iddi a lluniau arnyn nhw.

"Siglen, pluen, goriad, cadair, cactws, maneg."

"Nawr, cyn pwyntio at y ffenest, cyffyrddwch eich boch dde â'ch llaw chwith."

Fe wnaeth hynny.

"Allwch chi ysgrifennu brawddeg am y tywydd heddi ar y darn papur hwn?"

Ysgrifennodd Alys, 'Mae'n fore braf ac oer o aeaf.'

"Tynnwch lun cloc sy'n dangos ugain munud i bedwar."

Gwnaeth hynny,

"A chopïwch y llun yma."

Dangosodd lun o ddau siâp pumochrog yn croesi'i gilydd. Copïodd Alys nhw.

"Nawr 'te, ry'n ni'n mynd i wneud archwiliad niwrolegol."

Dilynodd y golau bach a oedd ganddo gyda'i llygaid, tapiodd fys a bawd ei dwy law gyda'i gilydd yn gyflym, cerddodd mewn llinell syth ar draws yr ystafell a blaen y naill droed yn cyffwrdd â sawdl y llall. Gwnaeth bopeth yn ddidrafferth ac yn gyflym.

"Beth oedd yr enw a'r cyfeiriad ddywedais i wrthych chi?"

"John Black ..."

Stopiodd a chwiliodd wyneb Dr Davies. Allai hi ddim cofio'r cyfeiriad. Beth oedd ystyr hynny? Efallai nad oedd hi wedi canolbwyntio'n iawn.

"Brighton oedd o, ond fedra i ddim cofio pa stryd."

"Ocê, ai dau ddeg pedwar, dau ddeg wyth, pedwar deg dau neu bedwar deg wyth?"

Wyddai hi ddim.

"Dyfalwch."

"Pedwar deg wyth."

"Pa heol? Ai Heol y Gogledd, Heol y De, Heol y Dwyrain, neu Heol y Gorllewin?"

"Heol y De?"

Nid oedd ei wyneb na'i ystum yn cyfleu a oedd hi wedi taro'r nod, ond petai wedi gofyn iddi ddyfalu eto, nid dyna a ddywedai.

"Ocê, Alys, rydyn ni wedi cael canlyniadau eich profion gwaed diwethaf a'ch sgan MRI. Rwy am ichi gael rhagor o brofion gwaed a thynnu hylif o'r meingefn. Dewch 'nôl i 'ngweld i mewn rhyw bum wythnos. Fe gewch chi apwyntiad hefyd yr un diwrnod i gael profion niwroseicolegol."

"Be sy'n bod arna i? Ydi'r anghofio 'ma yn rhywbeth arferol?"

"Na, sa i'n credu ei fod e, Alys, ond mae angen inni archwilio'r broblem yn fanylach."

Edrychodd i fyw ei lygaid. Roedd un o'i ffrindiau wedi dweud wrthi rywbryd fod gallu person i ddal llygaid rhywun am fwy na chwe eiliad heb edrych i ffwrdd na smicio yn dangos naill ai chwant am ryw neu ei fod yn llofrudd. Chredodd hi mohono, ond roedd wedi ennyn ei chwilfrydedd ddigon i arbrofi'n dawel fach gyda ffrindiau a phobl ddiarth. Er mawr syndod iddi, roedd pob un ohonyn nhw, heblaw John, wedi edrych i ffwrdd cyn pen chwe eiliad.

Edrychodd Dr Davies i lawr ar ei ddesg ar ôl pedair eiliad. Yn ôl damcaniaeth ei ffrind doedd o ddim eisiau ei lladd hi na rhoi ei fachau arni, ond poenai ei fod yn golygu mwy na hynny. Câi ei phrocio a'i hasesu, ei sganio a'i phrofi, ond dyfalai nad oedd angen i'r meddyg ymchwilio ymhellach. Roedd hi wedi dweud ei hanes wrtho, ac ni allai yn ei byw gofio cyfeiriad John

Black. Gwyddai fod y meddyg yn gwybod i'r dim beth oedd arni.

Treuliodd Alys oriau cynnar noswyl y Nadolig ar y soffa yn llymeitian te ac yn pori drwy hen albymau lluniau. Yn raddol, dros y blynyddoedd, roedd hi wedi rhoi'r lluniau diweddaraf fesul un yn y llewys plastig clir. Wrth wneud hynny, cadwodd gronoleg y lluniau, ond doedd yr un label arnyn nhw. Dim ots. Roedd hi'n cofio cefndir pob llun fel petai'n ddoe.

Lydia'n ddyflwydd, Tom yn chweblwydd, ac Anna'n seithblwydd ar draeth Harding ym mis Mehefin, eu haf cyntaf yn y Cape. Anna mewn gêm bêl-droed. John a hithau ar y traeth ar Ynysoedd y Cayman.

Gallai gofio cyfnod a lleoliad pob ffotograff. Heblaw hynny gallai hefyd gofio'r manylyn lleiaf am y rhan fwyaf ohonyn nhw. Roedd pob llun yn sbarduno atgofion eraill na fuont ar gyfyl camera; pwy arall oedd yno ar y diwrnod a sut roedd o'n ffitio ar gynfas mawr ei bywyd ar yr adeg y cliciodd y lens.

Lydia yn ei chostiwm pigog glas golau yn dawnsio'n gyhoeddus am y tro cyntaf. Roedd hynny cyn i Alys gael swydd barhaol; roedd Anna newydd ddechrau yn yr ysgol uwchradd, roedd ganddi fres am ei dannedd, roedd Tom dros ei ben a'i glustiau mewn cariad efo merch o'r tîm pêl-rwyd, ac roedd John yn Amsterdam ar flwyddyn sabothol.

Yr unig rai a oedd yn peri trafferth iddi oedd lluniau o Anna a Lydia yn fabis; roedd yn goblyn o anodd gwahaniaethu rhyngddyn nhw. Fel arfer, gallai ganfod ambell gliw fyddai'n dangos pwy oedden nhw. Mewn un llun, roedd John wedi tyfu locsys clust ac roedd hynny'n awgrymu mai'r 70au oedd hi. Rhaid mai Anna oedd yn ei gôl.

"John, pwy ydi hwn?" gofynnodd, gan ddangos llun o fabi.

Cododd ei ben o'i lyfr, llithro'i sbectol i lawr pont ei drwyn a chrychu'i aeliau.

"Ife Tom yw e?"

"Tom mewn siwt binc? Lydia ydi hi, bach."

Darllenodd y dyddiad a brintiodd Kodak ar y cefn i fod yn siŵr. Mai 29, 1982. Lydia.

"O."

Gwthiodd ei sbectol yn ôl i'w lle, ac ailddechrau darllen.

"Dwi isio sôn wrthot ti am wersi actio Lydia," meddai Alys.

Cododd ei olygon, plygodd glust y dudalen, gosododd y llyfr ar y bwrdd a'i sbectol ar ben hwnnw, a gorffwys yn ôl yn ei gadair. Gwyddai nad sgwrs gyflym fyddai hon.

"Iawn."

"Dwi ddim yn meddwl y dylen ni fod yn ei chynnal hi draw fan'na mewn unrhyw ffordd, a dwi'n bendant na ddylet ti fod yn talu am ei gwersi hi tu ôl i 'nghefn i."

"Sori. Ti'n iawn. Roeddwn i wedi bwriadu dweud wrthot ti ac wedyn aeth pethe'n fishi ac anghofies i – ti'n gwbod shwt ma pethe. Ond ti'n gwybod yn iawn 'mod i'n anghytuno â thi am hyn. Wnaethon ni gynnal y ddau arall."

"Mae hynna'n wahanol."

"Nac ydi ddim. Ti sy ddim yn hoffi beth mae hi wedi'i ddewis."

"Nid yr actio ydi'r broblem. Y broblem ydi nad yw hi am fynd i goleg. Mae'r amser sydd ganddi i wneud hynny yn byrhau'n gyflym, John. Cyn bo hir mi fydd hi'n rhy hen, ac rwyt tithe'n gwneud pethe'n haws iddi osgoi coleg."

"Dyw hi ddim am fynd i goleg."

"Gwrthryfela mae hi yn ein herbyn ni."

"Dyw e ddim byd i neud gyda beth rydyn ni moyn neu ddim yn moyn neu pwy neu beth ydyn ni."

"Dwi isio iddi gael mwy yn ei bywyd nag actio."

"Mae hi'n gweithio'n galed, mae'n llawn cyffro ac o ddifri am beth mae hi'n ei wneud. Mae hi'n hapus. Dyna beth rydyn ni moyn iddi'i gael yn ei bywyd."

"Ein job ni ydi trosglwyddo'n doethineb ni am fywyd i'n plant. Dwi'n poeni ei bod hi'n colli rhywbeth hanfodol; y cyfle i flasu gwahanol bynciau, ffyrdd gwahanol o feddwl, heriau, cyfleoedd, cwrdd â phobl. Wedi'r cyfan, yn y coleg ddaru ni gwrdd."

"Mae hi'n cael popeth fel 'na eisoes."

"Dydi o ddim yr un peth."

"Iawn, mae'n wahanol. Rwy'n credu fod talu am ei gwersi hi yn fwy na theg. Sori na wnes i ddim dweud wrthot ti, ond nid ti ydi'r person hawsa lle mae hyn yn y cwestiwn. Does dim symud arnat ti."

"Na thithe chwaith."

Trawodd gipolwg ar y cloc ar y pentan, estynnodd am ei sbectol a'i rhoi ar ei gorun.

"Rhaid imi fynd i'r lab am awr, wedyn af i draw i'w chodi hi o'r maes awyr. Oes isie i fi ddod â rhywbeth?" gofynnodd gan hwylio i adael.

"Nag oes."

Syllodd Alys arno a'i llygaid fel dur.

"Fydd hi'n iawn, Ali, paid becso."

Cododd ei haeliau, ond atebodd hi mohono. Beth arall allai hi ei ddweud? Roedden nhw wedi llwyfannu'r olygfa hon lawer gwaith o'r blaen, a doedd y diweddglo fyth yn newid.

I ffwrdd â John am y labordy. Aeth hithau'n ôl at y lluniau yn ei chôl. Ei phlant annwyl yn fabis, yn blantos bach, yn bobl ifanc. I ble'r aeth yr amser? Edrychodd ar y llun o Lydia yn fabi, yr un yr oedd John yn meddwl mai Tom oedd o. Teimlai hyder a sicrwydd newydd yng ngrym ei chof. Ond, wrth gwrs, dim ond agor cil y drws yr oedd y lluniau hyn – roedd eu hanes a'u lliw wedi ymwreiddio ers blynyddoedd mewn cofau hirsefydlog, llawer mwy.

Mewn cof diweddar iawn fyddai cyfeiriad John Black. Roedd angen canolbwyntio, ymarfer, ymhelaethu neu arwyddocâd emosiynol i wthio gwybodaeth y tu hwnt i'r cof diweddar i'r cofau hirsefydlog neu fe fyddai'r wybodaeth honno'n diflannu'n gyflym ac yn naturiol ymhen amser. Roedd canolbwyntio ar gwestiynau a chyfarwyddiadau Dr Davies wedi hollti'i sylw ac wedi'i rhwystro rhag ymarfer neu ymhelaethu ar y cyfeiriad. Er bod yr enw John Black yn ei gwneud braidd yn ofnus a blin erbyn hyn, nid oedd o'n golygu dim iddi ar y pryd. Yn yr amgylchiadau hynny, byddai ymennydd unrhyw un yn siŵr o anghofio. Ond wedyn, nid oedd ei hymennydd hi cweit fel ymennydd pawb arall.

Clywodd y post yn disgyn yn y cyntedd, a chafodd syniad. Edrychodd ar bob eitem unwaith – babi yn gwisgo het Siôn Corn ar gerdyn Nadolig, hysbyseb clwb ffitrwydd, bil ffôn, bil nwy, catalog dillad gwanwyn. Dychwelodd at y soffa, yfodd ei the, rhoddodd yr albymau lluniau yn ôl ar y silff, ac eisteddodd yn gwbl lonydd. Yr unig synau yn y tŷ oedd tic-tocian y cloc, ac ambell ochenaid o'r rheiddiaduron. Syllodd ar y cloc. Aethai pum munud heibio. Hen ddigon.

Heb edrych ar y post, rhestrodd bob eitem yn uchel: "Babi mewn het Siôn Corn, hysbyseb clwb ffitrwydd, bil ffôn, bil nwy, catalog dillad."

Ha! Hawdd. Ond a bod yn deg, aethai mwy na phum munud heibio rhwng yr adeg y cafodd hi gyfeiriad John Black a'r cais i'w ailadrodd. Byddai'n rhaid iddi wneud y bwlch yn hwy.

Estynnodd am y geiriadur a dyfeisiodd ddwy reol ar gyfer

dewis gair. Roedd yn rhaid iddo fod yn air nad oedd hi'n ei ddefnyddio bob dydd ac roedd yn rhaid iddo fod yn air yr oedd hi eisoes yn ei wybod. Profi ei chof diweddar yr oedd hi, nid ei gallu i ddysgu. Agorodd y geiriadur ar hap a llithrodd ei bys hyd at 'gafr'. Ysgrifennodd 'gafr' ar ddarn o bapur, plygodd ef, a'i roi ym mhoced ôl ei jîns, a gosododd chwarter awr ar y microdon.

Un o hoff lyfrau Lydia pan oedd hi'n dechrau darllen oedd *Nel, yr Afr Fach*. Aeth Alys ymlaen â'r gorchwyl o baratoi at swper noswyl Nadolig. Blipiodd y microdon.

"Gafr," meddai hithau'n syth heb orfod edrych ar y darn papur.

Chwaraeodd y gêm fach hon drwy'r dydd, gan gynyddu nifer y geiriau i dri a'r egwyl i dri chwarter awr. Er cynyddu'r anhawster ac er gwaethaf y gwaith o baratoi bwyd – tasgau a allai fod wedi tarfu ar ei gallu i ganolbwyntio – wnaeth hi'r un camgymeriad. *Trwmped, mileniwm, draenog*. Gwnaeth y pasta a'r saws coch. *Eirin, llechen, trawst*. Golchodd y letys a glanhaodd y llysiau. *Pais, diflannu, tractor*. Rhoddodd y cig oen yn y ffwrn, ac aeth ati i hwylio'r bwrdd.

Eisteddai Anna, Charlie, Tom a John yn y lolfa. Gallai Alys glywed Anna a John yn ffraeo. Wyddai hi ddim am beth, ond roedd hi'n gwybod mai ffraeo yr oedden nhw yn ôl pwyslais y geiriau a'r gweiddi. Gwleidyddiaeth efallai. Roedd Charlie a Tom, yn gall iawn, yn cadw'n dawel.

Roedd Lydia yn troi'r gwin cynnes yn y sosban ac yn siarad am ei gwersi actio. Rhwng canolbwyntio ar y swper, y geiriau roedd angen iddi eu cofio, a Lydia, nid oedd gan Alys nerth i wrthwynebu na dadlau. A hithau'n cael penrhyddid aeth Lydia rhagddi i fanylu ar ei chrefft, ac er bod Alys yn daer yn erbyn dewis Lydia o yrfa, cafodd ei hun yn ymddiddori.

"Ar ôl creu'r ddelwedd, rydech chi'n gorfod pwyso ar gwestiwn Elijah, 'Pam y noson hon yn llytrach nag unrhyw noson arall?'" meddai Lydia.

Blipiodd yr amserydd. Camodd Lydia o'r ffordd ar unwaith, ac edrychodd Alys yn y ffwrn. Nid oedd y cig yn barod. Ymbalfalodd Alys am esboniad a'i hwyneb yn cochi yn y gwres. *Dyna oedd o.* Amser dwyn i gof y tri gair yn ei phoced. *Telyn, sarff ...*

"Dim actio bywyd bob dydd yden ni," meddai Lydia. "Mae popeth yn fater o fyw a marw."

"Mam, ble mae'r corcsgriw?" gwaeddodd Anna o'r lolfa.

Brwydrodd Alys i anwybyddu lleisiau ei merched, y lleisiau a oedd, iddi hi, yn drech nag unrhyw leisiau eraill yn y byd, a hoeliodd ei holl sylw ar ei llais mewnol ei hun, y llais a oedd yn ailadrodd dau air fel tiwn gron.

Telyn, sarff, telyn, sarff, telyn, sarff.

"Mam?" gofynnodd Anna.

"Dwi ddim yn gwybod ble mae o, Anna! Dwi'n fishi, cer i chwilio amdano dy hun."

Telyn, sarff, telyn, sarff, telyn, sarff.

"Goroesi ydi popeth pan chi'n meddwl amdano fe. Beth sydd ei angen ar fy nghymeriad i i oroesi, a beth fydd yn digwydd i fi os na chaf i'r peth yna?" meddai Lydia.

"Lydia, plis, oes rhaid siarad am hyn nawr?" arthiodd Alys arni gan sychu'r chwys oddi ar ei thalcen.

"Iawn," meddai Lydia. Trodd i wynebu'r stof gan droi'r gwin yn chwyrn.

Telyn, sarff.

"Methu ffeindio fo!" gwaeddodd Anna.

"Af i draw i helpu," meddai Lydia.

Cwmpawd! Telyn, sarff, cwmpawd.

Yn ei rhyddhad, estynnodd Alys am y cynhwysion i wneud y pwdin bara siocled gwyn a'u gosod ar y bwrdd – diferion fanila, peint o hufen dwbl, llaeth, siwgr, siocled gwyn, torth ddoe, a dau focs hanner dwsin o wyau. *Dwsin o wyau?* Rysáit ei mam oedd hwn a wyddai Alys ddim ble'r oedd o bellach. Doedd hi ddim wedi edrych arno ers blynyddoedd. Rysáit digon syml oedd o, a oedd hyd yn oed yn well na chacen gaws Marty, ym marn Alys, ac roedd hi wedi'i wneud o bob Nadolig ers pan oedd hi'n fach. Faint o wyau? Rhaid bod mwy na chwech, neu fyddai hi ond wedi cymryd un bocs o'r cwpwrdd. Saith, wyth, naw?

Ceisiodd anwybyddu'r wyau am foment, ond roedd yr eitemau eraill yr un mor ddieithr. Oedd hi i fod i ddefnyddio'r hufen i gyd neu ddim ond ychydig? Faint o siwgr? Oedd hi i fod i gyfuno popeth ar unwaith ynteu fesul eitem? Pa ddysgl roedd hi'n arfer ei defnyddio? Ar ba dymheredd ddylai hi osod y ffwrn, ac am ba hyd? Doedd dim byd yn gwneud synnwyr. Doedd yr wybodaeth ddim yno.

Be ddiawl sy'n bod arna i?

Edrychodd eto ar yr wyau. Chafodd hi ddim goleuni. A dweud y gwir, roedd hi'n casáu'r ffwcin wyau. Cydiodd yn un ohonynt a'i hyrddio gyda'i holl rym i'r sinc. Fesul wy, dinistriodd y cyfan ohonyn nhw. Cawsai ei bodloni, ond nid yn llwyr. Roedd hi eisiau malu rhywbeth arall, rhywbeth trymach, rhywbeth fyddai'n ei blino. Edrychodd o amgylch y gegin yn wyllt ac yn gynddeiriog a chyfarfu â llygaid Lydia yn y drws.

"Mam, be yffach chi'n neud?"

Nid yn y sinc yn unig yr oedd y gyflafan. Roedd y wal a'r cownter yn llanast o blisg a gwynnwy, ac roedd wynebau'r cypyrddau'n ddagrau melyn.

"Roedd yr wyau'n hen. Fydd yna ddim pwdin 'leni."

"Ooo ... mae'n rhaid cael y pwdin. Mae'n Ddolig."

"Does yna ddim rhagor o wyau. Dwi wedi cael llond bol ar yr hen gegin 'ma."

"Bicia i draw i'r siop. Cerwch chi i'r lolfa ac ymlaciwch. Mi wna i'r pwdin ichi."

Draw ag Alys i'r lolfa. Er bod y don rymus o gynddaredd bellach wedi darfod, roedd hi'n grynedig o hyd, ac a ddylai deimlo'n ddiolchgar ynteu wedi'i hamddifadu o rywbeth, wyddai hi ddim. Roedd John, Tom, Anna a Charlie yn sgwrsio'n ddwys am rywbeth ac yn llymeitian gwin coch. Daethai'r corcsgriw i'r golwg, felly. Trawodd Lydia ei phen drwy gil y drws, eisoes wedi gwisgo'i chôt.

"Mam, faint o wyau sy eu hangen?"

Roedd ganddi resymau da dros ganslo'i hapwyntiad fore'r pedwerydd ar bymtheg o Ionawr gyda'r niwroseicolegydd a Dr Davies. Roedd gan y myfyrwyr arholiadau ym mis Ionawr, ar ôl gwyliau'r Nadolig, ac roedd gan ddosbarth gwybyddiaeth Alys arholiad y bore hwnnw. Doedd dim rhaid iddi fod yno, ond hoffai gau pen y mwdwl ar bethau, fel ei bod gyda'i myfyrwyr o'r dechrau i'r diwedd. Gyda pheth anfodlonrwydd, roedd wedi trefnu i un o'i chyd-weithwyr fod yno i gadw llygad ar yr arholiad. Y rheswm pennaf, fodd bynnag, oedd mai ar Ionawr y pedwerydd ar bymtheg, dros ddeng mlynedd ar hugain yn ôl, y bu'r ddamwain a laddodd ei mam a'i chwaer. Nid oedd hi'n ofergoelus, fel John, ond chawsai hi erioed newyddion da ar y dyddiad hwnnw. Roedd wedi gofyn i'r ysgrifenyddes am ddyddiad gwahanol, ond nid oedd un ar gael am bedair wythnos arall. Felly, wnaeth hi ddim canslo. Roedd y syniad o aros am fis arall yn waeth na dim.

Meddyliodd am ei myfyrwyr yn y brifysgol, eu nerfusrwydd am y cwestiynau, yn gwthio gwerth tymor o wybodaeth i'r papurau arholiad, ac yn gweddïo na fyddai eu cof yn eu siomi. Gwyddai'n union sut deimlad oedd hwnnw. Roedd hi'n lled gyfarwydd â mwyafrif y profion a roddwyd iddi'r bore hwnnw. Eu diben oedd canfod unrhyw wendidau bychain yn llif ei hiaith, yn ei gallu i gofio pethau diweddar, ac yn y prosesau rhesymu. Mewn gwirionedd, roedd wedi gwneud nifer ohonyn nhw eisoes wrth gymryd rhan yn arbrofion astudiaethau gwybyddiaeth ei hamryfal fyfyrwyr. Ond nid helpu ag arbrawf yr oedd hi rŵan; hi ei hun oedd ar brawf.

Treuliodd bron ddwyawr yn gwneud y profion. Fel y myfyrwyr, teimlai ryddhad mawr ar ôl gorffen ac yn weddol hyderus yn ei pherfformiad. Hebryngwyd hi at swyddfa Dr Davies gan y niwroseicolegydd, ac eisteddodd gyferbyn ag ef. Edrychodd y meddyg ar y gadair wag yn ei hymyl, a gwyddai Alys ei bod mewn trwbwl cyn iddo hyd yn oed agor ei geg.

"Alys, fe ddywedais i'r tro diwethaf bod angen ichi ddod â rhywun gyda chi, yn do fe?"

"Do."

"Mae'n un o reolau'r uned bod pawb yn dod yma yng nghwmni rhywun arall. Alla i mo'ch trin chi'n iawn heb gael darlun llawn o'r hyn sydd wedi bod yn digwydd. Alla i ddim bod yn siŵr bod yr wybodaeth gywir gennyf heb fod rhywun arall yma. Y tro nesa, Alys, dim esgusodion. Iawn?"

"Iawn."

Y tro nesa. Yn y tri gair hwnnw, diflannodd pob hyder oedd ganddi yn ei pherfformiad yn y profion.

"Mae canlyniad pob un o'r profion o fy mlaen i nawr. Rydw i'n methu gweld dim anarferol yn eich MRI. Does dim afiechyd yn yr ymennydd, dim byd i awgrymu eich bod wedi cael strôc, dim hydroceffalws nac unrhyw dyfiant. Mae popeth i'w weld yn iawn. Roedd eich profion gwaed a'r profion ar hylif y meingefn hefyd yn negyddol. Chwiliais yn fanwl iawn – yn fanylach nag arfer – am arwydd o bob cyflwr a allai egluro'r mathau o symptomau sydd gennych chi. Felly, rwy'n gwybod nad oes HIV arnoch chi, na chanser; dydych chi ddim yn dioddef o brinder fitaminau, na chlefyd mitocondriaidd, na nifer o glefydau prin eraill."

Roedd ei araith wedi'i saernïo'n ofalus. Nid am y tro cyntaf chwaith, meddyliodd Alys. Amneidiodd arno i gadarnhau ei bod wedi deall.

"Mi gawsoch chi sgôr o naw deg naw yn y gallu i resymu, sgiliau gofodol a rhuglder eich iaith. Ond, yn anffodus, dyma beth rwy'n ei weld. Mae gennych chi nam ar eich gallu i gofio pethau diweddar nad yw'n gyson â'ch oed ac mae yna ddirywiad mawr yn eich gallu i gyflawni pethau. Rwy'n gwybod hyn o'ch disgrifiad chi o'ch problemau a'r graddau y maen nhw'n effeithio ar cich bywyd proffesiynol. Fe welais i hynny pan oeddech chi'n methu â chofio'r cyfeiriad wnes i ei roi i chi'r tro diwethaf. Er eich bod chi wedi cyflawni'r rhan fwyaf o'r tasgau gwybyddol gawsoch chi heddiw yn hollol gywir, roedd amrywiadau mawr mewn dwy o'r tasgau a oedd yn ymwneud â'r gallu i gofio pethau diweddar. Mewn gwirionedd, roedd eich sgôr chi i lawr yn y chwedegau mewn un dasg.

"O roi'r holl wybodaeth yma at ei gilydd, Alys, mae'n awgrymu i mi ei bod hi'n debygol fod clefyd Alzheimer arnoch."

Clefyd Alzheimer.

Aeth y gwynt o'i hwyliau'n llwyr. Beth yn union glywodd hi? *Tebygol.* Cafodd anadl o rywle.

"Tebygol? Felly, mae'n bosib nad ydw i'n ffitio'r meini prawf?"

"Na. Rydyn ni'n dweud 'tebygol' oherwydd mai'r unig ffordd o gael diagnosis pendant o glefyd Alzheimer ar hyn o bryd yw edrych ar feinwe'r ymennydd, a'r unig ffordd o wneud hynny ydi gwneud awtopsi neu biopsi a dydi'r un o'r ddau yn opsiwn da. Diagnosis clinigol ydi hwn. Does dim protein dementia yn eich gwaed sy'n cadarnhau bod clefyd Alzheimer arnoch chi, a fydden ni ddim yn disgwyl gweld ar MRI arwyddion bod yr ymennydd yn crebachu tan gyfnodau diweddarach y clefyd."

Yr ymennydd yn crebachu.

"Ond dydi hyn ddim yn bosib. Dim ond hanner cant ydw i."

"Clefyd sy'n effeithio ar bobl hŷn ydi hwn gan amlaf, ond mae math ohono yn taro pobl iau nag arfer. Mae deg y cant o bobl â chlefyd Alzheimer o dan chwe deg pump oed. Dyma'r math sydd arnoch chi."

"Sut mae hwn yn wahanol i'r math mae pobl hŷn yn ei gael?"

"Dydi o ddim, heblaw bod rheswm genetig fel arfer wrth ei wraidd, a'i fod yn cychwyn lawer cynt."

Rheswm genetig. Anna, Tom, Lydia.

"Os nad ydych chi ond yn gwybod yn iawn beth sy *ddim* arna i, sut rydych chi'n gallu bod yn siŵr mai clefyd Alzheimer ydi hwn?"

"Ar ôl gwrando arnoch chi'n disgrifio'r hyn sydd wedi bod yn digwydd a'ch hanes meddygol chi, ar ôl y profion, roeddwn i'n eitha siŵr – hyd at naw deg pump y cant. Gan nad oes esboniad arall yn eich profion niwrolegol, eich gwaed, hylif eich meingefn na'r MRI, mae'r pump y cant o amheuaeth a oedd yn weddill yn diflannu. Rwy'n hollol siŵr, Alys."

Alys.

Treiddiodd ei henw i bob cell yn ei chorff gan wasgaru'i moleciwlau y tu hwnt i ffiniau ei chroen. Gwyliodd ei hun o gornel bellaf yr ystafell.

"Felly, be ydi ystyr hyn?" clywodd ei hun yn holi.

"Mae gennym ni un neu ddau o gyffuriau ar gyfer trin clefyd

Alzheimer, a hoffen i petaech chi'n cymryd un ohonyn nhw. Aricept yw un. Mae'n hybu gweithrediad colinergig. Namenda yw'r llall. Mi gafodd ei gymeradwyo'n ddiweddar iawn, ac mae'n dangos cryn addewid. Fydd yr un ohonyn nhw'n eich gwella ond gallan nhw arafu'r symptomau, ac rydyn ni am fachu cymaint o amser â phosibl i chi."

Amser. Faint o amser?

"Hefyd, rydw i am ichi gymryd tabled fitamin E ddwywaith y dydd, a fitamin C, asbrin gwan, a statin unwaith y dydd. Dydych chi ddim yn dangos unrhyw ffactorau risg o ran afiechyd cardiofasgwlar, ond mae popeth sy'n dda i'r galon yn dda i'r ymennydd hefyd, ac rydyn ni am ichi ddal gafael ar bob niwron a synaps allwch chi."

Ysgrifennodd yr wybodaeth ar bapur presgripsiwn.

"Alys, oes unrhyw un o'ch teulu yn gwybod eich bod chi yma?"

"Nag oes."

"Rhaid ichi ddweud wrth rywun. Gallwn ni arafu'r dirywiad ond allwn ni mo'i atal. Mae'n bwysig, er eich diogelwch chi'ch hun, fod rhywun sy'n eich gweld yn rheolaidd yn gwybod beth sy'n digwydd. Allwch chi ddweud wrth eich gŵr?"

Gwelodd ei hun yn amneidio.

"Da iawn. Dyma bresgripsiwn i chi. Cymerwch bopeth fel y dywedais i, ffoniwch fi os cewch unrhyw sgileffeithiau a gwnewch apwyntiad i ddod yn ôl yma ymhen chwe mis. Yn y cyfamser, gallwch fy ffonio neu anfon e-bost ata i os oes gennych unrhyw gwestiynau, a byddwn i hefyd yn eich annog i ffonio Denise Daddario. Hi ydi'r gweithiwr cymdeithasol yma a gall eich helpu gydag adnoddau a chymorth. Dewch yn ôl yma mewn chwe mis, a'ch gŵr gyda chi, ac mi edrychwn ni ar bethau eto bryd hynny."

Chwiliodd ei lygaid am ragor. Arhosodd. Sylweddolodd fod ei dwylo'n gwasgu breichiau metel oer ei chadair. Ei breichiau *hi*. Doedd hi ddim wedi troi'n gasgliad dienaid o foleciwlau yn hofran yng nghornel yr ystafell. Roedd hi, Alys Howland, yn eistedd ar gadair oer a chaled yn ymyl cadair wag yn swyddfa niwrolegydd yn Uned Anhwylderau'r Cof ar wythfed llawr Ysbyty Cyffredinol Massachusetts. Roedd hi newydd gael diagnosis o glefyd Alzheimer. Chwiliodd lygaid ei meddyg a chanfod yno ddim ond y gwir plaen.

Ionawr y pedwerydd ar bymtheg. Ddeuai fyth dda o'r diwrnod hwnnw.

Yn ei swyddfa, a'r drws ynghau, darllenodd yr holiadur ynghylch ei gweithgareddau dyddiol y gofynnodd Dr Davies iddi ei roi i John. **PWYSIG. Nid yw'r holiadur hwn i'w lenwi gan y claf, ond gan berson â gwybodaeth am y claf.** Dyna oedd ar frig y dudalen. Roedd yr ymadrodd *person â gwybodaeth*, y drws caeedig, a churiadau ei chalon yn gwneud iddi deimlo'n euog, fel petai'n cuddio mewn rhyw ddinas yn Nwyrain Ewrop yn disgwyl i'r heddlu ei dal am fod â dogfennau anghyfreithlon yn ei meddiant.

Roedd y drefn sgorio ar gyfer pob gweithgaredd yn amrywio o 0 (dim problem) i 3 (nam difrifol, yn dibynnu'n llwyr ar eraill). Taflodd gipolwg ar y disgrifiadau gyferbyn â phob sgôr o 3 a thybiodd eu bod yn cyfeirio at gyfnodau diweddarach y clefyd, pen draw y ffordd syth, fer, y gorfodwyd hi arni mwya sydyn mewn car heb frêcs a heb lyw.

Roedd sgôr 3 yn frawychus: Ni all fwydo'i hun. Nid oes ganddi reolaeth dros ei gweithgareddau yn y tŷ bach. Ni all gymryd ei meddyginiaeth ei hun. Yn ymwrthod ag ymdrechion y gofalwr i'w golchi neu ei gwisgo. Nid oes ganddi waith. Yn gaeth i'r ysbyty neu i'r cartref. Ni all drin arian. Ni all fynd allan heb gwmni. Brawychus yn wir, ond roedd ei meddwl dadansoddol eisoes yn cwestiynu pa mor berthnasol oedd y rhestr hon i'w hamgylchiadau hi. Pa gyfran o'r rhestr hon yr oedd y clefyd yn gyfrifol amdani, a pha gyfran a gymhlethwyd gan gyflwr bregus y boblogaeth hŷn a ddisgrifiwyd ar y daflen? A oedd rhywun yn methu â dal ei ddŵr am fod ganddo glefyd Alzheimer neu am fod ganddo bledren oedd yn bedwar ugain oed? Efallai na fyddai sgôr 3 yn berthnasol iddi hi, a hithau'n ifanc ac yn gorfforol iach.

O dan y pennawd 'Cyfathrebu' yr oedd y gwaethaf. Mae'n anodd ei deall yn siarad. Nid yw'n deall beth mae pobl yn ei ddweud. Nid yw'n darllen mwyach. Nid yw fyth yn ysgrifennu. *Dim sgiliau ieithyddol.* Heblaw camddiagnosis, ni allai ganfod damcaniaeth i amau na fyddai hyd yn oed hithau rywbryd â sgôr o 3. Gallai pob un o'r disgrifiadau fod yn berthnasol i rywun fel hi. Rhywun â chlefyd Alzheimer.

Edrychodd ar y rhesi o lyfrau a chylchgronau ar y silffoedd, ar y pecyn o bapurau arholiad i'w marcio ar ei desg, ar y negeseuon e-bost ar ei chyfrifiadur, ar olau'r negeseuon llais yn fflachio ar ei ffôn. Meddyliodd am y llyfrau yr oedd hi eisiau eu darllen, y llyfrau ar silff uchaf ei hystafell wely, y rhai y tybiai y byddai ganddi amser rywbryd i'w bodio. *Moby-Dick.* Roedd ganddi arbrofion i'w gwneud, papurau i'w hysgrifennu a darlithoedd i'w cyflwyno ac i fynd iddynt. Iaith oedd popeth iddi ac roedd i iaith ran ym mhopeth a wnâi.

Roedd tudalennau olaf yr holiadur yn gofyn i'r person â gwybodaeth farcio pa mor wael oedd y symptomau a gafodd y claf yn y mis blaenorol: rhithdybiau, rhithweledigaethau, cynnwrf, iselder, gorbryder, ewfforia, difaterwch, gwneud pethau amhriodol, tymer flin, methu â chysgu, newid yn yr arferion bwyta. Fe'i temtiwyd i gynnig yr atebion ei hun, i ddangos ei bod hi'n hollol iawn a bod Dr Davies wedi camsynied. Yna cofiodd ei eiriau: *Alla i ddim bod yn siŵr bod yr wybodaeth gywir gennyf heb fod rhywun arall yma.* O leiaf roedd hi'n cofio ei fod wedi dweud hynny. Tybed pryd ddeuai'r adeg pan na fyddai hi'n cofio?

Bach iawn o wybodaeth oedd ganddi am glefyd Alzheimer. Gwyddai fod ymennydd rhywun â chlefyd Alzheimer â llai o asetylcolin, niwrodrosglwyddydd a oedd yn bwysig wrth ddysgu a chofio. Gwyddai hefyd fod yr hipocampws, strwythur siâp morfarch yn yr ymennydd a oedd yn hollbwysig ar gyfer ffurfio atgofion newydd, yn cael placiau a chlymau er na ddeallai'n iawn sut. Gwyddai fod anomia, 'ar flaen y tafod', yn symptom arall. A gwyddai y byddai hi, ryw ddydd, yn edrych ar wynebau a adnabu erioed, ei gŵr, ei phlant, ei chyd-weithwyr, ac y byddai'n methu eu hadnabod.

Gwyddai fod rhagor i'w wybod hefyd. Roedd haenau o wybodaeth amhleserus i'w canfod. Teipiodd 'clefyd Alzheimer' yn Google. Roedd ei bys ar fin cadarnhau'r chwiliad pan glywodd ddwy gnoc ar y drws. Neidiodd, a chuddio'r dystiolaeth fel mellten. Heb rybudd pellach nac aros am ateb, agorodd y drws. Ofnai hithau fod ei hwyneb yn dangos ei heuogrwydd.

"Wyt ti'n barod?" gofynnodd John.

Na, doedd hi ddim. Pe byddai'n cyfaddef wrth John yr hyn a ddywedodd Dr Davies wrthi, pe byddai'n rhoi'r holiadur Gweithgareddau Dyddiol iddo, byddai popeth yn troi'n realiti. John fyddai'r person â gwybodaeth, ac Alys fyddai'r claf anghenus, analluog. Doedd hi ddim yn barod i gyfaddef. Ddim eto.

"Dere, mae'r gatiau'n cau mewn awr," meddai John.

"Ocê," meddai Alys. "Dwi'n barod."

Crëwyd mynwent Mount Auburn yn 1831, ac roedd bellach yn dirwedd arddwriaethol o bwys ac yn Safle Hanesyddol Cenedlaethol. Yno y gorffwysai mam, chwaer a thad Alys.

Dyma'r tro cyntaf i'w thad fod yn bresennol, yn fyw neu'n farw, ar ben-blwydd y ddamwain angheuol honno, ac roedd hynny'n ei phigo. Ymweliad preifat fu hwn erioed rhyngddi hi a'i mam a'i chwaer. Ond rŵan roedd o yno hefyd. Doedd o ddim yn haeddu hynny.

Cerddodd y ddau yn dawel at fedd y teulu. Cerrig beddau syml o lechen oedd yno, a safent mewn un rhes ar wahân o dan ganghennau coeden ffawydd. Anne Lydia Daly, 1955–1972; Sarah Louise Daly, 1931–1972; Peter Lucas Daly, 1932–2003. Torsythai'r ffawydden tua chan troedfedd uwch eu pennau. Roedd glesni ei dail yn y gwanwyn yn troi'n borffor yn yr haf a'r hydref ond erbyn hyn, collasai ei dail i gyd, a thaflai ei changhennau duon gysgodion hir ac erchyll ar feddau ei theulu ac roeddynt yn ddigon i ddychryn y meirw. Byddai unrhyw gyfarwyddwr ffilm gwerth ei halen wrth ei fodd â'r goeden honno ym mis Ionawr.

Safodd y ddau o dan y goeden, ei llaw hi yn llaw gynnes John. Doedd dim angen geiriau. Yn yr haf, byddai yno drydar adar, sŵn gweithwyr a cherbydau, sŵn traed ar balmentydd. Heddiw, heblaw am hymian cerbydau'r ddinas ymhell y tu hwnt i'r gatiau, roedd y fynwent yn dawel.

Am beth y meddyliai John, tybed? Ofynnodd hi erioed iddo. Chafodd o erioed gyfle i gwrdd â'i mam na'i chwaer, felly go brin y gallai feddwl amdanyn nhw. Ai meddwl am angau yr oedd o neu am bethau ysbrydol? Meddwl amdani hi tybed? Oedd o'n meddwl am ei rieni a'i chwiorydd a oedd yn dal ar dir y byw? Neu a oedd o ar blaned arall yn llwyr, yn meddwl am ei waith ymchwil neu ei ddosbarthiadau, neu swper hyd yn oed?

Sut yn y byd allai hi fod â chlefyd Alzheimer? *Rheswm genetig fel arfer.* A fyddai'r clefyd ar ei mam pe byddai wedi byw'n hanner cant? Oedd o ar ei thad tybed?

Pan oedd o'n ifanc, byddai'n yfed peth wmbredd o ddiodydd alcoholaidd heb edrych yn feddw fyth. Mynd yn dawelach ac yn dawelach fyddai o, ond eto byddai ganddo ddigon o allu cyfathrebu i ordro'r wisgi nesaf neu i fynnu ei fod yn iawn i yrru. Fel y noson y cydiodd yn llyw'r Buick ar y briffordd a gyrru ar ei ben i goeden, gan ladd ei wraig a'i ferch ieuengaf yn y fan a'r lle.

Er na newidiodd ei arferion yfed, newidiodd ei ymddygiad yn llwyr, a hynny tua phymtheg mlynedd yn ôl. Byddai'n cynddeiriogi am rywbeth neu'i gilydd o hyd, yn siarad dwli, ac ni fyddai'n ymolchi nac yn tacluso'i hun. Weithiau doedd o ddim hyd yn oed yn adnabod Alys. Tybiodd Alys ar y pryd mai effaith y gwirod ar ei afu a'i feddwl oedd hynny. Ond tybed ai effaith clefyd Alzheimer oedd o wedi'r cyfan ac yntau heb gael diagnosis? Doedd dim angen awtopsi arni. Roedd yr amgylchiadau'n ffitio'n rhy dda i beidio â bod yn wir. Bellach, gwyddai'n iawn ar bwy i fwrw'r bai.

Wel, Dad, ydech chi'n fodlon rŵan? Dwi wedi cael eich DNA uffern chi. Sut deimlad ydi o, felly? Dim pawb sy'n llwyddo i fwrdro pob aelod o'i deulu.

Hyrddiodd y dagrau allan ohoni'n gri herciog. I unrhyw a ddigwyddai fod yno'r diwrnod hwnnw nid oedd dim yn anarferol yn hynny – ei rhieni a'i chwaer yn y ddaear, y fynwent yn raddol dywyllu a'r ffawydden foel, esgyrnog yn taflu'i chysgod yn y gwyll. Ond rhaid bod John wedi synnu. Nid oedd wedi tywallt yr un deigryn ar ôl colli'i thad fis Chwefror diwethaf, ac roedd amser wedi hen leddfu'r galar a'r golled ar ôl ei mam a'i chwaer.

Cofleidiodd hi'n dynn, a gwyddai hithau y daliai hi gyhyd ag y llifai'r dagrau. Sylweddolai fod y fynwent yn cau unrhyw funud. Sylweddolai ei bod hi'n achosi loes i John. Sylweddolai hefyd na wnâi crio ddim i leddfu'r gwendid yn ei hymennydd. Gwthiodd ei hwyneb i frethyn ei gôt fawr a chriodd ei pherfedd. Criodd nes doedd dim ar ôl.

Daliodd John ei phen yn ei ddwylo a chusanodd gorneli llaith ei llygaid, un ar ôl y llall.

"Ali, wyt ti'n ocê?"

Na, dwi ddim yn ocê, John. Mae clefyd Alzheimer arna i.

Meddyliodd efallai iddi ynganu'r geiriau'n uchel, ond wnaeth hi ddim. Roedden nhw'n dal yn ei phen, nid am eu bod nhw wedi'u llyffetheirio yno gan glefyd, chwaith. Methu'n deg â'u dweud nhw yr oedd hi.

Dychmygodd ei henw hi'i hun ar garreg fedd yn ymyl un Anne. Byddai'n well ganddi farw na cholli'i chof. Edrychodd ar John, ei lygaid amyneddgar yn aros am ateb. Sut allai hi ddweud wrtho fod clefyd Alzheimer arni? Caru'i meddwl hi roedd o. Sut allai o ei charu hi efo peth fel hyn? Edrychodd eto ar enw Anne ar y garreg las.

"Cael diwrnod gwael ydw i, 'sti."

Byddai'n well ganddi farw na dweud wrtho.

Rhoi diwedd ar bopeth. Daeth y syniadau gwyllt am hunanladdiad iddi'n chwim a chryf, gan wthio pob syniad arall o'r neilltu, a'i chaethiwo mewn cornel dywyll ac enbyd am ddyddiau. Ond buan y rhyddhawyd hi. Doedd hi ddim yn barod i farw. Roedd hi'n athro seicoleg uchel ei pharch ym Mhrifysgol Harvard. Roedd hi'n dal i allu darllen ac ysgrifennu a mynd i'r tŷ bach ei hun. Roedd ganddi amser. Ac roedd rhaid iddi ddweud wrth John.

Eisteddai ar y soffa â blanced laslwyd ar ei haffed yn cofleidio'i phengliniau ac yn teimlo fel petai bron â chwydu. Eisteddai ef ar fraich y gadair gyfforddus gyferbyn â hi, mor ddisymud â delw.

"Pwy ddwedodd hyn wrthot ti?" gofynnodd John.

"Dr Davies. Niwrolegydd yn Ysbyty Mass."

"Niwrolegydd. Pryd?"

"Ddeg diwrnod yn ôl."

Trodd oddi wrthi ac edrych ar y paent ar y wal gan chwarae â'i fodrwy briodas yr un pryd. Daliodd ei hanadl wrth iddi aros am ymateb ganddo. Efallai na allai edrych arni fyth eto. Efallai na allai hi anadlu'n iawn fyth eto. Cofleidiodd ei phengliniau'n dynnach fyth.

"Ma fe'n rong, Ali."

"Nac ydi ddim."

"'Sdim byd yn bod arnat ti."

"Oes, mae 'na. Dwi ddim yn gallu cofio pethe."

"Mae pawb yn anghofio pethe. Dydw i byth yn gallu cofio ble mae fy sbectol i. Ydi hynny'n golygu bod clefyd Alzheimer arna i hefyd?"

"Dydi 'mhrobleme i ddim yn normal. Maen nhw'n fwy na dim ond colli sbectol."

"Ocê, rwyt ti wedi bod yn anghofio pethe. Ond mae dy gorff di'n newid achos dy oedran di, rwyt ti dan straen, ac mae marwolaeth dy dad wedi corddi pob math o deimladau am golli dy fam ac Anne. Iselder yw e."

"Nid iselder ydi o."

"Be wyddost ti? Wyt ti'n glinigydd? Gweld dy feddyg dy hun ddylet ti, nid y niwrolegydd yna."

"Dwi wedi gweld honno hefyd."

"A beth ddwedodd hi?"

"Doedd hi ddim yn meddwl mai iselder na'r menopos oedd yn gyfrifol. Doedd ganddi ddim esboniad. Roedd hi'n meddwl falle nad oeddwn i'n cysgu'n iawn. Roedd hi eisiau imi ddod 'nôl mewn mis neu ddau."

"Dyna fe 'te. Ddim yn edrych ar ôl dy hun wyt ti."

"Nid niwrolegydd ydi hi, John. Dwi'n cael digon o gwsg. Mae wythnose ers mis Tachwedd pan welais i'r meddyg, a dydi'r broblem ddim yn gwella. Os rhywbeth, mae'n waeth."

Disgwyliai iddo gredu mewn ychydig funudau rywbeth y bu hi'i hunan yn ei wadu ers misoedd.

"Wyt ti'n cofio'r adeg pan anghofiais i fynd i Chicago?"

"Gallai hynny ddigwydd i fi neu i unrhyw un arall. Mae'n hamserlen waith ni'n boncyrs."

"Maen nhw wastad wedi bod yn boncyrs, ond dydw i erioed wedi anghofio dal awyren. Nid dim ond colli honno wnes i ond anghofio am y gynhadledd yn llwyr, a minnau wedi bod yn paratoi ar ei chyfer drwy'r dydd."

Arhosodd. Roedd cyfrinachau mawr yn llechu na wyddai amdanyn nhw.

"Dwi'n anghofio geirie. Anghofiais yn llwyr bwnc darlith yn yr amser y cymerodd imi gerdded o'r swyddfa i'r dosbarth. Alla i ddim cofio beth yw ystyr pethau ar fy rhestr dasgau rhwng eu hysgrifennu yn y bore a'u darllen yn y pnawn."

Gallai ddarllen John fel llyfr. Wedi blino'n lân, stres, pryder. Normal, normal, normal.

"Wnes i mo'r pwdin noswyl Nadolig achos 'mod i wedi anghofio sut. Allwn i ddim cofio un peth am y rysáit a minnau wedi bod yn gwneud y pwdin yna bob blwyddyn er pan oeddwn i'n eneth fach heb fod angen rhoi dim ar bapur."

Roedd yr achos yn ei herbyn hi ei hun yn rhyfeddol o gryf. Byddai'n ddigon i reithgor dieithr. Ond nid i John. Roedd John yn ei charu.

"Un tro roeddwn i'n sefyll y tu allan i siop Nini yn Sgwâr Harvard ar goll yn llwyr. Doedd gen i ddim syniad sut i fynd adre."

"Pryd oedd hyn?"

"Mis Medi."

Er llwyddo i dorri'i dawelwch, nid oedd troi arno rhag amddiffyn ei hiechyd meddwl.

"Dim ond rhai pethau ydi'r rheini. Dwi'n dychryn wrth feddwl beth rwy'n ei anghofio heb sylweddoli."

Newidiodd ei wedd yn sydyn, fel petai wedi canfod rhywbeth ystyrlon yn y cysgodion ar y sleidiau yn ei labordy.

"Gwraig Dan," mwmialodd.

"Be?" gofynnodd hithau.

Agorodd hollt yn ei feddwl a gwelodd Alys y posibiliadau'n llifo drwyddi, gan lastwreiddio'i argyhoeddiad.

"Mae angen i fi ddarllen rhywbeth, ac wedyn rydw i am siarad gyda dy niwrolegydd."

Cododd heb edrych arni a brasgamu i'w stydi, gan ei gadael wrthi'i hun ar y soffa â blanced laslwyd ar ei harffed yn cofleidio'i phengliniau ac yn teimlo fel petai'n barod i chwydu.

CHWEFROR 2004

Dydd Gwener:
Cymryd tabledi ben bore ✓
Cyfarfod yr adran, 9:00, ystafell 545 ✓
Ateb negeseuon e-bost ✓
Darlith Cymhelliant ac Emosiwn, 1:00, Canolfan Wyddoniaeth;
* Awditoriwm B* ✓
Apwyntiad cwnselydd geneteg (manylion gan John)
Cymryd tabledi fin nos

Stephanie Aaron oedd y cwnselydd geneteg yn Uned Anhwylderau'r Cof yn Ysbyty Cyffredinol Mass. Roedd ganddi wallt du, hir, ac aeliau trwchus fel dau fwa. Croesawodd y ddau'n gynnes.

"Felly, pam rydych chi yma heddiw?" meddai Stephanie.

"Cafodd fy ngwraig wybod yn ddiweddar fod clefyd Alzheimer arni, ac rydyn ni am iddi gael ei sgrinio am y mwtaniadau APP, PS1 a PS2."

Roedd John wedi gwneud ei waith cartref. Treuliasai'r

wythnosau diwethaf dan domen o wybodaeth am etioleg foleciwlaidd clefyd Alzheimer. Proteinau cyfeiliornus o'r tri genyn hyn oedd y drwg yn y caws fel arfer pan ddechreuai'r clefyd yn gynnar fel yn achos Alys.

"Beth amdanoch chi, Alys? Beth ydych chi'n gobeithio ei gael o'r profion hyn?" holodd Stephanie.

"Wel, mae'n edrych yn ffordd resymol o geisio cadarnhau'r diagnosis, am wn i."

"Ydych chi'n poeni bod y diagnosis yn anghywir?"

"Mae hynny'n eitha posibilrwydd," atebodd John.

"Reit 'te, beth am inni drafod i ddechrau beth fyddai ystyr canlyniad cadarnhaol o gymharu ag un negyddol yn eich achos chi. Petai APP, PS1 neu PS2 yn esgor ar ganlyniad cadarnhaol, byddai hynny, yn fy marn i, yn cadarnhau'n ddigamsyniol bod eich diagnosis yn gywir. Os daw eich canlyniadau'n ôl yn negyddol, mae hynny'n achosi problem. Allwn ni ddim dweud i sicrwydd beth fyddai hynny'n ei olygu. Nid oes mwtaniad yng ngenynnau tua hanner y bobl â chlefyd Alzheimer cynnar fel chi. Ond dydi hynny ddim yn golygu nad oes clefyd Alzheimer arnyn nhw na bod y clefyd sydd arnyn nhw ddim yn seiliedig ar y genynnau. Dydyn ni ddim yn gwybod eto ym mha enyn y mae'r mwtaniad."

"Rown i'n meddwl fod hynny'n agosach i ddeg y cant yn achos rhywun o'i hoedran hi," meddai John.

"Rydych chi'n iawn. Mae'r ffigurau ar chwâl braidd yn achos rhywun o'i hoedran hi, ond os daw prawf Alys yn ôl yn negyddol, allwn ni ddim dweud i sicrwydd nad yw'r clefyd arni. Efallai ei bod hi'n un o'r ganran fach honno o bobl â chlefyd Alzheimer sydd â mwtaniad mewn genyn sydd heb ei ganfod eto."

Yr oedd yr un mor bosibl, os nad hyd yn oed yn fwy posibl

o ystyried barn feddygol Dr Davies. Gwyddai Alys fod John yn deall hyn, ond roedd ei ddehongliad ef yn ffitio'r ddamcaniaeth a ddywedai, "Nid oes clefyd Alzheimer ar Alys ac nid yw'n bywydau wedi'u dinistrio'n llwyr." Nid dyna ddehongliad Stephanie.

"Ydi hyn yn gwneud synnwyr i chi, Alys?" gofynnodd Stephanie.

Er bod y cyd-destun yn gwneud y cwestiwn yn un digon dilys, gwingai Alys yn ei erbyn. Gwelai ynddo islais o gwestiynau'r dyfodol. Oedd ganddi ddigon o allu i ddeall y manylion? Oedd gormod o nam ar ei hymennydd, a oedd hi'n rhy ddryslyd i gydsynio i hyn? Roedd Alys wedi ennyn cryn barch erioed. Pe bai ei gallu ymenyddol yn cael ei drechu gan salwch meddwl, beth fyddai'n disodli'r parch hwnnw? Trueni? Cywilydd?

"Ydi," atebodd Alys.

"Rydw i hefyd am i chi wybod pe bai eich prawf yn dod yn ôl yn gadarnhaol, na fyddai diagnosis genetig yn newid dim o ran eich triniaeth na'ch dyfodol."

"Iawn, rwy'n deall."

"Gwych. Beth am inni ddechrau gyda'ch teulu? Ydi'ch rhieni yn dal yn fyw, Alys?"

"Nac ydyn. Bu Mam farw mewn damwain car pan oedd hi'n bedwar deg un, a bu Dad farw y llynedd yn saith deg un o gyflwr ar yr afu."

"Sut oedd cof y ddau pan oedden nhw'n fyw? Oedd unrhyw awgrym o ddementia neu unrhyw newid yn eu personoliaeth?"

"Roedd Mam yn hollol iawn. Roedd Dad yn alcoholig ers blynyddoedd lawer. Dyn tawel a mwyn fu Dad erioed, ond wrth iddo heneiddio byddai'n gwylltio'n gacwn am y peth lleia, a doedd dim modd cael sgwrs gall efo fo. Dwi ddim yn meddwl ei fod yn fy adnabod i yn ei flynyddoedd ola."

"Fuodd o'n gweld niwrolegydd?"

"Naddo. Gymerais i'n ganiatâol mai alcohol oedd yr achos."

"Ydych chi'n cofio pryd ddechreuodd y newidiadau hyn?"

"Yn eu bumdegau cynnar, fyswn i'n deud."

"Roedd e'n feddw dwll bob dydd. Marw o sirosis wnaeth e, nid clefyd Alzheimer," meddai John.

Oedodd Alys a Stephanie am amrantiad, cyn parhau.

"Oes gennych chi frawd neu chwaer?"

"Lladdwyd fy chwaer yn y ddamwain yna efo Mam pan oedd hi'n un ar bymtheg. Does gen i ddim brawd."

"Beth am fodrybedd, ewythrod, cefndryd, nain a thaid?"

Trosglwyddodd Alys hynny a wyddai am hanes iechyd a marwolaeth ei theulu estynedig.

"Rŵan 'te, byddwn ni'n tynnu sampl o'ch gwaed ac yn ei anfon i ffwrdd i'r labordy. Bydd y canlyniadau'n ôl ymhen pythefnos."

Syllai Alys drwy'r ffenestr wrth iddynt yrru i lawr Storrow Drive. Roedd hi'n gythreulig o oer, yn dywyll fel y fagddu am 5.30, a phawb call yn eu tai. Doedd yr un arwydd o fywyd yn unman. Roedd John wedi diffodd y radio cyn gynted ag y taniodd y car. Doedd dim i dynnu ei feddwl oddi ar y difrod yn ei DNA a'r crebachu yn ei hymennydd.

"Negyddol fydd e, Ali."

"Ond fyddai hynny'n newid dim byd. Fyddai hynny ddim yn golygu nad ydi o arna i."

"Na fyddai, ddim yn dechnegol, ond mae'n agor y drws i bosibiliadau eraill, yn tydi?"

"Fel be? Rwyt ti'n gwybod be ddywedodd Dr Davies. Mae o eisoes wedi gwneud pob math o brofion – wedi ymchwilio i bob rheswm arall posibl."

"Drycha, dwi'n meddwl iti roi'r drol o flaen y ceffyl wrth fynd i weld niwrolegydd. Mae e wedi edrych ar dy symptomau di ac wedi penderfynu bod clefyd Alzheimer arnat ti, ond dyna beth mae e wedi cael ei hyfforddi i'w weld. Dyw hynny ddim yn golygu ei fod e'n iawn. Ti'n cofio'r llynedd pan frifaist ti dy ben-glin? Taset ti wedi mynd at lawfeddyg orthopedig bydde fe wedi dweud fod traul ar dy ben-glin neu rywbeth felly, a bydde fe am roi llawdriniaeth iti. I lawfeddyg, llawdriniaeth ydi'r ateb. Ond be wnest ti? Stopio rhedeg am rai wythnosau, gorffwys, llyncu tabledi lladd poen, a dyna ti. Roeddet ti'n iawn wedyn.

"Rwy'n meddwl dy fod ti wedi blino'n siwps a dan straen, rwy'n meddwl bod y newidiadau yn dy hormonau di o achos y menopos yn effeithio arnat ti, ac rwy'n meddwl bod iselder mawr arnat ti. Allwn ni handlo pob un o'r rhain yn hawdd, Ali."

Roedd o'n llwyddo i'w darbwyllo fesul tipyn. Roedd yn annhebygol y byddai rhywun ei hoedran hi â chlefyd Alzheimer. Y menopos oedd y broblem, ac roedd hi wedi blino'n lân. Dyna oedd o. Ac efallai fod y felan arni hefyd. Byddai hynny'n esbonio pam na wnaeth hi frwydro'n galetach yn erbyn ei diagnosis, pam nad oedd hi'n symud môr a mynydd i gael at wraidd y mater. Doedd hi ddim fel hyn fel arfer. Dan straen yr oedd hi, ac wedi blino, ac yn mynd drwy'r menopos ac yn dioddef o'r felan. Nid clefyd Alzheimer oedd arni, siŵr iawn.

Dydd Iau:
7:00, Cymryd tabledi ben bore ✓
Gorffen adolygiad seiconomig ✓
11:00, cwrdd â Dan yn fy swyddfa ✓
12:00, seminar dros ginio, ystafell 700 ✓
3:00, apwyntiad cwnselydd geneteg (manylion gan John)
8:00, cymryd tabledi fin nos

Roedd Stephanie yn eistedd wrth ei desg pan gerddodd y ddau i mewn. Y tro hwn, doedd hi ddim yn gwenu.

"Cyn inni drafod eich canlyniadau, oes rhywbeth yr hoffech chi ragor o wybodaeth amdano ers y tro diwethaf?" holodd.

"Nag oes," atebodd Alys.

"Ydych chi'n dal eisiau gwybod?"

"Ydw."

"Mae'n ddrwg gen i Alys, ond roedd canlyniad y prawf mwtaniad PS1 yn gadarnhaol."

A dyna fo. Prawf digamsyniol ar lwy blaen, dim siwgr na jam, ac fe losgodd yr holl ffordd i lawr ei llwnc. Gallai gymryd coctel o dabledi iselder, gallai gysgu ddeuddeg awr y dydd, a fyddai dim yn newid. Affliw o ddim. Roedd clefyd Alzheimer arni. Roedd hi eisiau edrych ar John, ond ni allai.

"Fel y sonion ni, mae'r mwtaniad hwn yn drechaf awtosomaidd – yn *autosomal dominant* – hynny yw mae'r genyn yn cael ei drosglwyddo o genhedlaeth i genhedlaeth yn eich teulu. Mae'n gysylltiedig â datblygiad penodol o'r clefyd, felly mae'r canlyniad hwn yn ffitio'r diagnosis rydych chi eisoes wedi'i gael."

"Beth yw cyfradd y labordy o ganlyniadau anghywir? Beth yw enw'r labordy?" gofynnodd John.

"Athena Diagnostics. Mae lefel eu cywirdeb nhw dros naw deg naw y cant ar gyfer y mwtaniad hwn."

"John, dydi o ddim yn anghywir," meddai Alys.

Llwyddodd i edrych arno o'r diwedd.

"Mae'n ddrwg gen i, dwi'n gwybod eich bod chi'n chwilio am ffordd allan o'r diagnosis."

"Beth yw goblygiadau hyn i'n plant?" holodd Alys.

"Ie, mae lot i feddwl amdano nawr, yn does? Faint ydi'u hoed nhw?"

"Yn eu hugeiniau, bob un."

"Felly, does dim disgwyl iddyn nhw ddangos unrhyw symptomau eto. Mae'r risg y bydd eich plant yn datblygu'r clefyd yn bum deg y cant i bob un ohonyn nhw. Mae modd iddyn nhw gael profion genetig cyn iddyn nhw ddangos symptomau, ond a ydi hynny'n rhywbeth y bydden nhw am ei wybod? Sut fyddai hynny'n newid eu bywydau? Beth petai un ohonyn nhw'n cael canlyniad cadarnhaol a'r llall yn cael canlyniad negyddol? Sut fyddai hynny'n effeithio ar eu perthynas â'i gilydd? Ydyn nhw hyd yn oed yn gwybod am eich diagnosis chi, Alys?"

"Nac ydyn."

"Byddai'n well ichi ddweud wrthyn nhw'n reit fuan. Dwi'n gwybod fod hwn yn faich go fawr rŵan a chithe ond newydd ddechrau ei gario eich hunan. Ond efo salwch fel hwn sy'n gwaethygu'n raddol, pe byddech chi'n gwneud cynlluniau rŵan i ddweud wrthyn nhw yn nes ymlaen, efallai, pan ddaw'r adeg honno, na fyddwch chi'n gallu gwneud hynny yn y ffordd fyddech chi'n dymuno'i wneud. Neu efallai eich bod chi am adael hyn i John?"

"Na, mi ddwedwn ni wrthyn nhw," meddai Alys.

"Oes gennych chi wyrion neu wyresau?"

Anna a Charlie.

"Ddim eto," atebodd Alys.

"Os ydyn nhw'n bwriadu cael plant, efallai fod hyn yn rhywbeth gwirioneddol bwysig iddyn nhw ei wybod. Mae gen i daflenni fan hyn allai fod o help. Hefyd, dyma gerdyn efo fy manylion arno a chyfeiriad therapydd sy'n wych am siarad efo teuluoedd sydd wedi cael profion genetig a diagnosis. Oes unrhyw gwestiynau ar hyn o bryd?"

"Na, dim ar hyn o bryd."

"Mae'n ddrwg gen i na allwn roi gwell canlyniadau ichi."

"Finne hefyd."

Yn y car, roedd y ddau'n fud. Am yr ail wythnos yn olynol roedd y tymheredd yn nannedd y gwynt ymhell islaw'r rhewbwynt. Eisteddai Alys fel delw yn sedd y teithiwr yn aros i John dorri'r iâ. Ond wnaeth o ddim. Dim ond crio yr holl ffordd adre.

Agorodd Alys glawr bore Llun ei bocs plastig tabled-y-dydd a thywalltodd saith tabled fechan ar gledr ei llaw. Brasgamodd John i'r gegin ar ryw berwyl penodol, ond pan welodd beth oedd yn ei llaw, trodd ar ei sawdl a brasgamodd allan fel petai newydd weld ei fam yn noeth lymun. Gwrthodai ei gwylio'n cymryd y tabledi. Weithiau, byddai ar ganol brawddeg, ar ganol sgwrs, a hithau'n agor ei bocs tabledi, a dyna ni, byddai wedi mynd. Fyddai ganddo ddim mwy i'w ddweud.

Llyncodd y tabledi â the chwilboeth a llosgodd ei llwnc. Yffach, doedd y profiad ddim yn rhy grêt iddi hi chwaith, nag oedd? Eisteddodd wrth fwrdd y gegin, chwythodd ar ei the, a gwrandawodd ar John yn stompio yn y llofft uwch ei phen.

"Am be wyt ti'n chwilio?" gwaeddodd.

"Dim byd," gwaeddodd yntau'n ôl.

Ei sbectol, siŵr o fod. Aethai mis heibio ers iddyn nhw fod efo'r cwnselydd, ac yn y cyfnod hwnnw roedd o wedi rhoi'r gorau i ofyn iddi am help i ddod o hyd i'w sbectol a'i allweddi, er ei bod yn gwybod yn iawn ei fod yn dal i'w colli.

Daeth i mewn i'r gegin yn fân ac yn fuan.

"Alla i helpu?" gofynnodd.

"Na, mae popeth yn iawn."

Cysidrodd beth allai fod wrth wraidd yr annibyniaeth stwbwrn yma. Trio'i harbed rhag trethu hynny o ymennydd a oedd ganddi'n weddill yr oedd o? Oedd o'n ymarfer at ddyfodol hebddi? Gormod o gywilydd arno fo i ofyn am help rhywun oedd â chlefyd Alzheimer? Sipiodd ei the ac ymddiddori mewn llun o afalau a phowlen a fu ar y wal ers degawd a mwy. Gallai ei glywed yn didoli'r post a'r papurau ar y cownter y tu ôl iddi.

Pasiodd heibio, a chlywodd ddrws y cwpwrdd yn agor. Clywodd ddrws y cwpwrdd yn cau. Clywodd y ddau ddrôr yn y bwrdd bach yn y cyntedd yn agor ac yn cau.

"Wyt ti'n barod?" galwodd arni.

Drachtiodd ei phaned a chyfarfu ag ef yn y cyntedd. Roedd wedi gwisgo'i gôt, roedd ei sbectol ar ei gorun, a'r allweddi yn ei law.

"Ydw," meddai Alys, a dilynodd ef allan.

Celwyddgi diegwyddor oedd y gwanwyn y flwyddyn honno. Roedd y coed yn dal heb flagur, doedd yr un blodyn yn ddigon gwirion i dorri drwy'r haen galed o eira, ac roedd yr adar heb ddechrau eto ar eu carwriaethau blynyddol. Caewyd y strydoedd o'r bron gan gloddiau uchel o hen eira budr a chaled, a byddai unrhyw ddadmer a ddigwyddai tua chanol dydd yn rhewi'n gorn eto cyn nos. Roedd cerdded yn beryg bywyd mewn mannau. A'r hyn oedd waethaf o ddigon oedd ei bod hi eisoes yn wanwyn mewn mannau eraill a'r bobl lwcus hynny yn llewys eu crysau ac yn deffro i gorau'r wig. Ond yma, doedd dim argoel o ddadmer ar yr oerfel a'r diflastod, a'r unig gôr a glywodd Alys wrth gerdded tua'r campws oedd crawcian brain.

Roedd John wedi cytuno i'w hebrwng i Harvard bob bore.

Hi fynnodd. Doedd hi ddim am fentro mynd ar goll eto, ond yn fwy na dim roedd eisiau mwynhau ei gwmni, eisiau adfer eu hen gwmnïaeth foreol. Yn anffodus, gan fod y perygl o gael eu taro gan gar yn llai o gryn dipyn na'r perygl o lithro a brifo ar rew'r pafin, roedden nhw'n cerdded ar y ffordd drwyn wrth gynffon, a doedd dim modd cynnal sgwrs.

Hanner ffordd rhwng sgwariau Porter a Harvard, roedd siop goffi Jerri a fu yno ers tro byd, ymhell cyn bod sôn am Starbucks. Y tu ôl i'r cownter roedd bwrdd du ac arno ddewis y dydd o gacennau a brechdanau. Mewn gwirionedd, nid oedd y dewis wedi newid dim er pan oedd Alys yn fyfyrwraig, ond roedd ôl newid mynych ar y prisiau a chysgod ambell bris o'r gorffennol yn dal ei dir ar y bwrdd du mewn llwch sialc. Astudiodd Alys y dewis mewn penbleth.

"Bore da, Jess, coffi a sgon, plis," meddai John.

"A finne," meddai Alys.

"Dwyt ti ddim yn licio coffi," meddai John.

"Ydw."

"Nag wyt ddim. Te â lemwn iddi hi, plis."

"Dwi isio coffi a sgon."

Edrychodd Jess ar John i weld a fyddai ymateb pellach, ond roedd brwydr John wedi chwythu'i phlwc.

"Ocê, dau goffi a dwy sgon ar eu ffordd," meddai Jess.

Y tu allan i'r caffi, blasodd Alys y coffi'n betrus. Roedd yn sur a chwerw, mor annhebyg i'r aroglau bendigedig a godai ohono.

"Sut mae dy goffi di?" holodd John.

"Neis iawn."

Wrth gerdded i'r campws, yfodd Alys y coffi dim ond i sbeitio John. Roedd ar bigau i fod wrthi'i hun yn ei swyddfa er mwyn iddi allu lluchio'r bali peth. Heblaw hynny, roedd ganddi damaid o raean yn ei hesgid ac roedd ar dân i gael gwared ar hwnnw hefyd.

Ar ôl diosg ei hesgidiau a lluchio'r coffi, deffrodd ei chyfrifiadur ac agorodd e-bost gan Anna.

Heia Mam,
    Bydden ni'n dwlu mynd am swper gyda chi, ond mae'r wythnos hon yn un drom gyda threial Charlie. Beth am wythnos nesa? Pa ddiwrnodau fydde orau i chi a Dad? Rydyn ni'n rhydd bob nos heblaw nos Iau a nos Wener.
Hwyl,
Anna

Syllodd ar y winc fach gyson ar sgrin ei chyfrifiadur yn ei herio i ddechrau teipio a cheisiodd ddychmygu beth roedd hi am ei ddweud. Nid peth hawdd bellach oedd cyfleu'r hyn oedd yn ei meddwl drwy gyfrwng llais, beiro neu gyfrifiadur, ac roedd hi'n colli hyder yn ei gallu i sillafu. Ers talwm, byddai'n cael rheseidiau o sêr aur am ei meistrolaeth o'r sgìl hwnnw.

Canodd y ffôn.

"Heia Mam."

"Go dda, roeddwn i ar fin ateb dy e-bost."

"Wnes i ddim anfon e-bost atoch chi."

Ailddarllenodd Alys yr e-bost ar ei sgrin, yn ansicr a oedd hi wedi'i ddeall yn iawn.

"Dwi newydd ei ddarllen. Mae gan Charlie dreial wythnos hon —"

"Mam, Lydia sy 'ma."

"O. Pam rwyt ti wedi codi mor gynnar?"

"Dwi wastad ar fy nhraed rŵan. Roeddwn i isio'ch ffonio chi

a Dad neithiwr, ond roedd hi'n rhy hwyr yn eich amser chi. Dwi newydd gael rhan wych mewn drama, *The Memory of Water*, gyda'r cyfarwyddwr amêsin hyn. Mi fydd yna chwe pherfformiad ym mis Mai. Dwi'n meddwl y bydd yn gwerthu'n dda, a dylai ddenu tipyn o sylw efo'r cyfarwyddwr 'ma. Rown i'n meddwl falle licech hi a Dad ddod draw i 'ngweld i yn y ddrama?"

Gwyddai Alys, yn ôl y cwestiwn yn y llais a'r tawelwch a ddilynodd, y dylai ddweud rhywbeth, ond doedd hi ddim eto wedi cymathu'r cyfan a ddywedodd Lydia. Heb gymorth ystumiau'r wyneb, roedd sgyrsiau ffôn yn ei drysu erbyn hyn. Roedd geiriau fel menyn yn toddi, yn llifo i'w gilydd, ac roedd hi'n colli gafael ar bob dealltwriaeth pan fyddai'r pwnc yn newid yn sydyn. Roedd mathau eraill o broblemau wrth ysgrifennu, ond fe allai guddio hynny am nad oedd rhaid iddi ymateb ar unwaith.

"Os nad ydych chi eisiau dod, dim ond dweud sy isio," meddai Lydia.

"Na, dwi am ddod, ond —"

"Ond rydych chi'n rhy fishi. Rown i'n gwbod mai Dad ddylswn i fod wedi'i ffonio."

"Lydia —"

"Dim bwys, rhaid imi fynd."

Rhoddodd y ffôn i lawr. Ar fin dweud wrthi yr oedd Alys bod rhaid iddi gadarnhau efo John, a phe byddai modd iddo gefnu ar y labordy am ddiwrnod neu ddau, y byddai hi wrth ei bodd yn dod. Os nad oedd John yn rhydd, ni allai hedfan ar draws y wlad hebddo, a byddai'n rhaid iddi wneud rhyw esgus neu'i gilydd. Bu'n osgoi teithio rhag iddi fynd ar goll ymhell o gartref. Roedd wedi gwrthod gwahoddiad i ddarlithio ym Mhrifysgol Duke y mis nesaf ac wedi taflu'r papurau cofrestru ar gyfer cynhadledd iaith y bu'n mynd iddi ers blynyddoedd. Roedd yn awyddus iawn i weld drama Lydia, ond byddai'n rhaid iddi ddibynnu ar John.

Cysidrodd ffonio Lydia'n ôl, ond wnaeth hi ddim. Caeodd ei neges e-bost at Anna heb ei hanfon ac agorodd neges newydd at Lydia. Syllodd eto ar y winc ar y sgrin yn ei hannog i deipio, ond ni allai symud gewyn.

"Tyrd yn dy flaen," meddai wrthi'i hun. Biti na allai gysylltu gwifren i'w phen i roi hwb go egr iddo.

Doedd ganddi ddim amser i glefyd Alzheimer heddiw. Roedd ganddi negeseuon e-bost i'w hanfon, cais am grant i'w ysgrifennu, dosbarth i'w ddysgu, a seminar i fynd iddi. Ddiwedd y prynhawn fe geisiai fynd i redeg. Efallai y byddai hynny'n clirio tipyn ar ei phen.

Stwffiodd Alys ddarn o bapur i'w hosan yn dwyn ei henw, ei chyfeiriad a'i rhif ffôn. Wrth gwrs, petai hi mor ddryslyd fel na wyddai pa ffordd oedd adre, doedd dim sicrwydd y byddai'n cofio am yr hosan chwaith, ond teimlai'n hapusach.

Bellach, nid oedd rhedeg gystal tonig ag y bu. Y dyddiau hyn, teimlai fel petai'n hela atebion i gyfres ddiddiwedd o gwestiynau. Ni waeth pa mor galed y gwthiai ei hun, allai hi fyth mo'u dal.

Doedd dim allai hi ei wneud heblaw cymryd ei meddyginiaethau. Cysgai chwech neu saith awr y nos, a glynai fel gelen wrth normalrwydd bywyd pob dydd. Weithiau, teimlai mai cwac oedd hi, yn esgus bod yn athro yn Harvard a neb yn amau bod ganddi glefyd a oedd yn ei nychu'n raddol. I bob golwg roedd popeth yn iawn.

Roedd yn awyddus i adael Harvard cyn i bobl ddechrau sylwi, cyn i'r sibrydion a'r tosturi ddechrau, ond doedd dim modd iddi wybod na dyfalu pa bryd y byddai hynny. Er bod meddwl am aros yn Harvard yn rhy hir yn ei dychryn, roedd meddwl am adael yn peri mwy o ddychryn o lawer. Pwy oedd hi os nad athro seicoleg yn Harvard?

A ddylai geisio treulio cymaint o amser â phosibl gyda'i phlant a John? Beth fyddai hynny'n ei olygu? Eistedd ar bwys Anna wrth iddi deipio'i hadroddiadau, cysgodi Tom ar ei rownd, gwylio Lydia ar ei chwrs actio? Sut ddylai hi ddweud wrthyn nhw bod pum deg y cant o bosibilrwydd y byddent hwythau yn gorfod wynebu hyn ryw ddydd? Beth petaen nhw'n ei beio ac yn ei chasáu fel roedd hi wedi beio a chasáu ei thad?

Roedd hi'n rhy fuan i John ymddeol. Faint o amser allai o ei gymryd o'r gwaith heb fygu ei yrfa? Faint o amser oedd ganddi hi? Dwy flynedd? Ugain mlynedd?

Er bod clefyd Alzheimer yn tueddu i waethygu'n gynt mewn pobl iau, roedden nhw fel arfer yn byw gyda'r clefyd am flynyddoedd. Gallai blynyddoedd fynd heibio tan y diwedd erchyll un. Fyddai hi ddim yn gallu bwydo'i hun, na siarad, nac adnabod John a'r plant. Byddai fel babi yn y groth. Byddai'n cael niwmonia am na allai lyncu, a byddai John, Anna, Tom a Lydia yn cytuno i beidio â rhoi gwrthfiotigau iddi ac yn teimlo'n euog ar yr un pryd am fod yn ddiolchgar am haint i ladd ei chorff.

Yn sydyn, stopiodd redeg a chwydodd ei pherfedd o'r *lasagne* a gafodd i ginio. Âi sawl wythnos heibio cyn y byddai'r eira wedi dadmer ddigon i'w olchi ymaith.

Gwyddai'n union ble'r oedd hi. Roedd ar ei ffordd adre ac yn sefyll o flaen Eglwys yr Holl Saint, nid nepell o'i thŷ. Gwyddai'n union ble'r oedd hi, ond teimlai ar goll yn llwyr. Wrth i'r clychau ganu uwch ei phen, cydlodd yn y bwlyn haearn, ei droi, a gwthio'r drws coch trwm i'w agor.

Nid oedd yno undyn byw, ac roedd hi'n falch o hynny. Iddewes oedd ei mam, ond mynnodd ei thad ei bod hi ac Anne yn cael magwraeth Gatholig. Yn blentyn, arferai fynd i'r offeren bob dydd Sul, i'r cymun ac i'r gyffes, a chafodd ei bedyddio hyd yn oed, ond am nad oedd ei mam fyth yn rhan o hyn oll, roedd Alys wedi dechrau cwestiynu dilysrwydd y credoau hyn yn gymharol ifanc. A hithau heb gael ateb boddhaol gan ei thad na'r Eglwys Gatholig, collodd hynny o ffydd a oedd ganddi.

Llifai golau'r stryd drwy'r ffenestri lliw gan roi digon o oleuni iddi weld yr eglwys gyfan. Ym mhob ffenestr roedd Iesu yn ei ddillad coch a gwyn yn cyflawni un o'i wyrthiau. I'r chwith o'r allor roedd baner fawr ac arni'r geiriau: DUW YW EIN NODDED A'N NERTH, CYMORTH HAWDD EI GAEL MEWN CYFYNGDER.

Roedd hi mewn pydew du o gyfyngder, gwyddai hynny, ac roedd gwir angen cymorth arni. Ond teimlai fel petai'n tresmasu. Pa hawl oedd ganddi i ofyn am help gan Dduw na chredai ynddo, mewn eglwys na wyddai odid ddim amdani?

Caeodd ei llygaid am ennyd a gwrando ar rwndi pell y traffig y tu allan, gan obeithio am rywbeth. Unrhyw beth. Wyddai hi ddim am ba hyd y bu'n eistedd ar glustog felfedaidd y côr yng ngwyll yr eglwys oer honno, yn disgwyl am ateb. Chafodd hi'r un. Oedodd yn hwy, gan obeithio y deuai offeiriad neu un o'r plwyfolion draw i ofyn iddi pam roedd hi yno. Ond ddaeth neb.

Meddyliodd am y cardiau busnes a gafodd gan Dr Davies a Stephanie Aaron. Efallai y dylai hi siarad â gweithiwr cymdeithasol neu therapydd. Efallai y gallen nhw ei helpu. Yna, fel bollt o olau clir, daeth yr ateb iddi.

Siarad â John.

Ymosododd yn sarrug arni cyn gynted ag y camodd dros y trothwy.

"Ble wyt ti wedi bod?" gofynnodd John.

"Fues i'n rhedeg."

"Rhedeg? Yr holl amser hyn?"

"Fues i yn yr eglwys hefyd."

"Eglwys? Alla i ddim diodde hyn rhagor, Ali. Dwyt ti ddim yn un sy'n yfed coffi nac yn mynd i'r eglwys."

Gallai wynto'r ddiod ar ei anadl.

"Wel, fues i heddiw."

"Oeddet ti'n cofio ein bod ni wedi cael gwahoddiad i swpera gyda Bob a Sarah? Bu'n rhaid imi ganslo."

Bob a Sarah. Roedd o ar ei chalendr.

"Anghofiais i. Mae clefyd Alzheimer arna i."

"Doedd gyda fi ddim syniad ble'r oeddet ti, oeddet ti ar goll neu waeth. Rhaid iti gario dy ffôn efo ti."

"Alla i ddim wrth redeg, na alla? Dim pocedi."

"Wel, sticia fo ar dy ben, ddiawl o ots gyda fi. Sa i isie teimlo fel hyn bob tro rwyt ti'n anghofio bod yn rhywle."

Dilynodd ef i'r lolfa. Eisteddodd ar y soffa, ei ddiod yn ei law, a syllodd ar y carped. Oedodd hithau am ennyd ac yna eisteddodd ar ei lin, gan ei wasgu'n dynn o amgylch ei ysgwyddau, ei chlust hi wrth ei glust ef, a bwriodd ei bol wrtho.

"Dwi mor sori bod hwn arna i. Alla i ddim diodde meddwl pa mor ddrwg fydd pethau cyn hir. Alla i ddim diodde meddwl y bydda i'n edrych arnat ti rywbryd, yr wyneb yma rwy'n ei garu, a fydd gen i mo'r syniad lleia pwy wyt ti."

Byseddodd ei ên a dilynodd drywydd y mân grychau ar ei

wyneb. Sychodd y chwys ar ei dalcen a'r dagrau o gorneli'i lygaid.

"Weithiau, dwi ddim yn gallu anadlu pan fydda i'n meddwl am bethau. Ond mae'n rhaid inni feddwl am bethau. Wn i ddim faint yn rhagor sydd gen i. Rhaid inni siarad am yr hyn fydd yn digwydd."

Drachtiodd gynnwys ei wydryn cyfan, llyncodd, a chrensiodd weddillion y rhew. Yna, edrychodd arni â thristwch mawr.

"Sa i'n gwybod alla i, Ali."

Mae dau ben yn well nag un, medden nhw. Er hynny ni allai'r un o'r ddau roi cynllun call wrth ei gilydd. Roedd gormod o bethau ansicr. Pa mor gyflym fyddai'r clefyd yn datblygu? Roedden nhw wedi cymryd blwyddyn sabothol gyda'i gilydd chwe blynedd yn ôl i ysgrifennu O Foleciwlau i'r Meddwl, ac ymhen blwyddyn gallent gymryd cyfnod sabothol arall. Beth fyddai ei chyflwr hi erbyn hynny? Hyd yma, roedden nhw wedi cytuno y byddai Alys yn gorffen y tymor, yn osgoi teithio hyd y gallai, ac yn treulio'r haf cyfan yn y Cape. Nid oedd eu dychymyg wedi mentro ymhellach na mis Awst.

Roedden nhw hefyd wedi cytuno i beidio â dweud wrth neb am y tro, heblaw eu plant. Byddai'r sgwrs annifyr honno, y penderfyniad a barodd y drafodaeth hwyaf a mwyaf poenus, yn digwydd y bore hwnnw dros frecwast.

Doedden nhw ddim wedi treulio'r Pasg gyda'i gilydd ers tro byd. Weithiau, byddai Anna yn treulio'r penwythnos gyda theulu Charlie yn Pennsylvania, roedd Lydia wedi bod yn Los Angeles ers sawl blwyddyn bellach ac yn Ewrop cyn hynny, ac roedd John mewn cynhadledd yn rhywle i ai blynyddedd yn ôl, Bu'n anodd dwyn perswâd ar Lydia i ddod adre eleni. Roedd yn ei chanol hi efo'r ddrama, ac allai hi ddim fforddio colli ymarferion na thalu am docyn awyren, ond roedd John wedi'i darbwyllo y gallai sbario deuddydd ac wedi talu am ei thocyn.

Gwrthododd Anna'r diodydd alcohol, gan ddewis llymaid o ddŵr yn lle hynny, ond cyn i unrhyw un ddechrau amau ei bod yn feichiog, dechreuodd sôn am y driniaeth IVF roedd hi a Charlie yn ei chael.

"Gwelson ni arbenigwr ffrwythlondeb yn yr ysbyty, a dydi o ddim yn gwybod beth sydd o'i le. Mae fy wyau i'n iach, ac rwy'n eu gollwng nhw bob mis, ac mae sberm Charlie yn iawn hefyd."

"Anna! Does neb isie gwybod am fy sberm i dros frecwast," meddai Charlie.

"Wel, mae o'n wir. Dwi hyd yn oed wedi trio aciwbigo ond does dim yn tycio. Mi weithiodd ar fy mhennau tost i o leia. Rwy'n cychwyn pigiadau FSH ddydd Mawrth a'r wythnos nesa rhyw bigiad arall fydd yn rhyddhau fy wyau i, ac yna byddan nhw'n fy ffrwythloni efo sberm Charlie."

"Anna!" meddai Charlie.

"Wel, mi fyddan nhw, ac wedyn, hei lwc, mi fydda i'n disgwyl babi wythnos nesa!"

Gorfododd Alys wên o blaid Anna, gan gadw'i hofnau dan glo. Nid oedd symptomau clefyd Alzheimer yn dod i'r amlwg tan ar ôl y blynyddoedd ffrwythlon, ar ôl i'r genyn drwg gael ei basio ymlaen i'r genhedlaeth nesaf. Beth petasai hi'n gwybod ers tro ei bod hi'n cario'r genyn hwn, y dynged hon, ym mhob cell yn ei chorff? Fyddai hi wedi cael y plant? Neu a fyddai hi wedi cael hysterectomi? Erbyn hyn, wrth gwrs, ni allai ddychmygu ei bywyd hebddyn nhw. Ond cyn iddi gael y plant, cyn y profiad hwnnw o gariad a ddaeth gyda nhw, fyddai hi wedi penderfynu mai gwell fyddai peidio? Fyddai Anna?

Swagrodd Tom i mewn yn ymddiheuro'n llaes am fod yn hwyr. Aeth ar ei union i'r ystafell fwyta, yn poeni mae'n siŵr na fyddai dim ar ôl iddo, a dychwelodd ymhen dim â phlatiaid o fwyd, yn gwenu o glust i glust. Sodrodd ei hun ar y soffa yn ymyl Lydia, a oedd â'i llygaid ynghau a'i sgript yn ei llaw yn ceisio serio'i llinellau ar ei chof. Roedden nhw yno bob un. Roedd hi'n bryd.

"Mae gan Dad a finne rywbeth pwysig i'w ddweud wrthoch chi, ac roedd hi'n bwysig ein bod ni i gyd yma efo'n gilydd."

Edrychodd ar John. Amneidiodd yntau arni a gwasgu'i llaw.

"Dwi wedi bod yn cael trafferth cofio pethe yn ddiweddar, ac ym mis Ionawr mi ges i wybod bod clefyd Alzheimer arna i."

Ticiodd y cloc ar y pentan y munudau'n llawer rhy uchel. Eisteddai Tom fel delw a llond fforc o fwydiach hanner ffordd rhwng ei blât a'i geg. Dylai ei fam fod wedi aros iddo orffen bwyta.

"Ydych chi'n siŵr? Gawsoch chi ail farn?" gofynnodd.

"Maen nhw wedi edrych ar ei genynnau. Mae'r mwtaniad *presenilin-1* ganddi," atebodd John.

"Ydi o'n drechaf awtosomaidd?" holodd Tom.

"Ydi."

Eglurodd ragor wrth Tom, ond dim ond gyda'i lygaid.

"Be mae hwnna'n feddwl? Dad, be ddywedoch chi?" gofynnodd Anna.

"Mae hynna'n golygu bod pum deg y cant o siawns y byddwn ninne'n cael clefyd Alzheimer," meddai Tom.

"Be am fy mabi i?"

"Dwyt ti ddim hyd yn oed yn feichiog," meddai Lydia.

"Os yw'r genyn ynot ti, mi allai fod yn dy blant di hefyd.

Bydd pob plentyn gei di â phum deg y cant o siawns o ddatblygu'r clefyd," meddai Alys.

"Be ddylen ni ei wneud? Cael profion?" gofynnodd Anna.

"Ie, os wyt ti isio," atebodd Alys.

"O mei god, beth os ydi o arna i? Bydd o ar fy mabi i wedyn," meddai Anna.

"Falle y bydd rhywbeth i'w wella fo erbyn hynny," meddai Tom.

"Ond nid mewn pryd i ni, dyna rwyt ti'n trio'i ddeud? Felly mi fydd fy mhlant i'n iawn, ond mi fydda i fel doli glwt?"

"Anna, dyna ddigon!" gwaeddodd John.

Roedd ei wyneb yn goch. Ddegawd yn ôl, byddai wedi anfon Anna i'w llofft. Yn lle hynny, gwasgodd law Alys yn dynn.

"Sori," meddai Anna.

"Mae'n bosib iawn y bydd triniaeth i'w atal erbyn ichi gyrraedd fy oedran i. Os felly, byddai'n werth ichi wybod y naill ffodd neu'r llall a ydi o arnoch chi er mwyn ichi allu cymryd tabledi mewn da bryd. Dwi'n gobeithio'r nefoedd na fydd o arnoch chi," meddai Alys.

"Pa fath o driniaeth sydd ganddyn nhw rŵan?" holodd Lydia.

"Wel, dwi'n cymryd fitaminau ac asbrin, statin, a dau gyffur penodol."

"Ydi'r rheini'n mynd i atal y clefyd rhag gwaethygu?" gofynnodd Lydia.

"Ydyn, falle, am ychydig. Dydyn nhw ddim yn gwybod yn iawn."

"Beth am dabledi sy'n cael eu treialu?" gofynnodd Tom.

"Rwy'n ymchwilio i'r rheini nawr," atebodd John.

Roedd John wedi dechrau siarad â chlinigwyr a gwyddonwyr a oedd yn ymchwilio i etioleg foleciwlaidd clefyd Alzheimer. Gobeithiai wybod pa mor addawol oedd y therapïau newydd. Biolegydd ym maes celloedd canser oedd John, nid niwrowyddonydd, ond roedd hi'n gymharol hawdd iddo ddeall sut roedd y moleciwlau'n ymddwyn mewn system arall. Yr un iaith oedd ganddyn nhw, wedi'r cyfan. Roedd John yn uchel ei barch, a dim ond iddo grybwyll Harvard roedd y drws yn agor i arbenigwyr o bob math. Os oedd triniaeth well ar gael, neu os byddai ar gael yn fuan, John oedd y dyn i'w chanfod.

"Ond rydych chi'n edrych yn iawn. Rhaid eich bod wedi'i ganfod o yn andros o fuan, fyswn i ddim wedi deall bod unrhyw beth o'i le," meddai Tom.

"Roeddwn i'n gwybod," meddai Lydia. "Nid gwybod bod clefyd Alzheimer arni, ond gwybod bod rhywbeth o'i le."

"Sut?" gofynnodd Anna.

"Weithiau dydi hi ddim yn gwneud synnwyr ar y ffôn, ac mae'n ailadrodd ei hun drwy'r amser. Neu dydi hi ddim yn cofio rhywbeth ddywedais i bum munud yn ôl. Doedd hi ddim hyd yn oed yn cofio sut i wneud y pwdin adeg Nadolig."

"Ers pryd rwyt ti wedi sylwi ar hyn?" gofynnodd John.

"O leia blwyddyn."

Allai Alys ddim meddwl yn ôl mor bell â hynny, ond roedd hi'n ei chredu. Gallai synhwyro euogrwydd John.

"Dwi isio gwybod ydi hwn arna i. Dwi isio cael y prawf. Ydech chi ddim?" gofynnodd Anna.

"Dwi'n meddwl y byddai byw gyda'r pryder o beidio â gwybod yn waeth i mi na gwybod, hyd yn oed os yw arna i," meddai Tom.

Caeodd Lydia ei llygaid. Daliodd pawb eu gwynt. Tybiodd Alys am un eiliad wirion ei bod hi naill ai wedi ailddechrau dysgu'i llinellau neu wedi mynd i gysgu. Ar ôl ysbaid anghyfforddus, agorodd ei llygaid, ac meddai,

"Dydw i ddim isio gwybod."

Un wahanol fu Lydia erioed.

*

Roedd hi'n anarferol o dawel yn Neuadd William James. Doedd dim synau myfyrwyr yn y cyntedd, yn holi, cega, tynnu coes, achwyn, brolio, fflyrtian. Fel arfer roedd wythnos ddarllen y gwanwyn yn sugno'r myfyrwyr o'r campws i'w hystafelloedd a'r llyfrgell, ond doedd hynny ddim yn digwydd am wythnos arall. Weithiau, byddai llawer o'r myfyrwyr seicoleg wybyddol yn treulio diwrnod cyfan yn arsylwi ar astudiaethau MRI yn Charlestown. Efallai mai diwrnod felly oedd hi heddiw.

Beth bynnag oedd y rheswm, roedd Alys yn falch o'r cyfle i wneud pentwr o waith heb i neb darfu arni. Dewisodd beidio â galw yn y caffi am baned ar ei ffordd i'r swyddfa ac roedd hi'n difaru. Gallai wneud y tro â thipyn o gaffîn. Darllenodd drwy'r erthyglau yn y *Linguistics Journal*, trefnodd ddrafft o'r arholiad terfynol ar gyfer ei dosbarth cymhelliant ac emosiwn, ac atebodd ei negeseuon e-bost. Gwnaeth hyn oll heb i'r ffôn ganu unwaith a heb yr un gnoc ar y drws.

Pan gyrhaeddodd adref sylweddolodd ei bod wedi anghofio galw heibio'r caffi, a rhoddai'r byd am baned o de. Cerddodd i'r gegin a llenwi'r tegell. Ar y microdon, roedd hi'n 4:22 y bore. Edrychodd allan drwy'r ffenestr. Gwelodd dywyllwch a'i hadlewyrchiad ei hun yn y gwydr. Roedd hi'n gwisgo'i chrys nos.

Heia Mam,

Wnaeth yr IUI ddim gweithio. Dwi ddim yn feichiog. Dwi ddim mor ypsét ag y tybiais y bydden i chwaith. Dim ond gobeithio y bydd y prawf arall yna'n negyddol hefyd. Fory mae hwnnw. Daw Tom a finne draw wedyn i roi gwybod i chi a Dad beth oedd y canlyniadau.

Hwyl am y tro,

Anna

*

Pan nad oedd golwg ohonynt awr ar ôl i Alys eu disgwyl, gwyddai ei bod yn bur annhebygol fod profion y ddau'n negyddol. Pe bydden nhw'n negyddol, byddai'r apwyntiad wedi bod yn un cyflym, dim byd mwy na "mae'r ddau ohonoch chi'n glir", "diolch yn fawr iawn", ac i ffwrdd â nhw. Efallai fod Stephanie ar ei hôl hi heddiw. Efallai fod Anna a Tom wedi gorfod eistedd yn yr ystafell aros yn hwy nag y tybiai Alys.

Dirywiodd y tebygolrwydd i ddim pan gyrhaeddodd y ddau. Pe bydden nhw'n negyddol, bydden nhw wedi dweud hynny'n blwmp ac yn blaen, wedi gorfoleddu ynddo, ac fe fyddai'r neges yn glir ar eu hwynebau. Yn lle hynny, ymlusgodd y ddau i'r lolfa, yn amlwg yn cario baich ac yn ceisio ymatal rhag ei ollwng cyhyd ag y gallent.

Eisteddai'r ddau ochr yn ochr ar y soffa, Tom ar y chwith ac Anna ar y dde, fel y bydden nhw yn sedd gefn y car slawer dydd. Closiai'r ddau at ei gilydd yn nes nag y buont erioed, a phan estynnodd Tom am ei llaw, wnaeth Anna ddim sgrechian fel y byddai pan oedd yn blentyn, "Maaaaam, mae Tom yn fy nhwtsied i!"

"Dydi'r genyn ddim gen i," meddai Tom.

"Ond mae o gen i," meddai Anna.

Ar ôl geni Tom, cofiai Alys mor lwcus y teimlai; roedd y teulu delfrydol ganddi – un o bob un. Chwe blynedd ar hugain yn ddiweddarach, a dyna'r fendith yn felltith. Methodd Alys â dal yn hwy, a dechreuodd y dagrau lifo.

"Dwi'n sori am bob dim," meddai.

"Mi fydda i'n iawn, Mam. Fel y dywedoch chi, maen nhw'n siŵr o ffeindio triniaeth neu ffordd o'i atal."

A hithau'n myfyrio ar hyn wedyn, roedd yr eironi'n amlwg. Anna oedd y cryfaf, yn allanol o leiaf. Hi wnaeth y rhan fwyaf o'r cysuro. Ac eto, pam ddylai hynny ei synnu? Anna oedd y plentyn tebycaf i'w mam. Roedd ganddi wallt, gwedd a thymer ei mam. A *presenilin-1* ei mam hefyd.

"Dwi'n bwriadu bwrw ymlaen efo'r driniaeth IVF. Dwi wedi siarad efo'r meddyg eisoes, ac maen nhw'n mynd i wneud profion ar enynnau'r embryo cyn ei roi i mewn ynof i. Maen nhw'n mynd i brofi un gell o bob un embryo a fyddan nhw ond yn mewnblannu'r rhai sy'n glir. Felly, fyddwn ni'n saff na cheith fy mhlant i mohono fo."

Newyddion da, felly. Ond tra oedd pawb arall yn falch o hynny, ni allai Alys lai na theimlo ychydig yn chwerw. Roedd hi'n eiddigeddus o Anna, a dweud y gwir, am fod Anna yn gallu gwneud yr hyn na allai hi – cadw'i phlant rhag drwg. Fyddai Anna fyth yn gorfod eistedd gyferbyn â'i merch yn ei gwylio'n brwydro i ddirnad y newyddion y byddai hi'n datblygu clefyd Alzheimer ryw ddydd. Pam na allai'r camau breision hyn ym myd meddygaeth fod ar gael iddi hi flynyddoedd yn ôl? Ond yna, sylweddolodd y byddai'r embryo a alwai bellach yn Anna wedi cael ei daflu ar y domen.

Yn ôl Stephanie, roedd Tom yn iawn, ond edrychai ymhell o fod yn iawn. Edrychai'n welw, mewn sioc, yn fregus. Roedd Alys wedi dychmygu y byddai canlyniad negyddol i unrhyw un ohonyn nhw yn rhyddhad mawr, ond teulu oedden nhw, ynghlwm wrth ei gilydd er gwell neu er gwaeth. Anna oedd ei chwaer fawr. Hi ddysgodd o i gnoi gwm ac i chwythu swigod, a fo, bob amser, fyddai'n cael ei losin olaf un.

"Pwy sy'n mynd i ddweud wrth Lydia?" gofynnodd Tom.

"Mi wna i," meddai Anna.

Temtiwyd Alys i daro heibio wythnos ar ôl ei diagnosis, ond wnaeth hi ddim. Doedd ganddi fawr o awydd gweld y dyfodol yn y sêr, mewn cardiau tarot, na chwaith mewn cartrefi nyrsio, er ei bod hi'n nesáu at y dyfodol hwnnw bob dydd. Doedd dim yn benodol wedi digwydd y bore hwnnw i danio'i chwilfrydedd a'i gyrru i sbecian drwy ddrysau Canolfan Nyrsio Auburn Manor. Ond yno y canfu'i hun, serch hynny.

Doedd dim i'w dychryn yn y cyntedd. Crogai llun o fôr tawel ar y wal, roedd carped o liwiau pŵl yn gorchuddio'r llawr ac eisteddai dynes â gwallt llawer rhy ddu a cholur trwm y tu ôl i ddesg yn wynebu'r tu blaen. Heblaw am yr oglau antiseptig a'r ffaith nad oedd neb yn cyrraedd nac yn gadael, bron na allai rhywun feddwl mai gwesty ydoedd. Ond lle i breswylwyr oedd hwn, nid lle i westeion.

"Alla i'ch helpu chi?" gofynnodd y ddynes wrth y ddesg.

"Ydych chi'n gofalu am gleifion Alzheimer yma?"

"Ydyn. Mae uned benodol ar gyfer cleifion Alzheimer. Licech chi fynd i weld?"

"Diolch."

Dilynodd y ddynes at y lifft.

"Chwilio am rywle i un o'ch rhieni ydech chi?"

"Ie," meddai Alys yn gelwydd i gyd.

Roedd y lifft yn hen ac yn araf, fel y rhan fwyaf o'r bobl a gludai.

"Cadwyn neis gynnoch chi," meddai'r ddynes.

"Diolch yn fawr."

Mwythodd Alys y cerrig mân ar adenydd yr iâr fach yr haf a orffwysai ar ei brest. Arferai ei mam wisgo'r gadwyn ar ddiwrnodau gŵyl a phriodasau, ac roedd Alys, fel hithau, yn ei chadw at achlysuron arbennig. Ond nid oedd digwyddiadau ffurfiol ar y gorwel, ac roedd Alys yn meddwl y byd o'r gadwyn. Gwisgodd hi gyda jîns a chrys-T yr wythnos diwethaf, ac roedd yn gweddu'n berffaith.

Heblaw hynny, roedd hi'n hoffi cael ei hatgoffa o ieir bach yr haf. Un haf, pan oedd hi'n chwech neu'n saith oed, daliodd ei mam hi'n beichio crio yn yr ardd am ei bod newydd sylweddoli nad oedden nhw'n byw yn hir. Cysurodd ei mam hi, a dweud wrthi nad oedd bywyd byr ddim yn golygu bywyd trasig. Gwyliodd y ddwy'r ieir bach yr haf yn hedfan o flodyn i flodyn yng ngwres yr haul, ac meddai, *Sbia mor brydferth ydi'u bywyd nhw.* Roedd Alys yn hoffi cofio hynny.

Aeth y ddwy allan o'r lifft i'r trydydd llawr, a cherdded i lawr cyntedd hir, drwy bâr o ddrysau trwm. Wrth i'r drysau gau'n awtomatig y tu ôl iddynt, tynnodd y ddynes sylw Alys.

"Mae'r Uned Gofal Arbennig Clefyd Alzheimer dan glo. Allwch chi ddim mynd ymhellach na'r drysau hyn heb wybod y cod."

Syllodd Alys ar y bocs rhifau ar y wal wrth y drws. Roedd y rhifau wyneb i waered ac wedi'u trefnu o'r dde i'r chwith.

"Pam mae'r rhifau fel yna?"

"I stopio'r bobl sy'n byw yma rhag dysgu'r cod a'i gofio."

Dyna beth gwirion, meddyliodd Alys. Tasen nhw'n gallu cofio'r cod, fydden nhw ddim yma yn y lle cyntaf.

"Wn i ddim ydech chi wedi gweld hyn yn achos eich rhiant, ond mae crwydro a chodi yn y nos yn beth cyffredin iawn efo clefyd Alzheimer. Mae'r uned yma'n gadael iddyn nhw grwydro faint fynnon nhw, ond yn ddiogel a heb berygl y byddan nhw'n mynd ar goll. Dydyn ni ddim yn rhoi tawelyddion iddyn nhw yn y nos nac yn eu cyfyngu i'w hystafelloedd. Rydyn ni'n ceisio'u helpu i gael cymaint o ryddid ac annibyniaeth â phosibl. Mae hyn yn bwysig iddyn nhw ac i'w teuluoedd."

Daeth dynes fechan â gwallt gwyn mewn gŵn blodeuog pinc a gwyrdd at Alys.

"Dydech chi ddim yn ferch i fi."

"Na, sori, dydw i ddim."

"Rhowch y pres yn ôl i fi!"

"Dydi hi ddim wedi mynd â'ch pres chi, Lynn. Mae o yn eich stafell chi, yn nrôr top y cwpwrdd. Chi roiodd o yno."

Llygadodd y ddynes fechan Alys yn gyhuddgar, ond gwrandawodd ar lais awdurdod a sleifiodd yn ôl i'w hystafell mewn slipars a fu unwaith yn wyn.

"Mae ganddi bapur ugain doler y mae'n ei guddio yn rhywle byth a hefyd achos bod rhywun, medde hi, yn bwriadu'i ddwyn o. Wedyn, wrth gwrs, mae'n anghofio ble mae wedi rhoi'r pres ac yn cyhuddo'r byd a'r betws o'i ddwyn. Rydyn ni wedi ceisio'i pherswadio i'w wario neu ei roi yn y banc, ond wneith hi ddim. Rhyw ddiwrnod mi anghofith amdano'n llwyr, a dyna ddiwedd ar hwnna."

Wedi cael cefn paranoia Lynn, aeth ei thywysydd a hithau yn eu blaenau i ystafell fawr ym mhen draw'r cyntedd. Roedd yn llawn o bobl oedrannus yn ciniawa o amgylch byrddau crynion. Menywod oedden nhw bron i gyd.

"Dim ond tri dyn sydd yma?"

"Dau. Dim ond dau o'r preswylwyr sy'n ddynion. Dod yma i gael cinio efo'i wraig mae Harold."

Eisteddai'r ddau ddyn wrthynt eu hunain, wrth eu bwrdd eu hunain. Eisteddai llawer o'r menywod mewn cadeiriau olwyn. Roedd y rhan fwyaf yn moeli ac yn gwisgo sbectolau fel gwaelod pot jam. Roedd pawb yn bwyta'n araf, araf. Doedd dim cymdeithasu, dim sgwrsio, dim cyfathrebu, hyd yn oed rhwng Harold a'i wraig. Ar wahân i sŵn bwyta, yr unig sŵn arall yn yr ystafell oedd sŵn canu aflafar. Ceisiai un o'r menywod ganu 'Pwy fydd yma 'mhen can mlynedd' rhwng cegeidiau o fwyd, ond roedd y nodwydd yn sticio o hyd ac o hyd. Doedd neb yn achwyn nac yn cymeradwyo.

Pwy fydd yma 'mhen can mlynedd.

"Hon ydi'n ffreutur ni a'n hystafell weithgareddau hefyd. Mae'r preswylwyr yn cael brecwast, cinio a swper yma ar yr un adeg bob dydd. Mae'n bwysig cadw at yr un amser a'r un arferion. Rydyn ni hefyd yn cynnig bowlio a thaflu sachau ffa, cwis, dawnsio, cerddoriaeth a chrefftau. Nhw wnaeth y pethau papur hyfryd yna'r bore 'ma. Bydd rhywun yn darllen y papur newydd iddyn nhw bob dydd er mwyn iddyn nhw wybod beth sy'n digwydd yn y byd."

Pwy fydd yma

"Mae digon o gyfle i'n preswylwyr gadw cymaint o fin ar eu meddwl a'u cyrff â phosib."

'mhen can mlynedd.

"Mae pob croeso i deulu a ffrindiau gymryd rhan yn y gweithgareddau hefyd neu ddod i fwyta gyda'r preswylwyr."

Heblaw Harold, ni allai Alys weld neb arall oedd yn deulu. Nid oedd yno yr un gŵr na gwraig, dim plant nac wyrion, dim ffrindiau.

"Mae ein staff meddygol wedi cael hyfforddiant pwrpasol hefyd petai angen gofal ychwanegol ar unrhyw un."

Pwy fydd yma 'mhen can mlynedd.

"Oes rhywun yma o dan chwe deg oed?"

"Jiw, nag oes, saith deg yw'r ifancaf, rwy'n credu. Maen nhw tua wyth deg dau, wyth deg tri fel arfer. Anaml iawn fyddai rhywun iau na chwe deg oed efo clefyd Alzheimer."

Mae un o flaen eich trwyn chi rŵan hyn, meiledi.

Pwy fydd yma 'mhen can mlynedd.

"Faint mae hyn i gyd yn ei gostio?"

"Mae gen i becyn gwybodaeth lawr grisiau, ond ers mis Ionawr rydyn ni'n codi dau gant wyth deg pump o ddoleri'r dydd."

Cyfrodd Alys y gost yn ei phen. Tua chan mil y flwyddyn, wedi'i luosi â phump, deg, ugain mlynedd.

"Oes rhywbeth arall licech chi ei wybod?"

Pwy fydd yma.

"Na, popeth yn iawn, diolch."

Dilynodd y tywysydd yn ôl i'r drws dwbl dan glo a'i gwylio'n teipio'r cod.

0791925.

Nid dyma'r lle iddi hi.

Yn Cambridge, roedd hi'n un o'r diwrnodau prin hynny y byddai pobl y dalaith yn breuddwydio amdano, ond yn amau ei fodolaeth – diwrnod braf, cynnes o wanwyn. Diwrnod pan oedd yr awyr cyn lased ag y gallai fod, diwrnod i fynd heb gôt, diwrnod rhy dda i'w wastraffu mewn swyddfa, yn enwedig i rywun â chlefyd Alzheimer.

Crwydrodd draw o'r brifysgol a cherdded ar ei phen i'r parlwr hufen iâ agosaf, yn llawn cyffro fel petai'n hogan ifanc yn mitsio o'r ysgol am y tro cyntaf.

"Corned mawr, plis, efo tair llwyed o hufen iâ siocled a chnau."

Talodd â phapur pum doler ac aeth yn ei blaen tuag at yr afon yn dal y corned pendrwm o'i blaen fel petai newydd ennill gwobr Oscar. Wrth iddi lyfu'r hufen iâ, meddyliodd am yr hyn roedd hi newydd ei weld yng Nghanolfan Nyrsio Auburn Manor. Roedd angen gwell cynllun arni, un nad oedd yn cynnwys chwarae sachau ffa â Lynn yn yr Uned Gofal Arbennig Clefyd Alzheimer. Un nad oedd yn costio ffortiwn i John i'w chadw'n fyw ac yn saff, a hithau, fwy na thebyg erbyn hynny, wedi anghofio'n llwyr pwy oedd o. Doedd hi ddim am gyrraedd y pwynt hwnnw, yr adeg pan fyddai'r beichiau emosiynol ac ariannol yn drech o ddigon na'r fantais o fod yn fyw.

Doedd dim gwadu ei bod eisoes yn gwneud camgymeriadau, ond roedd hi'n weddol siŵr bod ei gallu ymenyddol yn dal yn well na'r cyfartaledd. A doedd pobl fel hyn ddim yn lladd eu hunain. Er bod ei chof yn crebachu'n gyflym, roedd ei hymennydd yn dal ei dir ac yn ei gwasanaethu'n dda mewn nifer o ffyrdd. Er enghraifft, ar y foment benodol honno, drwy lyfu a throi, llyfu a throi, roedd hi'n gallu bwyta'i hufen iâ heb iddo ddiferu ar y corned nac ar ei llaw. Sgìl o ddyddiau'i phlentyndod oedd hwnnw, a sodrwyd ar un o silffoedd ei chof rhwng sut i reidio beic a sut i glymu careiau. Wrth iddi gamu oddi ar y pafin i groesi'r stryd, roedd ei sgiliau modur a'i hymennydd, mewn eiliad, yn datrys y broblem fathemategol angenrheidiol i symud ei chorff i'r ochr arall heb iddi syrthio na chael ei tharo gan gar. Gallai adnabod persawr blodau a gwynt melys y cyrri o'r bwyty Indiaidd ar y gornel. Gyda phob llyfiad, câi bleser amheuthun o flas y siocled a chrensian y cnau mâl, a dangosai hynny fod y llwybrau ymenyddol a oedd yn caniatáu iddi gael y pleser hwnnw yn dal yn gyfan.

Rhywbryd, ar ryw bwynt yn y dyfodol, byddai'n anghofio sut i fwyta hufen iâ, sut i wisgo'i hesgidiau, a sut i gerdded. Ar ryw bwynt, byddai'r niwronau pleser yn dechrau darfod ac ni fyddai'n gallu mwynhau pethau fel cynt. Ar ryw bwynt, fyddai dim pwynt.

Biti na fyddai canser arni yn lle hynny. Fe ffeiriai glefyd Alzheimer am ganser mewn chwinciad. Teimlai gywilydd am feddwl y ffasiwn beth, a doedd dim pwrpas meddwl beth bynnag, ond pe byddai canser arni gallai frwydro o leiaf. Byddai ganddi opsiynau – llawdriniaeth, therapi ymbelydredd neu gemotherapi. Byddai ganddi obaith o ennill. Byddai ei theulu a'r gymuned yn Harvard yn gefn iddi, a hyd yn oed pe byddai'r canser yn drech na hi yn y diwedd, gallai edrych i fyw eu llygaid wrth ddweud ei ffarwél olaf.

Brwydr heb arfau oedd y frwydr yn erbyn clefyd Alzheimer; roedd cymryd tabledi Aricept a Namenda fel anelu gwn dŵr at goelcerth enfawr. Daliai John ati i chwilio am unrhyw gyffuriau oedd yn cael eu datblygu, ond roedd hi'n amau a oedd yr un ohonyn nhw'n barod nac yn debygol o wneud gwahaniaeth iddi hi, neu fe fyddai wedi ffonio Dr Davies ar unwaith yn mynnu eu cael iddi. Fel yr oedd pethau ar hyn o bryd, roedd pawb â chlefyd Alzheimer yn wynebu'r un dyfodol, pa un a oedden nhw'n byw ym Mount Auburn neu'n athrawon seicoleg o fri ym Mhrifysgol Harvard. Llyfai fflamau'r tân bawb yn ddiwahân, a doedd dim dianc rhagddyn nhw.

Gan dderbyn y ffaith fod ganddi glefyd Alzheimer, na allai ond dibynnu ar ddau gyffur aneffeithiol i'w drin, ac na allai ffeirio hyn oll am glefyd arall yr oedd mwy o siawns ei wella, beth oedd hi'n dymuno'i gael? Pe byddai'r IVF yn gweithio, roedd hi eisiau gallu dal babi Anna a gwybod ei bod hi'n dal ei hŵyr neu ei hwyres gyntaf. Roedd hi eisiau gweld Lydia yn actio mewn rhywbeth gwerth chweil. Roedd hi eisiau gweld Tom yn syrthio mewn cariad. Roedd hi eisiau blwyddyn sabothol arall gyda John. Roedd hi eisiau darllen pob llyfr posibl cyn darfod ohoni'r gallu i ddarllen.

Rhoddodd chwerthiniad sydyn wrth sylweddoli beth oedd ei dymuniadau diweddaraf. Doedd dim yn y rhestr honno am ieithyddiaeth, darlithio na Harvard. Crensiodd y darn olaf o'i chorned. Roedd hi hefyd eisiau mwy o ddiwrnodau braf cynnes a chymaint o hufen iâ ag y gallai ei fwyta, a phan fyddai baich y clefyd yn drech na phleser yr hufen iâ, roedd hi eisiau marw.

Fyddai hi'n gwybod, hyd yn oed, pryd fyddai hynny? Poenai na fyddai, yn y dyfodol, yn gallu cofio'r math yma o gynllun heb sôn am ei roi ar waith. Allai hi ddim mynd ar ofyn John neu'r plant. Fyddai hi fyth yn dymuno iddyn nhw wynebu'r fath beth.

Roedd angen cynllun arni hi fyddai'n sicrhau y gallai gyflawni hunanladdiad pan ddeuai'r amser. Roedd angen iddi greu prawf, un syml, er mwyn iddi allu profi ei gallu bob dydd. Meddyliodd am y cwestiynau a ofynnodd Dr Davies a'r niwroseicolegydd iddi, y rhai nad oedd wedi gallu eu hateb fis Rhagfyr diwethaf. Meddyliodd am yr hyn roedd hi ei eisiau. Doedd dim angen clyfrwch ymenyddol ar gyfer yr un ohonyn nhw. Roedd hi'n fodlon parhau i fyw gyda bylchau mawr yn ei chof.

Tynnodd ei threfnydd electronig, y BlackBerry, o'i bag a oedd yn anrheg pen-blwydd gan Lydia. Cariai y bag gyda hi i bobman, fel ei modrwy briodas a'i wats. Un bach glas oedd o, ac roedd yn asio'n berffaith gyda'r gadwyn iâr fach yr haf.

Teipiodd:

Alys, ateb y cwestiynau hyn:

1. Pa fis ydi hi?
2. Ble rwyt ti'n byw?
3. Ble mae dy swyddfa di?
4. Pryd mae pen-blwydd Anna?
5. Faint o blant sydd gen ti?

Os cei di drafferth i ateb unrhyw un o'r rhain, cer i'r ffeil 'Iâr Fach yr Haf' ar dy gyfrifiadur a dilyna'r cyfarwyddiadau yn y ffeil ar unwaith.

Gosododd y larwm ar ei chalendr i'w hatgoffa i ateb y cwestiynau am 8:00 bob bore, hyd byth. Gwyddai nad oedd y cynllun heb ei broblemau. Gallai unrhyw ffŵl weld hynny. Doedd ond gobeithio y llwyddai i agor 'Iâr Fach yr Haf' mewn da bryd.

Rhuthrodd i'r ddarlith yn poeni ei bod hi'n hwyr, ond doedden nhw ddim wedi dechrau hebddi, diolch byth. Eisteddodd ar ochr yr ale, bedair rhes yn ôl. Ar wahân i ambell fyfyriwr a ddaeth i mewn wedyn ac eistedd yng nghefn yr ystafell, roedd pawb yno gan mwyaf. Edrychodd ar ei wats. 10:05. Dyna oedd ar y cloc ar y wal hefyd. Rhyfedd. Prysurodd ei hun â hyn a'r llall. Edrychodd ar yr amserlen ac ar ei nodiadau o'r ddarlith ddiwethaf. Gwnaeth restr o dasgau ar gyfer gweddill y dydd:

Lab
Seminar
Rhedeg
Adolygu ar gyfer y ffeinals

Amser, 10:10. Gallai glywed y myfyrwyr yn anesmwytho, yn pori drwy'u llyfrau nodiadau, yn taflu cipolwg ar y cloc ar y wal, yn tanio'u gliniaduron, yn clicio ac yn teipio. Gorffennwyd ambell goffi. Cafodd siocled a chreision a byrbrydau eraill eu bwyta, a rholiwyd papur lapio a phapur llwyd yn beli a'i stwffio i'w bagiau. Edrychodd rhai o amgylch yr ystafell i weld beth roedd eu ffrindiau yn ei wneud. Codwyd aeliau ac ysgwyddau. Bu sibrwd a chilchwerthin.

"Efallai mai darlithydd gwadd sy'n dod," meddai merch a eisteddai ddwy res y tu ôl i Alys.

Edrychodd Alys eto ar ei hamserlen cymhelliant ac emosiwn. Dydd Mawrth, Mai 4: Straen, Diymadferthedd a Rheoli (penodau 12 ac 14). Doedd dim sôn am ddarlithydd gwadd. Newidiodd yr egni yn yr ysafell o fod yn ddisgwylgar i annifyrrwch lletchwith. Roedden nhw fel popcorn ar y tân. Pan fyddai un yn popio, byddai'r lleill yn dilyn wrth y degau, ond wyddai neb pwy na phryd. Y rheol aur yn Harvard oedd bod yn rhaid i fyfyrwyr aros ugain munud am ddarlithydd cyn y gellid canslo'r ddarlith. Caeodd Alys ei llyfr nodiadau, rhoddodd ei beiro i gadw, a llithrodd bopeth i'w bag llyfrau. 10:21. Hen ddigon hir.

Wrth iddi godi i adael, edrychodd ar y pedair merch a eisteddai y tu ôl iddi. Gwenodd y pedair arni, yn ddiolchgar mae'n siŵr am mai hi oedd y gyntaf i godi. Cododd ei garddwrn ac edrychodd ar ei wats.

"Wn i ddim amdanoch chi, ferched, ond mae gen i bethe gwell i'w gwneud."

Cerddodd i fyny'r grisiau ac allan o'r ddarlithfa drwy'r drysau cefn, heb edrych yn ei hôl unwaith.

Eisteddai yn ei swyddfa yn gwylio malwod metel y traffig yn ymlwybro drwy'r ddinas. Dirgrynodd ei chlun, ac aeth i grombil ei bag bach glas i morol am ei BlackBerry. Roedd hi'n 8 o'r gloch y bore.

Alys, ateb y cwestiynau hyn:

1. Pa fis ydi hi?
2. Ble rwyt ti'n byw?
3. Ble mae dy swyddfa di?
4. Pryd mae pen-blwydd Anna?
5. Faint o blant sydd gen ti?

Os cei di drafferth i ateb unrhyw un o'r rhain, cer i'r ffeil 'Iâr Fach yr Haf' ar dy gyfrifiadur a dilyna'r cyfarwyddiadau yn y ffeil ar unwaith.

Mis Mai
34, Stryd Poplys, Cambridge, MA02138
Neuadd William James, ystafell 1002
Medi 14, 1976
Tri

Roedd ganddi ewinedd a gwefusau pinc, y ddynes oedrannus honno a oedd yn chwarae â'r ferch fach bum mlwydd oed. Wyres iddi efallai. Roedd y ddwy'n cael diwrnod i'r brenin. Wedi bod yn pori drwy gylchgrawn yr oedd Alys, ac ni allai yn ei byw symud heibio'r llun hwnnw oedd yn hysbysebu cyffur ar gyfer clefyd Alzheimer. Am ryw reswm, roedd hi'n casáu'r hen ddynes a'r hysbyseb â phob gewyn ohoni. Cyn iddi allu dirnad pam roedd hi'n teimlo'r fath atgasedd, galwyd hi at Dr Moyer.

"Reit 'te, Alys, rydych chi'n cael trafferth cysgu?"

"Mae'n cymryd dros awr imi fynd i gysgu, wedyn dwi'n deffro ddwyawr ar ôl hynny ac yn mynd drwy'r holl rigmarôl eto."

"Ydych chi'n cael y chwysfa amser gwely? Neu'n teimlo'n anghyfforddus mewn ffordd arall?"

"Nac ydw."

"Pa dabledi rydych chi'n eu cymryd?"

"Aricept, Namenda, Lipitor, fitaminau C ac E ac asbrin."

"Yn anffodus, mae methu â chysgu yn un o sgileffeithiau Aricept."

"Ydi, dwi'n gwbod, ond mae'n rhaid ifi gymryd hwnnw."

"Be fyddwch chi'n ei wneud pan fyddwch chi ddim yn gallu cysgu?"

"Gorwedd yno gan amla, yn poeni am bethe. Dwi'n gwbod fod hyn yn mynd i waethygu, ac wn i ddim pryd. Dwi'n poeni y bydda i'n mynd i gysgu ac yn deffro'r bore wedyn ddim yn gwybod pwy ydw i na beth rwy'n ei wneud. Gwirion, dwi'n gwybod, ond mae gen i'r syniad yma bod clefyd Alzheimer ddim ond yn lladd y celloedd yn fy ymennydd pan fydda i'n cysgu. Cyn belled ag y byddai i ar ddihun, mi fydda i'n iawn."

Dim ond hanner y stori oedd yn wir. Roedd hi yn poeni, ond roedd hi'n cysgu fel babi.

"Ydych chi'n poeni fel hyn ar unrhyw adeg arall o'r dydd?" gofynnodd Dr Moyer.

"Nac ydw."

"Fydde cyffur gwrthiselder yn helpu?"

"Dwi ddim isio'r rheini, dwi ddim yn diodde o iselder."

Nid dyna'r gwir i gyd chwaith. Roedd hi wedi cael diagnosis bod clefyd angheuol arni a doedd dim gwella i fod. Roedd hi newydd glywed bod yr un clefyd ar ei merch hefyd. Roedd hi wedi rhoi'r gorau i deithio, roedd ei darlithoedd bellach yn hollol ddiflas, a hyd yn oed ar yr adegau prin pan oedd John gartre gyda hi, roedd o ar blaned arall. Wrth gwrs ei bod hi'n teimlo'n isel. Ond doedd hynny ddim yn rheswm i ychwanegu meddyginiaeth arall, a mwy o sgileffeithiau, at ei rhestr ddyddiol. Nid dyna beth roedd hi ei eisiau.

"Dwi awydd eich rhoi chi ar Restoril, un bob nos amser gwely. Mi fydd yn eich helpu chi i fynd i gysgu'n gyflym ac mi allwch chi gysgu am tua chwe awr."

"Dwi isio rhywbeth cryfach."

Edrychodd y meddyg arni am eiliad hir.

"Rwy'n meddwl y dylech chi wneud apwyntiad i ddod yn ôl yma efo'ch gŵr. Gallwn ni drafod a oes angen rhywbeth cryfach bryd hynny."

"Does gan hyn ddim i'w wneud â John. Dwi ddim yn diodde o iselder, a dydw i ddim yn desbret. Dwi'n gwbod be dwi'i isio – Tamara."

Syllodd Dr Moyer i fyw ei llygaid. Syllodd Alys arni hithau. Roedd y ddwy dros eu deugain, a'r ddwy yn fenywod proffesiynol. Doedd gan Alys ddim modd o wybod beth oedd barn y meddyg, ond roedd hi'n benderfynol o gael y tabledi. Fe âi at feddyg arall pe bai raid. Roedd ei dementia yn mynd i waethygu, ac allai hi ddim mentro aros yn hwy. Estynnodd Dr Moyer am ei phapurau presgripsiwn a dechrau ysgrifennu.

Roedd hi'n ôl yn yr ystafell brofion gyda Sarah Rhywbeth, y niwroseicolegydd, ac roedd Alys eisoes wedi anghofio ei chyfenw. Nid oedd yr ystafell wedi newid dim ers mis Ionawr – ystafell bitw, amhersonol. Roedd yno un ddesg, cyfrifiadur iMac, dwy gadair anghyfforddus a chwpwrdd metel i gadw ffeiliau. Dim byd arall. Dim ffenestr, dim planhigion, dim lluniau na chalendr ar y wal. Dim byd i darfu ar y profion, dim byd i roi cliw o unrhyw fath.

Dechreuodd Sarah Rhywbeth â sgwrs ddigon arferol.

"Faint ydi'ch oed chi, Alys?"

"Pum deg."

"Pryd gawsoch chi'ch pen-blwydd yn bum deg?"

"Yr unfed ar ddeg o Hydref."

"A pha adeg o'r flwyddyn ydi hi nawr?"

"Gwanwyn, ond mae'n teimlo fel haf."

"Dwi'n gwbod. Mae'n boeth heddiw, yn tydi? Ble rydyn ni nawr?"

"Yn Uned Anhwylderau'r Cof yn Ysbyty Cyffredinol Mass, Boston."

"Allwch chi enwi'r pedwar peth yn y llun yma?"

"Llyfr, ffôn, ceffyl a char."

"Be ydi'r peth yma ar fy nghrys i?"

"Botwm."

"A hwn ar fy mys?"

"Modrwy."

"Allwch chi sillafu 'tawel' o chwith?"

"L-E-W-A-T."

"Dywedwch ar fy ôl i: Pwy, beth, pryd, ble, pam."

"Pwy, beth, pryd, ble, pam."

"Allwch chi godi'ch llaw, cau eich llygaid ac agor eich ceg?"

Gwnaeth hynny.

"Alys, be oedd y pedwar peth yn y llun yna gynne?"

"Ceffyl, car, ffôn a llyfr."

"Grêt. Ysgrifennwch frawddeg, unrhyw frawddeg, i mi."

Ni allaf gredu na fyddaf yn gallu gwneud hyn ryw ddiwrnod.

"Diolch. Nawr, enwch gymaint o eiriau ag y gallwch mewn 60 eiliad sy'n dechrau â'r llythyren *s*."

"Sarah, stiwpid, sŵn, sâl, seriws, stori, siŵr, steil."

"Nawr, enwch gymaint o eiriau â phosib sy'n dechrau â'r llythyren *f* neu *ff*."

"Ffŵl. Ffair. Ffeit. Ffit, ffordd, ffôn, ffon. Ffyc." Chwarddodd. "Sori am hynna."

Mae sori yn dechrau ag s.

"Popeth yn iawn. Dwi'n clywed hwnna'n aml."

Dyfalodd Alys faint o eiriau fyddai hi wedi gallu eu henwi

flwyddyn yn ôl. Tybed faint o eiriau'r funud yr oedd Sarah yn ei ystyried yn normal?

"Nawr, enwch gymaint o lysiau ag y gallwch."

"Bresych, brocoli, cennin, winiwns. Blodfresych. Pupur. Asbaragws. Alla i ddim meddwl am ragor."

"Dyma'r ola – enwch gymaint o anifeiliaid pedair coes ag y gallwch."

"Cŵn, cathod, llewod, teigrod, eirth. Sebra, jiráff. Eliffant."

"Nawr, darllenwch y frawddeg hon yn uchel."

Rhoddodd Sarah Rhywbeth ddarn o bapur iddi.

"Ddydd Mawrth, yr ail o Orffennaf, yn Santa Ana, Califfornia, caeodd tân Faes Awyr John Wayne gan adael tri deg o deithwyr heb unman i fynd, gan gynnwys chwe phlentyn a dau ddyn tân," darllenodd Alys.

"Dywedwch wrtha i gymaint ag y gallwch chi am y stori."

"Ddydd Mawrth, yr ail o Orffennaf, yn Santa Ana, Califfornia, cafodd tri deg o bobl, gan gynnwys chwe phlentyn a dau ddyn tân, eu hynysu gan dân."

"Gwych. Nawr rwy'n mynd i ddangos cyfres o luniau ar gardiau, ac rwy am ichi eu henwi."

"Cês, telesgop, iglw, oriawr, rhinoseros." *Anifail pedair coes arall.* "Raced dennis. O, arhoswch funud, dwi'n gwbod be ydi hwn, rhyw fath o ysgol ar gyfer planhigion. *Trelis!* Trwmped, creision, padell. O, mae hwn ar flaen fy nhafod i hefyd. Mae un yn ein gardd gefn ni yn y Cape. Mae rhwng dwy goeden, ac ryden ni'n gallu gorwedd ynddo. Hangar? Nage, hongian? Na. Nefi wen, dwi'n gwybod ei fod yn dechrau efo *h*, ond alla i ddim cofio'r gair."

Ysgrifennodd Sarah Rhywbeth nodyn ar ei phapur. Roedd Alys eisiau dadlau bod methu â chofio un neu ddau o bethau yn rhywbeth digon cyffredin. Roedd hyd yn oed myfyrwyr ifanc holliach yn anghofio un neu ddau o bethau bob wythnos.

"Popeth yn iawn, 'mlaen â ni."

Llwyddodd Alys i enwi gweddill y lluniau heb anhawster, ond ni allai gofio enw'r peth hwnnw oedd yn hongian rhwng dwy goeden. Gallai gofio gorffwys yno yn y prynhawn gyda John yn y cysgod dioglyd ac arogl powdr golchi yn gymysg ag arolgau'r haf ar groen a dillad cotwm. Gallai gofio hyn oll, ond nid enw'r diawl peth 'h' odanyn nhw.

Cafodd sawl prawf arall, a chafodd hwyl ar bob un ohonyn nhw. Nid achosodd yr un ohonyn nhw drafferth o gwbl iddi. Taflodd gipolwg ar ei wats. Roedd wedi bod yn yr ystafell fach bitw honno ers dros awr.

"Reit, Alys, rwy am ichi feddwl am y stori fach yna wnaethoch chi ei darllen i mi. Beth ydcch chi'n ei gofio amdani?"

Llyncodd ei phanig a safodd hwnnw oddi mewn iddi, fel cloch eglwys a honno'n gwasgu ar ei gwynt. Naill ai roedd y llwybr at fanylion y stori wedi cau'n llwyr neu doedd ganddi mo'r nerth electrogemegol i ddeffro'r niwronau oedd yn eu cadw'n ddiogel. Y tu allan i waliau'r ystafell, gallai chwilio am yr wybodaeth yn ei BlackBerry. Gallai ailddarllen ei negeseuon e-bost ac ysgrifennu nodiadau ar bapur melyn gludiog i'w hatgoffa. Gallai ddibynnu ar y parch oedd iddi yn Harvard. Y tu allan i waliau'r ystafell gallai guddio ei llwybrau caeedig a'i signalau niwral tila. Er y gwyddai'n iawn mai diben y profion oedd datgelu'r hyn nad oedd ganddi, fe'i daliwyd mewn moment letchwith.

"Fedra i ddim cofio llawer."

A dyna ni. Ei chlefyd Alzheimer o dan y golau fflworesent, yn noeth a salw, i Sarah Rhywbeth graffu arno a'i farnu.

"Dywedwch beth allwch chi ei gofio. Unrhyw beth."

"Wel, roedd maes awyr yn y stori, dwi'n credu."

"Ar ba ddiwrnod ddigwyddodd y stori? Dydd Sul, dydd Llun, dydd Mawrth neu ddydd Mercher?"

"Dwi ddim yn cofio."

"Dyfalwch."

"Dydd Llun."

"Oedd yna gorwynt, llifogydd, tân neu storm?"

"Tân."

"Ai ym mis Ebrill, mis Mai, mis Mehefin neu fis Gorffennaf ddigwyddodd y stori?"

"Gorffennaf."

"Pa faes awyr oedd yn y stori? John Wayne, Dulles neu Los Angeles?"

"Los Angeles."

"Faint o deithwyr? Tri deg, pedwar deg, pum deg neu chwe deg?"

"Wn i ddim. Chwe deg?"

"Faint o blant oedd yn y stori? Dau, pedwar, chwech neu wyth?"

"Wyth."

"Pwy arall oedd yno? Dau ddyn tân, dau blismon, dau ddyn busnes neu ddau athro?"

"Dau ddyn tân."

"Grêt. Dyna ni wedi cwpla. Awn ni draw at Dr Davies nawr."

Grêt? Oedd hi'n gwybod y stori wedi'r cyfan, a hynny'n ddiarwybod iddi?

Pan aeth i mewn i swyddfa Dr Davies, cafodd syndod o weld bod John yno eisoes yn eistedd yn y sedd a fu mor amlwg o wag yn ystod ei dau ymweliad blaenorol. Roedden nhw yno i gyd bellach. Alys, John a Dr Davies. Allai hi ddim credu bod hyn yn digwydd go iawn, mai dyma'i bywyd hi bellach – dynes sâl a'i gŵr mewn apwyntiad niwrolegydd. Teimlai fel cymeriad mewn drama, y ddynes honno gyda chlefyd Alzheimer. Daliai gŵr y ddynes sgript ar ei arffed. Ond nid sgript oedd o ond yr Holiadur Gweithgareddau Dyddiol.

"Alys, dewch, eisteddwch. Rwy newydd fod yn siarad â John."

Roedd John yn chwarae â'i fodrwy briodas ac yn tapio'i droed ar y llawr. Am beth fuon nhw'n siarad? Roedd hi eisiau siarad â John yn breifat cyn iddyn nhw gychwyn y sesiwn, i gael gwybod beth ddigwyddodd ac i wneud yn siŵr bod eu storïau'n asio.

"Sut ydych chi?" gofynnodd Dr Davies.

"Eitha da, diolch."

Gwenodd arni. Gwên garedig oedd hi a phylodd ei hofnau ychydig bach.

"Da iawn. Beth am eich cof? Oes unrhyw beth wedi newid ers y tro diwethaf ichi fod yma?"

"Wel, efallai fy mod i'n ei chael hi'n anoddach cadw llygad ar fy amserlen. Dwi'n gorfod edrych ar y BlackBerry a gwneud rhestrau. A dwi'n casáu siarad ar y ffôn erbyn hyn. Os na alla i weld y person dwi'n siarad ag o, dwi'n cael trafferth deall y sgwrs. Dwi'n tueddu i golli gafael ar yr hyn y mae'r person yn ei ddweud wrth fynd ar drywydd geiriau yn fy mhen."

"Beth am eich gallu i gofio ble rydych chi? Neu ddrysu?"

"Wel, weithiau dwi'n drysu pa adeg o'r dydd ydi hi, hyd yn oed wrth edrych ar fy wats. Un tro fe es i i'r swyddfa gan feddwl mai'r bore oedd hi. Dim ond wedi imi ddod adre y sylweddolais ei bod hi'n berfedd nos."

"Do, wir?" gofynnodd John. "Pryd oedd hyn?"

"Wn i ddim. Rhyw fis yn ôl falle."

"Ble oeddwn i?"

"Yn cysgu."

"Pam mai dim ond nawr rwy'n cael gwybod am hyn, Ali?"

"Wn i ddim. Falle imi anghofio sôn?"

Gwenodd arno, ond roedd ei wyneb yr un mor galed â chynt. Yn galetach os rhywbeth.

"Mae'r math yma o ddrysu a chrwydro yn ystod y nos yn ddigon cyffredin, ac mae'n debygol o ddigwydd eto. Efallai y byddai'n werth rhoi cloch o ryw fath ar y drws i ddeffro John pe byddech chi'n mynd allan yn ystod y nos. Hefyd, byddai'n werth ichi gofrestru â Rhaglen Gartref yn Ddiogel y Gymdeithas Alzheimer. Am ddeugain doler fe gewch chi freichled yn dwyn eich enw a chod personol."

"Mae rhif John yn fy ffôn personol eisoes, a dwi'n ei gario efo fi yn y bag yma bob amser."

"Grêt, ond beth petai'r batri yn darfod neu fod ffôn John wedi'i ddiffodd a chithau ar goll?"

"Beth am ddarn o bapur yn fy mag sy'n dwyn fy enw i, enw John, ein cyfeiriad a'n rhifau ffôn?"

"Byddai hynna'n gweithio, cyn belled â bod y bag gyda chi bob amser. Gallech chi ei anghofio. Fyddai hynny ddim yn digwydd yn achos y freichled."

"Mae'n syniad da," meddai John. "Mi gofrestrwn ni am y freichled."

"Beth am y tabledi? Ydych chi'n dal i gymryd popeth?"

"Ydw."

"Unrhyw sgileffeithiau? Teimlo'n sâl neu'n benysgafn?"

"Na, dim."

"Heblaw'r noson honno yn y swyddfa, ydych chi'n cael trafferth cysgu?"

"Nac ydw."

"Ydych chi'n dal i wneud digon o ymarfer corff?"

"Ydw, dwi'n rhedeg tua phum milltir bob dydd, fel arfer."

"Ydych chi'n rhedeg hefyd, John?"

"Nac ydw. Rwy'n cerdded i'r gwaith ac yn ôl. Dim mwy na hynny."

"Byddai'n eitha syniad ichi ddechrau rhedeg gyda hi. Mae rhai astudiaethau'n dangos bod ymarfer corff yn helpu i arafu'r dirywiad yn yr ymennydd."

"Dwi wedi gweld y rheini," meddai Alys.

"Iawn, daliwch i redeg felly. Ond byddai'n well gen i fod rhywun yn rhedeg gyda chi; o gael partner rhedeg fydd dim rhaid inni boeni amdanoch yn mynd ar goll neu hyd yn oed anghofio mynd i redeg."

"Wna i ddechrau rhedeg gyda hi."

Roedd John yn casáu rhedeg. Gallai chwarae sboncen a thennis a hyd yn oed golff pe byddai raid, ond doedd o fyth yn rhedeg. Er ei fod o'n gryfach na hi yn feddyliol erbyn hyn, doedd dim dwywaith nad hi oedd y cryfaf o ddigon o ran rhedeg. Amheuai a fyddai John yn dyfalbarhau.

"Sut mae'ch hwyliau? Iawn?"

"Eitha da ar y cyfan. Dwi'n teimlo'n rhwystredig yn aml, a dwi'n blino yn trio dal i fyny â phopeth. Dwi'n poeni am y dyfodol. Heblaw am hynny, dwi'n teimlo rhywbeth yn debyg, yn well mewn rhai ffyrdd, yn enwedig ers dweud wrth John a'r plant."

"Ydych chi wedi rhoi gwybod i bobl Harvard?"

"Naddo, ddim eto."

"Wnaethoch chi lwyddo i gynnal pob darlith a chyflawni eich holl gyfrifoldebau proffesiynol y tymor yma?"

"Do, er, roeddwn i'n teimlo'n llawer mwy blinedig, cofiwch."

"Ydych chi wedi bod yn teithio i gyfarfodydd a chynadleddau ar eich pen eich hun?"

"Dwi wedi stopio mynd iddyn nhw i bob pwrpas. Dwi fel arfer yn teithio tipyn yn yr haf – mae John hefyd – ond eleni byddwn ni'n treulio'r haf cyfan yn ein tŷ yn Chatham."

"Gwych, mae hwnna'n syniad hyfryd. Mae'n edrych yn debyg y cewch chi ofal da yn ystod yr haf. Ond yn yr hydref, dylech feddwl am ddweud wrth eich cyd-weithwyr yn Harvard, a meddwl am gynllun ar gyfer gadael eich swydd. Hefyd, dylech osgoi teithio ar eich pen eich hun."

Amneidiodd Alys. Roedd hi'n casáu mis Medi yn barod.

"Mae rhai pethau cyfreithiol i'w cynllunio hefyd, pethau fel atwrneiaeth ac ewyllys. Ydych chi wedi ystyried a hoffech chi roi eich ymennydd i hybu ymchwil?"

Roedd hi wedi meddwl am hynny eisoes. Yn ei dychymyg, roedd ei hymennydd yn gorwedd yn bŵl a phinc yn nwylo rhyw fyfyriwr meddygol yn y dyfodol. Byddai'r athro yn pwyntio at holl rannau'r ymennydd, cortecs y clyw a chortecs y llygaid. Aroglau'r môr, lleisiau ei phlant, dwylo ac wyneb John. Efallai y câi ei dorri'n dafellau tenau, fel *prosciutto*, a'i sodro ar sleidiau gwydr. O edrych arno felly, byddai'r fentriclau mawr yn drawiadol tu hwnt. Y mannau gwag lle bu hi unwaith.

"Mi hoffwn i wneud hynny, os oes modd."

Plethodd John ei freichiau a chroesi'i goesau.

"Iawn, bydd angen i chi lenwi ffurflen cyn ichi adael. Alla i gael yr holiadur, John?"

Beth ddywedodd o amdana i yn hwnnw?

"Pryd gawsoch chi wybod am ddiagnosis Alys?"

"Yn fuan wedi i chi ddweud wrthi."

"Sut mae pethau oddi ar hynny?"

"Da iawn, rwy'n credu. Mae'n wir am y ffôn. Dydi hi ddim yn ei ateb mwyach. Mae'n glynu fel gelen i'w BlackBerry.

Weithiau fe fydd hi'n edrych arno bob dwy funud yn y bore cyn gadael y tŷ. Mae gweld hynny'n anodd."

Roedd John yn edrych arni lai a llai, a hyd yn oed wedyn, edrych arni â llygad clinigol fyddai o, fel petai'n un o'r llygod mawr yn ei labordy.

"Sut mae ei hwyliau a'i phersonoliaeth? Unrhyw beth yn wahanol?"

"Na, dim newid. Ychydig yn amddiffynnol efallai, ac yn dawelach."

"A beth amdanoch chi?"

"Fi? Rwy'n iawn."

"Mae help ar gael i bobl sy'n gofalu am rywun arall. Dyma daflenni gwybodaeth ichi. Beth am wneud apwyntiad?"

"I fi?"

"Ie."

"Na, sa i'n credu. Rwy'n iawn."

"Ocê, ond cofiwch fod help ar gael os bydd angen. Nawr, rwy am ofyn rhagor o gwestiynau i Alys."

"A dweud y gwir, hoffen i gael gair â chi am therapïau ychwanegol ac arbrofion clinigol."

"Iawn, dim problem, ond rwy eisiau gorffen yr archwiliad yn gyntaf. Alys, pa ddiwrnod yw hi?"

"Dydd Llun."

"Pryd gawsoch chi'ch geni?"

"Hydref yr unfed ar ddeg, 1953."

"Rwy'n mynd i ddweud enw a chyfeiriad wrthych chi, ac rwy am i chi ei ailadrodd nawr, ac eto yn nes ymlaen. Barod? John Black, 42 Heol y Gorllewin, Brighton."

"Fel y tro diwetha."

"Ie, da iawn. Allwch chi ei ddweud e wrtha i nawr?"

"John Black, 42 Heol y Gorllewin, Brighton."

John Black, 42 Heol y Gorllewin, Brighton.

Dydi John byth yn gwisgo du, mae Lydia yn byw yn y gorllewin, mae Tom yn byw yn Brighton, wyth mlynedd yn ôl roeddwn i'n bedwar deg dau.

John Black, 42 Heol y Gorllewin, Brighton.

"Allwch chi gyfri i ugain ymlaen ac yna o chwith?"

Gwnaeth hynny.

"Nawr, ysgrifennwch frawddeg am y tywydd heddiw."

Mae'n boeth a chlòs.

"Ar ochr arall y papur, tynnwch lun cloc yn dangos chwarter i bedwar."

Gwnaeth Alys gylch mawr, a dechreuodd ei lenwi â rhifau gan ddechrau ar y top gyda'r rhif deuddeg.

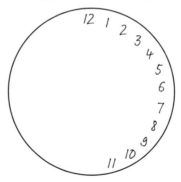

"Wps, mae'r cylch yn rhy fawr."

Sgriblodd drosto.

3:45

"Na, nid digidol. Rwy am i chi wneud cloc analog," meddai Dr Davies.

"Ai gweld a ydw i'n gallu tynnu llun ydech chi ynteu a ydw i'n dal i allu dweud faint o'r gloch ydi hi? Os tynnwch chi lun wyneb cloc i fi, galla i ddangos chwarter i bedwar arno. Fues i erioed yn un dda am dynnu lluniau."

Pan oedd Anna yn dair, roedd hi byth a hefyd yn gofyn i Alys dynnu llun ceffyl iddi. Roedd lluniau Alys yn debycach i hanner draig a hanner ci. *Nage, Mam, llun ceffyl dwi isio.*

"Rwy'n chwilio am y ddau, Alys. Mae clefyd Alzheimer yn effeithio ar y llabedau parwydol (*parietal lobes*), rhannau o'r ymennydd sy'n gyfrifol am y llygad fewnol sy'n mesur gofod a lle. Dyma pam rwy am ichi fynd i redeg gyda hi, John."

Amneidiodd John. Roedden nhw'n gytûn yn ei herbyn hi.

"John, rwyt ti'n gwybod yn iawn 'mod i ddim yn gallu tynnu llun."

"Alys, cloc yw e, nid ceffyl."

Wnaeth John mo'i hamddiffyn. Brifodd hynny hi i'r byw. Cuchiodd arno gan roi ail gyfle iddo fod yn gefn iddi. Syllodd yntau'n ôl arni, gan chwarae â'i fodrwy.

"Os wnewch chi dynnu llun cloc, mi wna i ddangos i chi ble mae chwarter i bedwar."

Gwnaeth Dr Davies lun wyneb cloc ar ddalen lân, a thynnodd Alys lun bysedd yn pwyntio at yr amser cywir.

"Nawr 'te, beth oedd yr enw a'r cyfeiriad ddywedais i wrthoch chi gynne?"

"John Black, rhywbeth Heol y Gorllewin, Brighton."

"Ai rhif pedwar deg dau, pedwar deg pedwar, pedwar deg chwech neu bedwar deg wyth oedd o?"

"Pedwar deg wyth."

Ysgrifennodd Dr Davies nodiadau ar y darn papur yn ymyl y cloc.

"Nawr, John, roeddech chi'n holi am arbrofion clinigol. Mae

sawl un yma ac mewn mannau eraill. Mae'r un fyddai fwyaf addas i Alys yn dechrau gwahodd cleifion i gofrestru yn yr wythnosau nesaf, fel mae'n digwydd. Mae'n ymwneud â chyffur newydd o'r enw Amylix. Yn wahanol i'r cyffuriau rydych chi'n eu cymryd nawr, mae gobaith y gallai hwn atal y clefyd rhag gwaethygu. Roedd ail gam yr astudiaeth yn galonogol iawn. Ar ôl blwyddyn ar y cyffur, roedd sgiliau gwybyddol y cleifion wedi stopio dirywio a hyd yn oed wedi gwella mewn rhai achosion."

"Ydi o'n cael ei reoli â phlasebo?"

"Ydi."

"Beth yw'ch barn am atalyddion *secretase*?" holodd John.

Roedd John wrth ei fodd â'r rhain.

"Ar hyn o bryd, mae'r atalyddion *secretase* yn rhy wenwynig i'w defnyddio, neu —"

"Beth am Flurizan?"

Cyffur i atal llid yn y corff oedd hwnnw. Roedd ambell un yn honni ei fod yn effeithiol.

"Ie, mae hwnnw'n cael tipyn o sylw. Mae astudiaeth yn cael ei gwneud ohono, ond dim ond yng Nghanada a Phrydain."

Trafododd John a Dr Davies nifer o arbrofion a chyffuriau eraill ond roedd pob un â risg ynghlwm wrtho.

"Fyddai'n rhaid imi roi'r gorau i gymryd Aricept a Namenda i gymryd rhan mewn arbrawf clinigol?" gofynnodd Alys.

"Na, fe allech chi barhau i'w cymryd."

"Allwn i gael therapi amnewid estrogen?"

"Gallech. Mae digon o dystiolaeth i awgrymu y gallai hynny fod o help, a bydden i'n fodlon rhoi presgripsiwn i chi. Ond gan ei fod yn gyffur sy'n destun ymchwiliad, fyddai dim modd ichi fod yn rhan o'r arbrawf ar gyfer Amylix."

"Pa mor hir fydden i'n rhan o'r arbrawf?"

"Tua phymtheg mis."

"Beth yw enw'ch gwraig?" gofynnodd Alys.

"Lucy."

"Beth fyddech chi am i Lucy ei wneud pe byddai hi â chlefyd Alzheimer?"

"Cofrestru i fod yn rhan o arbrawf Amylix."

"Felly, Amylix yw'r unig opsiwn rydych chi'n ei argymell?" gofynnodd John.

"Ie."

Yn nhawelwch sydyn yr ystafell, rhoddodd Alys ei phen yn ei dwylo a cheisio meddwl yn ddadansoddol am y dewisiadau a oedd ar gael iddi. Ceisiodd ddychmygu colofnau a rhesi i gymharu'r cyffuriau, ond doedd hynny fawr o help. Yna, ceisiodd feddwl mewn lluniau, ac o rywle ymddangosodd llun clir o flaen ei llygaid. Dryll neu fwled.

"Does dim rhaid ichi benderfynu heddiw. Ewch adre a meddyliwch am y peth a dewch 'nôl ata i mewn rhyw wythnos neu ddwy."

Na, doedd hi ddim am feddwl rhagor. Gwyddonydd oedd hi. Gwyddai sut i fentro popeth wrth chwilio am y gwir. Yn union fel y gwnaeth lawer gwaith yn ystod y blynyddoedd gyda'i gwaith ymchwil ei hun, dewisodd fwled.

"Dwi isio gwneud yr arbrawf."

"Ali, mi drafodwn ni hyn gartre," meddai John.

"Dwi'n gallu gwneud penderfyniadau o hyd, 'sti. Dwi isio gwneud yr arbrawf."

"Iawn," meddai Dr Davies. "Af i mofyn y ffurflenni ichi nawr."

(Y tu mewn i Feddygfa. Niwrolegydd yn mynd allan o'r ystafell. Y gŵr yn chwarae â'i fodrwy. Y ddynes yn gobeithio am iachâd.)

"John, John, wyt ti gartre?"

Roedd hi'n siŵr nad oedd, ond y dyddiau hyn nid oedd bod yn siŵr yn golygu'r un peth â chynt. Roedd o wedi mynd i rywle, ond i ble nis gwyddai. Ni wyddai ychwaith pa bryd yr aeth. Ai i'r siop i ymofyn llaeth neu goffi yr aeth o? Aeth o i nôl ffilm i'w gwylio? Os felly, byddai'n ôl unrhyw funud. Neu a yrrodd yn ôl i Cambridge? Byddai hynny'n golygu na fyddai'n ôl am oriau ac efallai y byddai'n bwrw'r nos yno. Neu a benderfynodd na allai wynebu'r hyn oedd o'u blaenau, a mynd a'i gadael am byth? Na, fyddai John fyth yn gwneud ffasiwn beth. Roedd hi'n siŵr o hynny.

Roedd y tŷ yn Chatham Cape, a godwyd yn 1900, yn teimlo'n fwy ac yn fwy agored na'u cartref yn Cambridge. Cerddodd i'r gegin. Cegin wen oedd hi, ac yn gwbl wahanol i'w cegin gartref. Roedd y waliau, y cypyrddau, yr offer, y cadeiriau a'r teils oll yn wyn. Ar ambell bot a dysgl wen roedd llinell las fel glas y môr. Fel petai rhywun, rhywbryd wedi cael llyfr lliwio newydd ac wedi dechrau ei lenwi â chreon yma ac acw.

Ar y bwrdd, roedd dau blât ac arnynt ôl salad a phasta ac ysmotiau o saws coch. Safai cegaid o win gwyn yn un o'r gwydrau. Cydiodd yn y gwydr, fel arbenigwr fforensig, a phrofodd wres y gwin ar ei gwefusau. Roedd o'n dal yn oer. Teimlai hithau'n llawn. Edrychodd ar y cloc. Roedd hi wedi troi naw o'r gloch.

Bellach, aethai wythnos heibio ers cyrraedd Chatham. Yn y gorffennol, ar ôl wythnos i ffwrdd o'i dyletswyddau beunyddiol yn Harvard, fe fyddai wedi ymroi'n llwyr i ymlacio, ac eisoes ar ei thrydydd neu bedwerydd llyfr. Eleni, roedd amserlen Harvard, er mor drwm yr oedd, yn fframwaith cyfarwydd ac yn gysur iddi. Roedd y cyfarfodydd, y dosbarthiadau, y seminarau a'r apwyntiadau yn friwsion bara a ddangosai'r ffordd iddi o un pen i'r dydd i'r llall.

Yma, yn Chatham, doedd dim amserlen. Byddai'n cysgu'n hwyr, yn bwyta ar adegau amrywiol ac yn gwneud fel y mynnai. Bob pen i'r dydd, cymerai ei meddyginiaethau; byddai'n gwneud ei phrawf personol 'iâr fach yr haf' bob bore ac yn rhedeg bob dydd gyda John. Ond doedd y rhain ddim yn ddigon. Roedd angen briwsion mwy o faint, a llawer mwy ohonyn nhw.

Yn amlach na pheidio, wyddai hi ddim faint o'r gloch oedd hi, na pha ddiwrnod oedd hi chwaith. Fwy nag unwaith, pan fyddai'n eistedd wrth y bwrdd i fwyta, wyddai hi ddim pa bryd bwyd i'w ddisgwyl.

Roedd ffenestri'r gegin ar agor. Edrychodd drwyddynt. Dim car. Roedd yr aer yn cynnal y cof am wres y dydd, ac yn cario sŵn creaduriaid bach y gwyll, ambell chwerthiniad pell, a sŵn y llanw yn y bae gerllaw. Gadawodd nodyn i John yn ymyl y llestri budr:

Wedi mynd am dro ar y traeth. Hwyl, A.

Anadlodd lendid awyr y nos. Drwy dyllau'r gynfas ddulas
uwch ei phen tywynnai llygadau bychain y sêr a lleuad fain,
lleuad ar ei thalcen. Roedd y nos eisoes yn dywyllach na
thywyllwch Cambridge. O ambell bortsh ac ystafell a char y
deuai'r unig olau ar wahân i lewyrch mwyn y lleuad. Yn
Cambridge, byddai'r fath fagddu yn ei gwneud yn anesmwyth,
ond yma, yn y gymuned bot mêl, lan môr hon, teimlai'n gwbl
ddiogel.

Nid oedd ceir yn y maes parcio, nac undyn byw ar y traeth.
Ar yr awr annaearol hon, nid oedd yno blant na gwylanod yn
sgrechian, dim sgyrsiau ar ffonau symudol, dim pryderon am
orfod gadael mewn da bryd i gyrraedd y peth gwych nesaf, dim
oll i darfu ar yr heddwch.

Cerddodd at fin y dŵr a gadael i'r môr cynnes lyfu'i thraed
a'i choesau. Wynebu Nantucket Sound yr oedd Bae Harding ac
roedd ei ddyfroedd o leiaf ddeg gradd yn fwynach na dyfroedd
y traethau cyfagos a wynebai gefnfor yr Iwerydd.

Tynnodd ei chrys a'i bra i ddechrau, ac yna'i sgert a'i dillad
isaf gyda'i gilydd, a cherddodd i mewn. Teimlodd y dŵr, yn
rhydd o'r gwymon a arferai gyrraedd yn gwlwm gyda'r ewyn,
yn llepian fel llaeth ar ei chroen. Trodd i nofio ar ei chefn, ei
hanadl yn un ag ymchwydd y llanw.

Adlewyrchai golau'r lleuad ar y freichled ddwy fodfedd ar ei
garddwrn dde, a oedd yn dwyn y geiriau GARTREF YN
DDIOGEL. Ar yr ochr chwith, y tu mewn, ysgythrwyd rhif
ffôn 1800, ei henw, a'r geiriau *Nam ar y Cof.* Cariwyd ei
meddyliau wedyn ar gyfres o geffylau gwynion, o emwaith nad
oedd hi ei eisiau i gadwyn iâr fach yr haf ei mam, oddi yno i'w
chynllun i ladd ei hun, i'r llyfrau y bwriadai eu darllen, ac yna

at dynged Virginia Woolf. Doedd dim byd haws. Gallai anelu am Nantucket, a nofio, nofio, hyd nes peidiai popeth.

Syllodd allan dros yr ehangder tywyll. Daliai ei chorff iach a chryf hi uwchlaw'r dŵr, pob gewyn a greddf ynddo'n milwrio byw. Doedd hi ddim yn cofio swpera gyda John heno, nag oedd, nac yn cofio i ble'r aeth o. Digon posibl na fyddai'n cofio'r noson hon ychwaith pan ddeuai'r bore, ond y foment honno nid oedd pethau'n argyfwng arni. Teimlai'n hapus a bodlon ei byd.

Bwriodd drem yn ôl tua'r traeth a'r mân oleuadau y tu hwnt i hynny. Gwelodd rywun yn dynesu ati. Gwyddai yn ôl ei osgo mai John ydoedd cyn iddi allu'i weld yn iawn. Ofynnodd hi ddim iddo i ble yr aeth na pha mor hir y bu. Ddiolchodd hi ddim iddo am ddychwelyd. Wnaeth yntau mo'i dwrdio am fynd allan heb ei ffôn, ac ofynnodd o ddim iddi hcl ei thraed oddi yno. Heb yngan gair, dadwisgodd a cherddodd i mewn i'r cefnfor mawr ac i'w breichiau.

"John?"

Daeth o hyd iddo'n peintio ochrau'r garej.

"Dwi wedi bod yn galw dy enw ym mhobman," meddai Alys.

"Roeddwn i allan fan hyn. Chlywais i mohonot ti," meddai John.

"Pryd wyt ti'n mynd i'r gynhadledd?" gofynnodd.

"Ddydd Llun."

Roedd John yn mynd i Philadelphia am wythnos i'r nawfed Gynhadledd Ryngwladol ar Glefyd Alzheimer.

"Ar ôl i Lydia gyrraedd, ie?"

"Ie, bydd Lydia yma ddydd Sul."

"O, da iawn."

Yn sgil cais ysgrifenedig Lydia, roedd cwmni drama Theatr Monomoy wedi'i gwahodd i ymuno â nhw fel artist gwadd dros gyfnod yr haf.

"Wyt ti'n barod i redeg?" holodd John.

Nid oedd niwl y bore wedi darfod eto, ac roedd y gwynt yn feinach nag y tybiasai.

"Dwi isio gwisgo rhywbeth cynhesach yn gynta."

Y tu ôl i ddrws y ffrynt, roedd cwpwrdd cotiau. Roedd gwisgo'n gyfforddus ar y Cape ddechrau'r haf yn gamp ynddi'i hun, gan fod tymheredd y bore tua phum deg gradd. Gallai gyrraedd wyth deg gradd yn hawdd yn y prynhawn, cyn llithro'n ôl i'r pumdegau fin nos. Galwai am synnwyr ffasiwn creadigol iawn a pharodrwydd i ychwanegu a thynnu haenau o ddillad sawl gwaith y dydd. Cyffyrddodd â llewys pob un o'r cotiau. Er y byddai unrhyw un ohonyn nhw'n berffaith ar gyfer eistedd neu gerdded ar y traeth, roedd popeth yn llawer rhy drwm i redeg ynddo.

Carlamodd i fyny'r staer ac i'w llofft. Ar ôl chwilota drwy sawl drôr, canfu siwmper ysgafn ac fe'i gwisgodd. Ar ochr y gwely, sylwodd ar y llyfr yr oedd ar hanner ei ddarllen. Cydiodd ynddo a cherddodd i lawr y staer ac i'r gegin. Llenwodd wydryn â dŵr ac aeth allan i'r portsh cefn. Roedd niwl y bore yn dal heb godi, a'r gwynt yn feinach na'r disgwyl. Gosododd ei diod a'i llyfr ar y bwrdd rhwng y ddwy gadair wen ac aeth yn ôl i'r tŷ i ymorol am flanced.

Wedi dychwelydd, lapiodd ei hun yn y flanced, eisteddodd yn un o'r cadeiriau ac agorodd ei llyfr. Nid peth hawdd oedd darllen bellach. Rhaid oedd ailddarllen tudalennau cyfan drosodd a throsodd er mwyn deall trywydd traethawd neu stori, a phe byddai'n rhoi llyfr o'r neilltu am unrhyw hyd, byddai'n rhaid iddi ailddarllen pennod gyfan i'w ddeall. At hynny, roedd penderfynu beth i'w ddarllen yn gur pen cyson iddi. Beth petai hi ddim yn cael digon o amser i ddarllen popeth ar ei rhestr? Roedd blaenoriaethu yn rhoi loes iddi, yn ei hatgoffa fod y cloc yn cerdded, ac na lwyddai i gwblhau popeth.

Roedd newydd ddechrau darllen *King Lear.* Dwlai ar drasiedïau Shakespeare, ond nid oedd wedi cael cyfle cyn hyn i ddarllen hon. Yn anffodus, aeth i gors ar ôl ychydig funudau. Ailddarllenodd y dudalen flaenorol, gan dynnu llinell ddychmygol o dan y geiriau â'i bys. Yfodd ei diod ar ei bcn, a gwyliodd ddawns yr adar yn y coed.

"Fan hyn rwyt ti. Beth wyt ti'n ei wneud? Roeddwn i'n meddwl ein bod ni'n mynd i redeg."

"O ie, syniad da. Mae'r llyfr 'ma'n fy ngwylltio."

"Dere, 'te."

"Wyt ti'n mynd i'r gynhadledd heddiw?"

"Ddydd Llun."

"Pa ddiwrnod ydi hi heddiw?"

"Dydd Iau."

"O. Pryd mae Lydia'n cyrraedd?"

"Dydd Sul."

"Cyn i ti adael?"

"Ie. Ali, rwy newydd ddweud hyn wrthot ti. Dylet ti ei roi yn y BlackBerry."

"Ocê, sori."

"Barod?"

"Ydw. Aros funud, rhaid ifi fynd i'r tŷ bach gynta."

"Iawn. Fydda i allan wrth y garej."

Dododd ei gwydryn gwag ar y cownter yn ymyl y sinc, a gollyngodd y flanced a'i llyfr ar y gadair esmwyth yn y lolfa. Safodd yno'n barod i fynd, ond roedd angen ychwaneg o gyfarwyddiadau ar ei thraed. Beth oedd hi'n ei wneud yn y lolfa? Ceisiodd gofio'i chamau diwethaf – blanced a llyfr, gwydr wrth y sinc, ar y portsh gyda John. Roedd o'n gadael cyn hir i fynd i'r Gynhadledd Ryngwladol ar Glefyd Alzheimer. Dydd Sul o bosibl. Byddai rhaid iddi ofyn iddo i fod yn siŵr. Roedden nhw ar fin mynd i redeg. Dyna fo! Dod i ymofyn siwmper arall wnaeth hi! Ond roedd hi eisoes yn gwisgo un. *I'r diawl â phopeth*, meddyliodd.

Fel yr oedd hi'n anelu at y drws ffrynt, teimlodd wasgfa yn ei phledren, a chofiodd ei bod wedi bwriadu mynd i'r tŷ bach. Rhuthrodd i lawr y cyntedd ac i mewn i'r bathrwm. Ond nid bathrwm oedd yno, ond casgliad o frwsys, mop, bwced, bocs yn llawn taclau, bylbiau golau, a photeli o hylifau glanhau. Y twll dan staer.

Edrychodd ymhellach i lawr y cyntedd. Roedd y gegin i'r chwith, y lolfa i'r dde, a dyna ni. Roedd ystafell ymolchi fechan yma'n rhywle. Ond ymhle? Rhedodd i'r gegin, ond dim ond un drws oedd yno, a hwnnw'n agor i'r ardd gefn. Rhedodd draw i'r lolfa, ond wrth gwrs, doedd dim bathrwm yn unman yn y lolfa. Dychwelodd i'r cyntedd, a chydiodd ym mwlyn y drws.

"Plis Dduw, plis gad i hwn fod yn iawn."

Agorodd y drws fel consuriwr yn datgelu'i dric gorau, ond doedd dim golwg o'r bathrwm.

Sut alla i fod ar goll yn fy nhŷ fy hun?

Cysidrodd redeg i fyny'r grisiau i'r bathrwm mawr, ond am ryw reswm, roedd hi wedi'i pharlysu yn niffeithwch difathrwm y llawr cyntaf. Allai hi ddim dal rhagor. Gwelodd ei hun, y ddynes druenus, anghyfarwydd hon, yn crio yn y cyntedd. Nid crio fel oedolyn chwaith, ond crio dilyffethair plentyn bach wedi cael braw.

Nid dagrau oedd yr unig beth na allai ei ddal yn ôl rhagor.

Rhedodd John drwy'r drws ffrynt ar yr union adeg yr oedd yr wrin yn llifo i lawr ei choes dde, gan wlychu ei throwsus, ei hosan a'i hesgid redeg.

"Paid edrych arna i!"

"Ali, paid llefen, mae popeth yn iawn."

"Dwi ddim yn gwbod ble rydw i."

"Mae'n ocê, rwyt ti yma, fan hyn."

"Dwi ar goll."

"Nag wyt, Alys, rwyt ti efo fi."

Cofleidiodd hi, a'i siglo'n dyner, yn union fel yr arferai ei wneud gyda'r plant pan fyddent wedi cael crafiad neu sgathriad neu ryw anghyfiawnder neu'i gilydd.

"Allwn i ddim ffeindio'r bathrwm."

"Shh, mae'n iawn."

"Sori."

"'Sdim isie bod yn sori. Dere, awn ni lan i newid. Mae'n dechrau twymo nawr, mae isie rhywbeth ysgafnach arnat ti ta beth."

Cyn i John adael am y gynhadledd, rhoddodd gyfarwyddiadau manwl i Lydia am feddyginiaethau Alys, ei threfn rhedeg, ei ffôn a'r rhaglen Gartref yn Ddiogel. Rhoddodd rif ffôn y niwrolegydd iddi hefyd, rhag ofn. Pan ailchwaraeodd Alys yr araith fach hon yn ei phen, ymdebygai i'r rhai yr arferent ei rhoi i'r gwarchodwyr plant cyn gadael i fwrw'r nos ym Maine neu Vermont. Bellach roedd yn rhaid iddi hi gael ei gwarchod. A hynny gan ei merch ei hun.

Ar ôl swpera mewn bwyty lleol, cerddodd Alys a Lydia i lawr y Stryd Fawr. Roedd y rheseidiau o gerbydau moethus drwyn wrth gynffon ar hyd ochr y ffordd. Ar eu toeau roedd rheseli beiciau a chaiaciau, ac ynddynt gadeiriau traeth, parasolau, a holl geriach gwyliau, yn dangos i'r byd a'r betws fod yr haf bellach yn ei anterth. Ymlwybrai teuluoedd ar hyd y palmant yn ddi-ffrwst ac yn ddigyfeiriad, gan aros o dro i dro i droi hwnt ac yma ac i edrych yn ffenestri'r siopau. Fel petai ganddyn nhw ddigon o amser i'w ladd.

Ymhen deg munud cyrhaeddodd y ddwy Oleudy Chatham ac oedi am eiliad i ymdrwytho yn yr olygfa brydferth o'u blaen, cyn disgyn y deg gris ar hugain i lawr at y traeth. Tynnodd Alys a Lydia eu hesgidiau a'u gadael ar waelod y grisiau.

"Mae'n ddrwg gen i na allwn i ddod i weld y ddrama," meddai Alys.

"Popeth yn iawn. Dwi'n gwybod mai oherwydd amserlen Dad yr oedd hynny."

"Alla i ddim aros i weld yr un rwyt ti ynddi'r haf hwn."

"Da iawn."

Crogai'r haul yn isel ac yn enfawr ryfeddol yn yr awyr binc a phorffor, yn aros am yr eiliad pan fyddai'n rhaid iddo blymio i'r heli am y nos. Cerddasant heibio dyn ar ei bengliniau yn y tywod, yn pwyntio camera at y gorwel er mwyn ceisio dal ei harddwch brau cyn i hwnnw hefyd ddiflannu.

"Cynhadledd am glefyd Alzheimer ydi'r un mae Dad ynddi?"

"Ie."

"Ydi o'n trio ffeindio gwell triniaeth?"

"Ydi."

"Ydych chi'n meddwl geith o un?"

Gwyliodd Alys y llanw yn dod i mewn, yn dileu olion traed, yn dymchwel castell tywod ysblennydd yr oedd rhywun wedi'i addurno â chregyn, yn llenwi twll a gloddiwyd ynghynt yn y dydd â rhawiau bach plastig, yn ysgubo hanes y dydd o'r golwg yn llwyr.

"Na."

Cododd Alys gragen, a rhwbiodd y tywod ymaith. Hoffai ei llyfnder llaethwyn a'r rhubanau pinc main a ddirwynai drwyddi. Roedd darn bach ohoni ar goll. Ystyriodd ei thaflu i'r dŵr, ond penderfynodd ei chadw.

"Wel, dwi'n siŵr na fyddai o'n mynd tase fo ddim yn credu y gallai ddysgu rhywbeth allai fod o help," meddai Lydia.

Cerddodd dwy ferch tuag atynt ag enw prifysgol ar flaen eu crysau chwys. Roedden nhw'n chwerthin. Gwenodd Alys arnynt, a'u cyfarch wrth iddynt basio.

"Pam nad ei di i'r coleg?" meddai Alys.

"Mam, plis paid dechre."

Y peth olaf yr oedd Alys ei eisiau oedd dechrau cynnen arall â Lydia. Dechreuodd hel atgofion wrth gerdded. Y darlithwyr a garodd ac a ofnodd, y rhai y gwnaeth ffŵl ohoni'i hun o'u blaenau, y bechgyn a garodd ac a ofnodd ac y gwnaeth hyd yn oed fwy o ffŵl ohoni'i hun o'u blaenau, y sesiynau adolygu hir cyn arholiadau, y dosbarthiadau, y partïon, y cyfeillgarwch, cwrdd â John – roedd ei hatgofion o'r dyddiau hynny yn glir ac yn grwn ac yn hawdd cael gafael arnynt.

Nid oedd modd osgoi mis Ionawr ei blwyddyn gyntaf pan fyddai'n meddwl am ei dyddiau coleg. Ychydig dros deirawr wedi i'w theulu ymweld ac ymadael, clywsai Alys gnoc betrus ar ddrws ei hystafell. Cofiai bob manylyn am y deon a safai ar drothwy ei drws – y crych dwfn rhwng ei aeliau, y rhaniad bachgennaidd yn ei wallt brith, y peli bach gwlanog yn pupuro ei siwmper laswyrdd, islais pwyllog ei neges.

Roedd ei thad wedi gyrru'r car oddi ar y ffordd ac wedi taro coeden. Efallai iddo fynd i gysgu. Efallai iddo yfed gormod amser swper. *Roedd o wastad yn yfed gormod amser swper.*

Roedd o mewn ysbyty ym Manchester. Roedd ei mam a'i chwaer wedi marw.

"John? Ti sy 'na?"

"Nage, fi. Casglu'r tywelion ydw i. Mae ar fin ei harllwys hi," meddai Lydia.

Roedd yr awyr yn dywyll a thrwm, ac roedd yn hen bryd iddi fwrw. Cawsant dywydd cerdyn post o berffaith drwy'r wythnos, a thymheredd cyfforddus i gysgu'r nos. Bihafiodd ei hymennydd hithau. Daethai i wybod y gwahaniaeth rhwng dyddiau o anawsterau di-ri yn ceisio canfod atgofion a geiriau ac ystafelloedd ymolchi a dyddiau pan fyddai'r clefyd yn cadw draw ac yn meindio'i fusnes ei hun. Ar y dyddiau hynny, hi oedd hi, yr hyderus, ddeallus hi. Ar y dyddiau hynny, gallai ddarbwyllo'i hun fod Dr Davies a'r ymgynghorydd geneteg wedi camgymryd, neu fod y chwe mis diwethaf yn ddim amgen na hunllef, mai ffrwyth ei dychymyg oedd yr anghenfil dan y gwely a'i grafangau ar odre'i chwrlid.

O'r lolfa, gwyliodd Lydia yn plygu tywelion ac yn eu pentyrru ar un o stolion y gegin. Gwisgai dop ysgafn glas golau a sgert ddu. Edrychai fel petai newydd gael cawod. Yr oedd Alys yn dal yn ei siwt nofio a'r ffrog a wisgodd i fynd i'r traeth.

"Ddylwn i newid?" gofynnodd.

"Os ydych chi isio."

Dododd Lydia fygiau glân yn y cwpwrdd ac edrych ar ei wats. Daeth i mewn i'r lolfa, a thacluso'r cylchgronau a'r catalogau ar y bwrdd coffi. Edrychodd ar ei wats. Estynnodd am gylchgrawn o'r pentwr a dechreuodd bori drwyddo. Roedd yn amlwg ei bod yn lladd amser, ac ni allai Alys yn ei byw ddeall pam. Roedd rhywbeth o'i le.

"Ble mae John?" gofynnodd Alys.

Cododd Lydia ei golygon, ac ni allai Alys ddirnad a oedd hi'n gwenu am fod hynny'n ddoniol neu'n gwenu am ei bod yn teimlo'n lletchwith.

"Dylai fod 'nôl unrhyw funud."

"Aros amdano fo ydyn ni felly?"

"Ie."

"Ble mae Anne?"

"Mae Anna yn Boston, gyda Charlie."

"Nage, Anne, fy chwaer. Ble mae Anne?"

Edrychodd Lydia arni'n syn, ei hwyneb yn gwelwi.

"Mam, mae Anne wedi marw. Buodd hi farw mewn damwain car gyda Nain."

Am eiliad hirfaith, daliodd Lydia lygaid Alys. Allai Alys ddim anadlu a gwasgai ei chalon fel dwrn yn ei bron. Fferrodd ei phen a'i bysedd ac aeth y byd o'i chwmpas yn dywyll a chul. Cymerodd anadl ddofn a lenwodd ei phen a'i bysedd ag ocsigen a'i chalon â phoen a galar. Dechreuodd grynu a chrio.

"Na, Mam! Mae blynyddoedd ers hynny!"

Er bod Lydia yn siarad â hi, ni allai Alys glywed gair. Ni theimlai ddim ond y boen a'r galar yn curo ar bob cell, ei chalon ddolurus, ei dagrau poeth, a'r cwbl a glywai oedd ei llais ei hun yn ei phen yn sgrechian am Anne a'i mam.

"Beth ddigwyddodd?"

Safai John yno, yn wlyb at ei groen.

"Gofyn am Anne oedd hi. Mae'n meddwl mai newydd farw y maen nhw."

Daliodd ei phen yn ei ddwylo. Roedd yn siarad â hi, yn ceisio'i thawelu. *Pam nad ydi o'n crio hefyd? Mae o'n gwybod am hyn ers sbel, dyna pam. Mae wedi cadw'r peth yn gyfrinach.* Allai hi ddim ymddiried ynddo rhagor.

AWST 2004

Bu farw ei mam a'i chwaer pan oedd Alys yn ei blwyddyn gyntaf yn y brifysgol. Nid oedd lluniau o'i mam nac Anne mewn unrhyw albwm teuluol. Nid oeddynt yn ei seremonïau graddio, ei phriodas, nac ychwaith gyda hi, John a'r plant ar wyliau neu'n dathlu pen-blwydd. Allai hi ddim dychmygu ei mam yn hen, er mai hen fyddai hi erbyn hyn, ac yn ei meddwl hi, geneth ifanc oedd Anne o hyd. Serch hynny, roedd yn gwybod i sicrwydd eu bod ar fin camu drwy'r drws ffrynt, nid fel eneidiau coll o'r gorffennol, ond fel bodau dynol byw ac iach, a'u bod yn dod i dreulio'r haf gyda nhw yn Chatham. Roedd ofn arni y gallai ddrysu gymaint â hynny; y gallai, yn gwbl effro, ddisgwyl ymweliad gan ei mam a'i chwaer o'r tu hwnt i'r bedd.

Eisteddai Alys, John, a Lydia o amgylch y bwrdd ar y patio yn brecwasta. Roedd Lydia yn clebran am aelodau'r cynhyrchiad yr oedd yn rhan ohono, ac am ei hymarferion. Â John y siaradai'n bennaf.

"Roeddwn i'n teimlo'n ansicr iawn cyn imi ddod yma.

Dylech chi weld hanes eu gyrfa. Digon i ddychryn unrhyw un. Graddau mewn gwaith theatr ac o Yale, profiad ar Broadway."

"Bobol bach, mae'n swnio'n griw profiadol iawn. Faint ydi'u hoed nhw?" gofynnodd John.

"Fi yw'r ifanca o bell ffordd. Mae'r rhan fwyaf yn eu tridegau a'u pedwardegau, ond mae rhai yno mor hen â chi a Mam."

"Ha! Mor hen â hynny, ife?"

"Chi'n gwbod beth rwy'n ei feddwl. Ta waeth, roeddwn i'n ofni y byddwn i allan o 'nyfnder yn llwyr, ond mae'r hyfforddiant a'r gwaith gefais i wedi rhoi'r sgiliau iawn imi. Dwi'n gwybod beth i'w wneud."

Cofiodd Alys iddi gael yr un teimlad yn ei misoedd cyntaf yn athro yn Harvard.

"Mae ganddyn nhw lawer mwy o brofiad na fi, ond does yr un ohonyn nhw wedi astudio Meisner. Astudio Stanislavsky, neu'r Method, y mae'r rhan fwyaf wedi'i wneud, ond Meisner, yn fy marn i, ydi'r dull gorau i allu actio'n reddfol. Felly, er nad oes gen i gymaint o brofiad llwyfan, mae gen i rywbeth unigryw i'w gynnig."

"Mae hynna'n wych. Mae'n siŵr bod hynna'n un o'r rhesymau pam gefaist ti'r rôl. Beth yw 'actio'n reddfol'?" holodd John.

Roedd Alys yn dyfalu'r un peth, ond roedd ei sgiliau mynegiant bellach ymhell ar ôl John. Ni allai ond eistedd yn dawel fel petai mewn cynulleidfa yn gwrando ar y ddau arall yn clebran pymtheg y dwsin o'i blaen.

Torrodd ei *bagel* yn ei hanner a bwyta darn ohono. Doedd hi ddim yn hoffi *bagel* plaen. Roedd digon o ddewis o jamiau a menyn a mêl ar y bwrdd – jam cyrens duon, pot o fenyn cnau, menyn ar blât, a thwbyn o fenyn gwyn. Ond nid menyn gwyn oedd o. Saws gwyn? Na, roedd o'n drwchus fel menyn. Beth oedd o? Pwyntiodd ei chyllell i'w gyfeiriad.

"John, alli di basio hwnna i fi?"

Estynnodd John y twbyn o fenyn gwyn iddi. Taenodd haen drwchus ohono ar hanner y *bagel* a syllu arno. Gwyddai'n union sut flas fyddai arno, a gwyddai y byddai'n ei hoffi, ond allai hi mo'i fwyta hyd nes gallai gofio'i enw. Gwelodd Lydia ei mam yn astudio'r *bagel*.

"Caws hufen, Mam."

"Ocê. Caws hufen. Diolch, Lydia."

Canodd y ffôn, a diflannodd John i'r tŷ i'w ateb. Tybiodd Alys am funud mai ei mam oedd yno, yn ffonio i ddweud y byddai'n hwyr yn cyrraedd. Roedd y syniad hwnnw yn realistig ac yr un mor rhesymol â disgwyl i John ddod yn ôl at y bwrdd cyn hir. Cywirodd Alys ei hun a cheryddodd y fath syniad a'i roi i gadw. Bu ei mam a'i chwaer farw pan oedd hi yn ei blwyddyn gyntaf yn y brifysgol. Roedd yn hurt ei bod yn gorfod atgoffa ei hun bob pum munud.

A hithau wrthi'i hun gyda'i merch, am funud neu ddwy o leiaf, achubodd ar y cyfle i godi sgwrs.

"Lydia, beth am fynd i goleg i gael gradd mewn gwaith theatr?"

"Mam, ddaru chi ddeall unrhyw beth ddwedes i gynne? Does dim isio gradd arna i."

"Glywes i bopeth ddywedest ti, ac mi ddeallais bopeth. Meddwl am y darlun mawr roeddwn i. Dwi'n siŵr bod agweddau ar dy grefft nad wyt ti eto wedi'u hastudio, pethau y gallet ti eu dysgu. Cyfarwyddo efallai? Y pwynt ydi bod gradd yn agor mwy o ddrysau iti."

"A pha ddrysau ydi'r rheini?"

"Yn un peth, byddai gradd yn agor y drws iti fynd i ddysgu petaet ti am wneud hynny rywbryd."

"Actio dwi isio'i wneud, Mam, nid dysgu. Chi ydi honna, nid fi."

"Dwi'n gwbod hynna, Lydia, rwyt ti wedi gwneud hynny'n gwbl glir. Doeddwn i ddim yn meddwl am ddysgu mewn prifysgol neu goleg, er y gallet ti wneud hynny'n iawn. Meddwl y gallet ti fod am gynnal gweithdai fel y rhai rwyt ti wedi bod yn rhan ohonyn nhw roeddwn i."

"Dwi'n sori, Mam, ond dwi ddim yn mynd i wastraffu egni yn meddwl beth allen i ei wneud petawn i ddim yn ddigon da i fod yn actor. Dwi ddim isio dechrau amau fy hun fel yna."

"Dwi ddim yn amau am funud y galli di fod yn actor llwyddiannus. Ond beth petaet ti am fagu teulu rhyw ddiwrnod, ac eisiau arafu ychydig ond dal i fod yn rhan o'r busnes? Gallai cynnal gweithdai drama, o dy gartre efallai, fod yn handi. Hefyd, mae pwy rwyt ti'n ei nabod yn fwy handi weithiau na be rwyt ti'n ei wybod. Byddai mynd i goleg yn gyfle iti rwydweithio. Dwi'n siŵr bod cylch o bobl yn gweithio yn y maes na fyddet ti fyth yn dod ar eu traws heb fynd i goleg i wneud gradd."

Oedodd Alys gan aros i Lydia ymateb, ond, am unwaith, wnaeth hi ddim.

"Ystyria'r peth o leia. Mynd yn fwy prysur mae bywydau pobl fel arfer, ac mae'n anoddach gwneud rhywbeth fel hyn wedi iti fynd yn hŷn. Falle gallet ti gael gair â rhai o'r bobl yn y criw actio i gael eu barn am actio pan fyddi di'n dri deg neu'n bedwar deg a hŷn."

"Iawn."

Iawn. Dyna'r agosaf y daethai'r ddwy i gytuno erioed. Ceisiodd Alys feddwl am rywbeth arall i'w drafod ond aeth y sgwrs yn hesb. Am gyhyd, dyma'r unig sgwrs a fu rhyngddynt, o'r bron. Aeth y tawelwch yn ddwysach ac yn hwy.

"Mam, sut beth ydi o?"

"Sut beth ydi be?"

"Bod â chlefyd Alzheimer. Ydych chi'n gallu'i deimlo y funud hon?"

"Wel, dwi'n gwybod nad ydw i'n drysu nac yn ailadrodd fy hun rŵan, ond ychydig funudau'n ôl doeddwn i ddim yn cofio 'caws hufen' ac roeddwn i'n cael trafferth dilyn y sgwrs rhwng dy dad a thithe. Dwi'n gwybod y bydd pethau fel yna'n digwydd eto'n fuan, ac y bydd yr amser rhwng pob digwyddiad yn mynd yn fyrrach, a'r digwyddiadau eu hunain yn bethau mwy a phwysicach. Felly, hyd yn oed ar yr adegau pan fydda i'n teimlo'n iawn, dwi'n gwybod nad ydw i'n iawn. Dydi'r clefyd ddim wedi mynd – gorffwys mae o. Dwi ddim yn trystio fy hun erbyn hyn."

Cyn gynted ag y gorffennodd, poenai ei bod wedi cyfaddef gormod. Doedd hi ddim am godi ofn ar ei merch, ond nid oedd Lydia wedi'i chyffroi, a daliai i ddangos diddordeb. Ymlaciodd Alys.

"Felly, rydych chi'n gwybod ei fod yn digwydd?"

"Ydw, gan amlaf."

"Fel yr hyn oedd yn digwydd pan oeddech chi'n methu â chofio 'caws hufen'?"

"Dwi'n gwybod am beth rwy'n chwilio, ond all fy ymennydd mo'i gyrraedd. Fel taset ti wedi penderfynu dy fod isio gwydraid o ddŵr, a bod dy law yn gwrthod ei godi. Rwyt ti'n gofyn yn gwrtais, rwyt ti'n bygwth, ond does dim yn tycio. Efallai y bydd dy law yn symud yn y man, ond bydd yn codi'r pot pupur yn lle'r dŵr, neu'n taro'r gwydryn nes bod dŵr ym mhobman. Efallai, erbyn iti gael dy law i gydio yn y gwydryn a'i ddal wrth dy wefusau, na fyddi di ddim isio'r dŵr wedi'r cyfan."

"Mae hynna'n swnio fel artaith, Mam."

"Mae o."

"Dwi mor flin bod hwn arnoch chi."

"Diolch."

Estynnodd Lydia ar draws y llestri a'r gwydrau a'r blynyddoedd o bellter a chydiodd yn llaw ei mam. Gwasgodd Alys hi, a gwenodd. O'r diwedd, roedden nhw wedi canfod testun sgwrs arall.

Deffrodd Alys ar y soffa. Roedd hi'n cysgu llawer gormod y dyddiau hyn; ddwywaith y dydd weithiau. Er bod gorffwys o fudd mawr i'w hegni a'i gallu i ganolbwyntio, roedd dihuno i'r dydd wastad yn anodd. Taflodd gipolwg ar y cloc. Chwarter wedi pedwar. Ni allai gofio pryd aeth i gysgu. Roedd hi'n cofio bwyta cinio. Brechdan, neu'i thebyg, gyda John. Tua hanner dydd oedd hynny, siŵr o fod. Teimlodd gornel bigog dan ei chlun. Llyfr. Rhaid ei bod wedi syrthio i gysgu wrth ddarllen.

Ugain munud wedi pedwar. Roedd Lydia'n ymarfer tan saith. Cododd ar ei heistedd. Gallai glywed synau cras y gwylanod, a dychmygodd eu helfa wyllt am bob briwsionyn ar y traeth. Cododd ac aeth ar ei helfa ei hun am John, un lai gwyllt na'r gwylanod. Chwiliodd eu llofft a'r stydi. Edrychodd allan ar y lle parcio wrth y tŷ. Dim car. A hithau ar fin ei ddiawlio am beidio â gadael neges, daeth o hyd i nodyn o dan fagned ar ddrws yr oergell.

Ali – wedi mynd am sbin. 'Nôl toc. John.

Dychwelodd i eistedd ar y soffa gan fwriadu parhau i balu drwy *Sense and Sensibility*, ond wnaeth hi ddim. Roedd hi eisoes hanner ffordd drwy *Moby-Dick*, ond fe'i collodd yn rhywle. Bu John a hithau yn chwilio a chwalu a chwilota amdano. Roedden nhw hyd yn oed wedi edrych yn y mannau anarferol hynny y gallai rhywun â chlefyd Alzheimer ddodi llyfr – y rhewgell a'r oergell, y pantri, y cwpwrdd crasu, y lle tân. Ond yn ofer. Cynigiodd John brynu copi arall iddi, ac efallai mai yn y siop lyfrau yr oedd o rŵan. Yn y cyfamser roedd hi wedi dechrau darllen cyfrol Jane Austen, ond câi drafferth canolbwyntio.

Crwydrodd i fyny'r staer i lofft Lydia. O'r tri phlentyn oedd ganddi, Lydia oedd y fwyaf dieithr. Ar dop y bwrdd gwisgo, roedd modrwyau glas ac arian, torch ledr, a mwclis lliwgar yn diferu dros ochr blwch cardfwrdd agored. Yn ymyl y blwch gorweddai pentwr o glipiau gwallt a llestr i losgi arogldarth. Roedd Lydia yn dipyn o hipi.

Roedd dillad ar wasgar ar hyd y llawr, rhai wedi'u plygu, ond y mwyafrif yn blith draphlith ym mhobman. Go brin fod unrhyw beth ar ôl yn ei droriau. Nid oedd wedi cyweirio'i gwely. Roedd Lydia yn flêr.

Roedd ei silffoedd yn gwegian gan gyfrolau barddoniaeth a drama – 'Night, Mother, Dinner with Friends, Proof, A Delicate Balance, Spoon River Anthology, Agnes of God, Angels in America, Oleanna. Roedd Lydia yn actores.

Estynnodd am sawl drama a phori drwyddynt. Dim ond tua wyth deg neu naw deg tudalen oedd eu hyd a doedd braidd dim testun ar y tudalennau. Efallai y byddai'n haws i fi ddarllen dramâu. Efallai y gallwn i eu trafod â Lydia. Daliodd ei gafael yn Proof.

Yn ymyl y gwely, roedd dyddiadur Lydia, iPod, Sanford Meisner on Acting, a llun mewn ffrâm. Cododd Alys y dyddiadur. Oedodd am eiliad, ond dim ond am eiliad. Eisteddodd ar y gwely, a darllenodd dudalen ar dudalen am ddyheadau a chyffesion ei merch. Darllenodd am ddrysau'n cau a drysau'n agor, ofnau a gobeithion y clyweliadau, siom a gorfoledd o ran rolau. Darllenodd am angerdd a dycnwch merch ifanc.

Darllenodd am Malcolm. Pan oedden nhw'n actio gyda'i gilydd, syrthiodd Lydia mewn cariad ag ef. Meddyliodd unwaith ei bod yn feichiog, ond doedd hi ddim. Roedd hi'n falch, gan nad oedd hi eto'n barod i briodi na phlanta. Roedd hi eisiau troedio'i llwybr ei hun drwy'r byd cyn hynny.

Astudiodd Alys y llun o Lydia a rhyw ddyn yn y ffrâm. Malcolm, mae'n siŵr. Roedd wyneb y ddau'n cyffwrdd. Roedden nhw'n hapus, yn fodlon eu byd, y dyn a'r ddynes ifanc yn y llun. Roedd Lydia'n ddynes ifanc.

"Ali, lle wyt ti?" gwaeddodd John.

"Fyny staer!"

Rhoddodd y dyddiadur a'r llun yn ôl yn eu lle wrth y gwely a sleifiodd i lawr y grisiau.

"Ble est ti?" gofynnodd Alys.

"Es i am dro yn y car."

Daliai ddau gwdyn plastig, un ym mhob llaw.

"Brynest ti gopi arall o *Moby-Dick* i fi?"

"O ryw fath."

Estynnodd un o'r bagiau i Alys. Roedd yn llawn DVDs – *Moby Dick* gyda Gregory Peck ac Orson Welles, *King Lear* gyda Laurence Olivier, *Casablanca, One Flew Over the Cuckoo's Nest* a *The Sound of Music*, ei ffefryn mawr.

"Meddwl oeddwn i y byddai'r rhain yn haws iti. A gallwn ni wneud hyn efo'n gilydd."

Gwenodd Alys.

"Be sy'n y bag arall?"

Gwingai gan gyffro, fel plentyn bach ar fore'r Nadolig. O'r

bag, tynnodd becyn o bopcorn i'w goginio yn y microdon, a bocs o siocled.

"Gawn ni wylio *The Sound of Music* i ddechre?" gofynnodd Alys.

"Pam lai."

"Caru ti, John."

Taflodd ei breichiau am ei wddf.

"Caru tithe hefyd, Ali."

Gwasgodd ei hwyneb yn erbyn ei frest ac anadlu'n ddwfn o glydwch ei gorff. Roedd ganddi ragor i'w ddweud; roedd hi eisiau dweud beth roedd o'n ei olygu iddi, ond aeth y geiriau'n drech na hi. Gwasgodd John hi'n dynnach. Roedd o'n deall yn iawn. Safodd y ddau am oes yn y gegin ym mreichiau ei gilydd heb yngan gair.

"Dos di i wneud y popcorn, ac fe wna i roi'r ffilm ymlaen. Wela i di ar y soffa," meddai John.

"Ocê."

Cerddodd Alys at y microdon, agorodd y drws, a chwarddodd yn uchel.

"Dwi wedi ffeindio *Moby-Dick*!"

Roedd Alys ar ddihun ers rhai oriau. Yn nhawelwch y bore bach yfodd de gwyrdd, darllenodd ychydig a phlygodd ei hun yn siapiau ioga allan ar y lawnt. A hithau'n dal ei hun yn ystum ci a'i ben i waered, llenwodd ei hysgyfaint â gwynt boreol y môr, ac ymhyfrydodd yn y pleser poenus o deimlo'i chyhyrau'n ymestyn ac yn tynnu. O gornel ei llygad, gwelodd gyhyrau ei braich yn ei chynnal. Cadarn, cain a hardd. Roedd ei chorff cyfan yn edrych yn gryf a hardd.

Roedd ei chorff yn gryfach nag y bu erioed. Roedd hi'n bwyta'n dda, yn ymarfer bob dydd, ac roedd cyhyrau ei breichiau a'i choesau yn elwa'n fawr ar hynny. Gallai redeg pedair milltir yn hawdd. Nid felly ei meddwl. Roedd hwnnw'n wan, yn ddwl ac yn ddiymadferth.

Llyncai Aricept, Namenda, y bilsen Amylix i'w threialu, Lipitor, fitaminau C ac E, ac asbrin gwan. Cymerai wrthocsidyddion ychwanegol fel llus, gwin coch a siocled tywyll. Yfai de gwyrdd. Rhoddodd gynnig ar ginkgo biloba. Myfyriai a chwaraeai Numero. Defnyddiai ei llaw chwith, y llaw wannaf, i lanhau ei dannedd. Byddai'n cysgu pan fyddai wedi blino. Serch hynny, nid oedd yr holl ymdrechion hyn, hyd y gwyddai, yn gwneud odid ddim gwahaniaeth. Efallai y byddai ei sgiliau gwybyddol yn gwaethygu'n fawr pe byddai'n hepgor yr ymarfer corff, yr Aricept, neu'r llus. Yn ddilyffethair, efallai y byddai'r dementia yn rhedeg yn wyllt. Efallai. Ond efallai nad oedd yr un o'r pethau hyn yn cael unrhyw effaith. Pwy a ŵyr? Doedd dim modd iddi wybod, oni bai ei bod yn rhoi'r gorau i'r tabledi, y siocled a'r gwin ac yn gorffwys ar ei rhwyfau am fis cyfan. Doedd hi ddim am fentro gwneud hynny ar unrhyw gyfrif.

Camodd i'r ystum milwr. Anadlodd allan ac ymostwng yn ddyfnach i'r ystum, gan gofleidio'r lled-boen a'r her ychwanegol i'w gallu i ganolbwyntio a'i stamina. Roedd yn benderfynol o gynnal yr ystum. Yn benderfynol o barhau i filwrio.

Cerddodd John o'r gegin, wedi gwisgo'i ddillad rhedeg, ond yn dal yng nghrafangau cwsg.

"Wyt ti isio coffi?" gofynnodd Alys.

"Na, awn ni i redeg yn gynta. Gaf i goffi wedyn."

Rhedai'r ddau ddwy filltir bob bore ar hyd y Stryd Fawr i ganol y dref ac yn ôl yr un ffordd. Roedd John yn feinach o dipyn erbyn hyn, a gallai redeg y pellter hwnnw'n rhwydd, ond roedd o'n casáu pob munud. Rhedai er ei mwyn hi, yn ddirwgnach, ond gyda'r un brwdfrydedd â rhywun yn talu biliau neu'n gwneud y golch. Ac roedd Alys yn ei garu am wneud.

Rhedai o'r tu ôl iddo heddiw eto, gan adael iddo redeg ar ei gyflymder ei hun. Gwyliai a gwrandawai ar ei rythmau fel petai'n offeryn cerddorol rhyfeddol a phrydferth – ei benelinoedd yn pendilio, ei anadl yn esgyn a disgyn i guriadau rhythmig ei esgidiau ar y pafin. Yna poerodd, a chwarddodd hithau. Ofynnodd o ddim pam.

Ar eu ffordd yn ôl, dechreuodd gydredeg ag ef, ochr yn ochr. Bu ond y dim iddi ddweud wrtho nad oedd raid iddo redeg gyda hi mwyach os nad oedd o am wneud hynny, y gallai hi ymdopi â'r ffordd gyfarwydd hon ei hun. Ond yna, aeth i lawr i'r dde i Lôn y Felin tuag adref, lle byddai Alys wedi troi i'r chwith. Nid peth i'w anwybyddu oedd clefyd Alzheimer.

Gartref, diolchodd iddo, cusanodd ef ar ei foch chwyslyd ac aeth draw at Lydia a oedd yn yfed coffi ar y patio yn ei phyjamas. Bob bore, dros frecwast o rawnfwyd a llus neu *bagel* â chaws hufen a choffi a the, byddai hi a Lydia yn trafod pa bynnag ddrama yr oedd Alys yn ei darllen. Bu greddf Alys yn llygad ei lle. Roedd darllen dramâu yn rhoi mwy o foddhad iddi na darllen nofelau neu fywgraffiadau, ac roedd trafod cynnwys drama â Lydia, boed un olygfa, un act neu ddrama gyfan, yn ffordd rymus o serio'r ddrama ar ei chof. Wrth ddadansoddi golygfeydd, cymeriadau a phlot gyda Lydia, gwelai Alys ddyfnder deallusrwydd ei merch, ei gwerthfawrogiad dwfn o ddynoliaeth ac emosiwn ac ymdrech. Gwelai Lydia. A charai hi.

Heddiw, trafod golygfa o *Angels in America* yr oedden nhw. Roedden nhw'n ffeirio cwestiynau ac atebion yn ddirwystr, y ddwy'n gyfartal, y ddwy'n cael hwyl. Am nad oedd Alys yn gorfod cystadlu â John, gallai gymryd ei hamser i ateb a chymryd rhan lawn yn y sgwrs.

"Sut brofiad oedd o i wneud yr olygfa hon efo Malcolm?" holodd Alys.

Syllodd Lydia arni fel petai'r cwestiwn yn ei llorio.

"Be?"

"Ddaru ti a Malcolm wneud yr olygfa hon efo'ch gilydd, yn do?"

"Chi wedi darllen fy nyddiadur i?"

Suddodd stumog Alys. Roedd hi'n meddwl bod Lydia wedi dweud wrthi am Malcolm.

"Lydia fach, dwi mor sori —"

"Alla i ddim credu eich bod chi wedi gwneud hynna! Doedd dim hawl gyda chi!"

Hyrddiodd Lydia ei chadair yn ôl a stompiodd ymaith, gan adael Alys wrthi'i hun yn syfrdan. Rai munudau'n ddiweddarach, clywodd Alys glep galed drws y ffrynt.

"Paid â becso. Fydd hi ddim yn flin yn hir iawn," meddai John.

Ceisiodd Alys lenwi'r oriau orau y gallai. Ceisiodd lanhau, garddio, darllen, ond y cyfan y gallai ei wneud oedd gofidio. Gofidiai ei bod wedi gwneud rhywbeth anfaddeuol. Gofidiai ei bod newydd golli parch, ymddiriedaeth a chariad y ferch nad oedd hi ond megis wedi dechrau dod i'w hadnabod.

Ar ôl cinio, cerddodd Alys a John i'r traeth. Camodd Alys i'r môr a nofio hyd nes na allai nofio ddim mwy. Eisteddodd yn ei chadair ar y tywod, ei blinder wedi llorio'r diflastod yn ei stumog yn llwyr. Caeodd ei llygaid.

Roedd wedi darllen yn rhywle y gallai myfyrio'n rheolaidd fod o fudd i'r ymennydd. Roedd Lydia eisoes yn myfyrio bob dydd, a phan fynegodd Alys ddiddordeb, aeth Lydia ati i ddangos iddi sut i wneud. Pa un a oedd yn helpu'i hymennydd ai peidio, hoffai Alys y ffordd yr oedd yn tawelu'r synau byddarol a'r gofidiau yn ei phen. Câi dawelwch meddwl, yn llythrennol felly.

Y noson honno, coginiodd John fyrgyrs caws, a gwnaeth Alys salad. Ni ddaeth Lydia adref i swper.

"Yr ymarfer sy'n rhedeg yn hwyr, siŵr iti," meddai John.

"Mae'n fy nghasáu i rŵan."

"Dyw hi ddim yn dy gasáu di, paid â bod yn wirion."

Ar ôl swper, yfodd Alys ddau lasiaid arall o win coch, ac yfodd John dri glasiaid arall o wisgi a rhew. Doedd dim golwg o Lydia eto fyth. Ar ôl i Alys ychwanegu ei dogn arferol o dabledi at yr anesmwythyd yn ei stumog, eisteddodd John a hithau ar y soffa gyda dysglaid o bopcorn a siocledi i wylio *King Lear*.

Ar y soffa yr oedd hi o hyd pan gafodd ei deffro gan John. Roedd y teledu wedi'i ddiffodd ac roedd y tŷ'n dywyll. Rhaid ei bod wedi mynd i gysgu cyn i'r ffilm ddarfod. Ni allai gofio'r diweddglo. Dilynodd John i fyny'r grisiau i'w llofft.

Safodd yno'n gegrwth wrth erchwyn y gwely, y dagrau'n llosgi a'i holl ofidiau'n meirioli'n ddim. Ar ei gobennydd roedd dyddiadur Lydia.

"Sori 'mod i'n hwyr," meddai Tom wrth gerdded i mewn.

"Gan fod Tom wedi cyrraedd o'r diwedd," meddai Anna, "mae gan Charlie a finne newyddion. Dwi'n disgwyl efeilliaid!"

Dilynwyd y llongyfarchiadau a'r cofleidio gan gwestiynau ac atebion a mwy o gwestiynau ac atebion. Gydag amser, roedd gallu Alys i ddilyn yr hyn a gâi ei ddweud mewn brawddegau cymhleth wedi dirywio, ond ar y llaw arall roedd ei hymwybyddiaeth o'r hyn nad oedd yn cael ei ddweud, ei dealltwriaeth o iaith y corff, yn dwysáu. Crybwyllodd hyn wrth Lydia rai wythnosau'n ôl, a dywedodd Lydia ei fod yn sgìl y byddai llawer o actorion yn eiddigeddus ohono. Roedd hi a'r actorion eraill yn gorfod canolbwyntio'n galed iawn i wahanu eu hunain oddi wrth yr iaith lafar er mwyn ymateb yn onest i ystum a theimladau'r actorion eraill. Ni ddeallai Alys hyn yn iawn, ond roedd wrth ei bodd bod Lydia yn ystyried bod ganddi, yn ei hanabledd, sgìl i fod yn eiddigeddus ohono.

Edrychai John yn hapus ac yn llawn cyffro, ond gwelai Alys nad oedd yn rhoi mynegiant llawn i'r holl hapusrwydd a'r cyffro a deimlai. Efallai ei fod yn cael ei ffrwyno gan eiriau Anna fod pum wythnos yn 'dal yn gynnar'. Ofergoelus yr oedd o, debyg, fel y rhan fwyaf o fiolegwyr, ac yn amharod i gyfri'i fendithion cyn pryd. Ond allai o ddim aros chwaith. Roedd o ar dân eisiau bod yn daid.

O dan y mwgwd o hapusrwydd a chyffro ar wyneb Charlie, gwelai Alys haen o nerfusrwydd, a haen arall o arswyd. I Alys roedd yr haenau hyn yn gwbl glir, ond doedd dim golwg bod Anna wedi'u gweld, na neb arall chwaith. Ai gweld pryder dyn a oedd ar fin dod yn dad am y tro cyntaf yr oedd hi? Oedd o'n gofidio am y cyfrifoldeb o orfod bwydo dau ar unwaith a thalu am goleg i ddau yr un pryd? Byddai hynny'n esbonio'r haen gyntaf. Oedd o hefyd yn arswydo rhag y posibilrwydd y gallai fod â dau blentyn mewn prifysgol, tra bod ei wraig gartref gyda dementia?

Safai Lydia a Tom ysgwydd wrth ysgwydd, yn siarad ag Anna. Roedd ei phlant yn brydferth, er nad plant mohonynt mwyach. Pefriai Lydia o bob gewyn ohoni. Roedd hi'n mwynhau'r newyddion da yn ogystal â'r ffaith fod ei theulu cyfan wedi dod i'w gweld yn actio.

Gwisgai Tom wên ddigon diffuant, ond gwelai Alys hefyd

ryw anesmwythyd ynddo; roedd ei lygaid a'i fochau fymryn yn welw, ei gorff fymryn yn fwy esgyrnog. Effaith y coleg efallai? Cariad newydd? Sylwodd arni'n ei astudio.

"Sut ydech chi, Mam?" gofynnodd.

"Eitha da."

"Go iawn?"

"Ydw, wir iti. Dwi'n teimlo'n grêt."

"Chi'n dawel iawn."

"Mae gormod ohonon ni'n clebran yr un pryd ac yn siarad yn rhy gyflym," meddai Lydia.

Diflannodd gwên Tom, ac edrychai fel petai ar fin crio. Teimlodd Alys ei BlackBerry yn dirgrynu yn ei bag bach glas, yn dynodi ei bod yn bryd iddi gymryd ei thabledi. Fe arhosai. Doedd hi ddim am eu llyncu o flaen Tom.

"Lyd, pryd mae'r perfformiad fory?" gofynnodd Alys, a'i BlackBerry yng nghledr ei llaw.

"Wyth o'r gloch."

"Mam, does dim isio ichi ei roi yn y BlackBerry. Rydyn ni yma. Wnawn ni ddim anghofio mynd â chi efo ni," meddai Tom.

"Be ydi enw'r ddrama?" gofynnodd Anna.

"*Proof*," atebodd Lydia.

"Wyt ti'n nerfus?" gofynnodd Tom.

"Ydw, ychydig bach, am mai dyma'r noson gynta, ac mi fyddwch chi i gyd yno. Ond fydda i ddim yn cofio amdanoch chi pan fydda i ar y llwyfan."

"Lydia, faint o'r gloch mae'r ddrama?" gofynnodd Alys.

"Mam, rydych chi newydd ofyn hynna. Anghofiwch o," meddai Tom.

"Am wyth mae hi, Mam," meddai Lydia. "Tom, dwyt ti ddim yn helpu pethe."

"Na, ti sy ddim yn helpu. Pam ddylai hi boeni am gofio rhywbeth nad oes rhaid iddi'i gofio o gwbl?"

"Wneith hi ddim poeni amdano os allith hi roi nodyn yn y BlackBerry. Gad iddi," meddai Lydia.

"Wel, ddylai hi ddim bod yn dibynnu ar y BlackBerry uffern yna beth bynnag. Dylai fod yn ymarfer ei sgiliau cofio bob cyfle geith hi," meddai Anna.

"Cofio amser y ddrama ynte dibynnu'n llwyr arnon ni? Be ddylai hi ei wneud?" gofynnodd Lydia.

"Dylet ti fod yn ei hannog i ganolbwyntio a thalu sylw. Dylai geisio cofio gwybodaeth o'i phen a'i phastwn ei hun, a pheidio â mynd yn ddiog," meddai Anna.

"Dydi hi ddim yn ddiog," arthiodd Lydia.

"Rwyt ti a'r BlackBerry yna yn ei gwneud hi'n ddiog. Mam, faint o'r gloch mae perfformiad Lydia fory?" gofynnodd Anna.

"Wn i ddim. Dyna pam ofynnais i," meddai Alys.

"Mae Lydia wedi'ch ateb chi ddwywaith yn barod, Mam. Pam na thrïwch chi gofio beth ddywedodd hi?"

"Anna, bydd dawel," meddai Tom.

"Roeddwn i ar fin ei roi yn y BlackBerry, ond ddaru chi darfu arna i."

"Dwi ddim yn gofyn ichi edrych ar eich BlackBerry. Dwi isio ichi gofio beth ddywedodd hi."

"Wel, wnes i ddim trio cofio'r amser achos roeddwn i'n bwriadu ei roi yn y BlackBerry."

"Mam, pwyllwch am funud. Faint o'r gloch mae drama Lydia fory?"

Wyddai hi ddim, ond gwyddai fod yn rhaid torri tipyn ar grib Anna.

"Lydia, faint o'r gloch mae'r perfformiad fory?" holodd Alys.

"Wyth o'r gloch."

"Am wyth mae o, Anna."

Bum munud cyn wyth, eisteddodd pob un yng nghanol yr ail res ym mlaen yr ystafell. Lle bach oedd Theatr Monomoy. Nid oedd yno ond cant o seddau ac roedd y llwyfan led braich o'r rhes flaen.

Roedd Alys ar bigau'r drain yn aros i'r sioe ddechrau. Roedd wedi darllen y ddrama ac wedi'i thrafod yn helaeth â Lydia. Roedd hyd yn oed wedi'i helpu i ddysgu'r geiriau. Chwarae rhan Catherine yr oedd hi, merch i athrylith o fathemategydd a oedd yn colli arno'i hun. Edrychai Alys ymlaen at weld y cymeriadau'n dod yn fyw o'i blaen.

O'r olygfa gyntaf un, roedd yr actio'n onest, yn ddeallus ac yn amlddimensiynol, ac ymgollodd Alys yn llwyr yn y byd dychmygol a greodd yr actorion. Honnai Catherine iddi ysgrifennu prawf a fyddai'n torri tir newydd, ond nid oedd ei chariad na'i chwaer yn ei chredu, ac roedd y naill a'r llall yn cwestiynu'i hiechyd meddwl. Ofnai hithau ei bod, fel ei thad, yn dechrau gorffwyllo. Bu Alys yn gyfrannog o'i thrallod, ei hing, y brad a'r ofn hyd y diwedd eithaf. Roedd Catherine yn wefreiddiol.

Wedi i'r ddrama orffen, ymunodd yr actorion â'r gynulleidfa. Gwisgai Catherine wên lydan. Rhoddodd John flodau iddi, ac fe'i cofleidiodd yn wresog.

"Roeddet ti'n ffantastig; yn hollol wych!" meddai John.

"Diolch! Mae'n ddrama arbennig, yn tydi?"

Cofleidiodd y lleill hi hefyd, gan ei chusanu a'i chanmol i'r cymylau.

"Roedd y perfformiad yn wych, ac yn werth ei weld," meddai Alys.

"Diolch yn fawr."

"Fydd yna gyfle i'ch gweld chi mewn drama arall yn ystod yr haf?" gofynnodd Alys.

Syllodd ar Alys am amser anghyfforddus o hir cyn ei hateb.

"Na, dyma fy unig rôl yr haf yma."

"Dim ond am yr haf rydych chi yma?"

Gwyddai Alys fod y cwestiwn, am ryw reswm, yn ei thristáu. Llenwodd ei llygaid â dagrau.

"Ie, rwy'n symud 'nôl i Los Angeles ddiwedd Awst, ond mi fydda i'n dod 'nôl ffordd hyn yn aml i weld fy nhculu."

"Lydia yw hi, Mam. Eich merch," meddai Anna.

Mae lles niwron yn dibynnu ar ei allu i gyfathrebu â niwronau eraill. Mae astudiaethau'n dangos bod y grym trydanol a chemegol sy'n deillio o niwron ac o dargedau'r niwron hwnnw yn hybu prosesau hanfodol yn y celloedd. Mae niwronau na allant gyfathrebu'n effeithiol â niwronau eraill yn crebachu. Nid oes i niwron amddifad werth, a bydd yn marw.

MEDI 2004

Er bod tymor yr hydref wedi dechrau'n swyddogol yn Harvard, roedd y tywydd yn glynu fel gelen wrth yr hen galendr Rhufeinig. Y bore hwnnw ym mis Medi, pan gychwynnodd Alys ar ei thaith arferol i'r brifysgol, roedd bron yn wyth deg gradd. Hyd yn oed yn ei chrys-T cotwm a'i sgert denau, teimlai Alys yn anghyfforddus o chwyslyd erbyn iddi gyrraedd swyddfa Eric Wellman.

Roedd ei swyddfa o yn union uwchben ei swyddfa hi, yn union yr un maint, gyda'r un dodrefn a'r un olygfa o'r afon a Boston, ond am ryw reswm roedd ynddi naws fwy awdurdodol a phwysig. Teimlai bob amser fel glasfyfyriwr yn ei swyddfa, yn enwedig heddiw, ac yntau wedi'i galw draw am 'sgwrs fach'.

"Sut haf gest ti?" gofynnodd Eric.

"Neis iawn. Cyfle i ymlacio. A thithe?"

"Da, ond mi aeth heibio'n llawer rhy gyflym. Welson ni dy eisiau yn y gynhadledd ym mis Mehefin."

"Wn i. Fyswn i wedi licio gallu bod yno."

161

"Wel, Alys, dy alw draw i drafod adborth myfyrwyr y llynedd wnes i, cyn i'r dosbarthiadau ddechrau."

"Wela i. Dwi ddim wedi cael cyfle i edrych arnyn nhw."

Rywle yn ei swyddfa, roedd pentwr o ffurflenni adborth yn ymwneud â'i chwrs cymhelliant ac emosiwn. Byddai myfyrwyr Harvard yn llenwi'r ffurflenni hyn yn ddienw, a dim ond y darlithydd ac Athro'r adran fyddai'n eu gweld. Yn y gorffennol, taro cipolwg sydyn arnyn nhw'n unig fyddai Alys. Gwyddai ei bod yn ddarlithydd gwych, ac roedd adborth y myfyrwyr yn tueddu, gan amlaf, i gytuno'n ddiwyro. Dyma'r tro cyntaf erioed i Eric eu trafod gyda hi, ac ofnai, ym mêr ei hesgyrn, na fyddai, am unwaith, yn hoffi'r hyn a oedd ganddynt i'w ddweud.

"Yli, dyma ti. Cymra gipolwg arnyn nhw rŵan."

Estynnodd Eric ei ffurflenni ef iddi, gyda'r crynodeb ar ben y pentwr.

Ar raddfa o un, anghytuno'n gryf, i bump, cytuno'n gryf, beth yw'ch barn am y datganiadau a ganlyn:

Roedd y darlithydd yn cynnal safon uchel o ran perfformiad y myfyrwyr.

Sgorau o bedwar a phump i gyd.

Roedd cyfarfodydd y dosbarth yn gwella'r ddealltwriaeth o'r deunydd dan sylw.

Sgorau o bedwar, tri a dau.

Bu'r darlithydd o gymorth imi ddeall cysyniadau anodd a syniadau cymhleth.

Sgorau o bedwar, tri a dau, unwaith eto.

Roedd y darlithydd yn annog cwestiynau a gwahanol safbwyntiau.

Roedd dau fyfyriwr wedi rhoi sgôr o un iddi.

Ar raddfa o un, gwael, i bump, ardderchog, beth yw'ch barn am y darlithydd yn gyffredinol:

Sgorau o dri yn bennaf. Doedd hi erioed, hyd y cofiai, wedi cael llai na phedwar yn y categori hwn.

Roedd y crynodeb drwyddo draw wedi'i bupuro â sgorau o dri, dau ac un. Ni wnaeth geisio argyhoeddi'i hun fod hynny'n ddim amgen na barn gywir a theg ei myfyrwyr, heb falais o unrhyw fath. Roedd ei gwaith addysgu wedi dioddef mwy nag y sylweddolodd. Eto i gyd, roedd hi'n barod i fentro'i dimai olaf nad hi oedd y gwaethaf yn yr adran. Roedd hi'n suddo'n gyflym, oedd, ond doedd hi ddim wedi cyrraedd gwaelod y gasgen eto, chwaith.

Edrychodd ar Eric, yn barod am y lach.

"Petawn i heb weld dy enw ar y crynodeb yna, fyddwn i ddim wedi meddwl ddwywaith. Mae'r sgorau'n ddigon derbyniol. Nid dyma'r sgorau rwyt ti'n eu cael fel arfer, nage, ond dydyn nhw ddim yn wael ofnadwy chwaith. Y sylwadau sy'n fy mhoeni, a dyna pam dwi am gael sgwrs."

Nid aethai Alys ymhellach na'r crynodeb. Edrychodd Eric ar ei nodiadau a darllenodd yn uchel.

"Mae'n hepgor talpiau mawr o'r amlinelliad, felly ryden ninnau'n eu hepgor hefyd. Ond wedyn mae'n disgwyl inni sôn amdanyn nhw yn yr arholiad."

"Dydi hi ddim fel tase hi'n deall yr wybodaeth y mae'n ei chyflwyno."

"Roedd y ddarlith yn wastraff amser. Byddwn i wedi cael mwy o fudd yn darllen y gwerslyfrau."

"Roeddwn i'n cael trafferth i ddilyn trywydd ei darlithoedd. Mae hi'i hun yn mynd ar goll ynddyn nhw, hyd yn oed. Doedd y darlithoedd hyn ddim hanner cystal â'i darlith ragarweiniol."

"Un tro, fe ddaeth i'r ddarlith a wnaeth hi ddim byd. Eisteddodd yn ein canol am rai munudau ac yna fe aeth allan. Dro arall, fe gyflwynodd yr un ddarlith yn union ag y cyflwynodd yr wythnos flaenorol. Fyddwn i ddim am wastraffu amser Dr Howland am bris yn y byd, ond dwi ddim yn meddwl y dylai hi wastraffu fy amser i chwaith."

Roedd hyn yn anodd ei glywed. Roedd ei chyflwr wedi effeithio llawer mwy arni nag y sylweddolodd.

"Alys, yli, rydyn ni'n ffrindiau ers blynyddoedd, yn tydyn?"

"Ydyn."

"Dwi'n mynd i siarad yn blaen efo ti rŵan. Ydi popeth yn iawn gartre?"

"Ydi."

"Beth amdanat ti? Wyt ti dan straen neu'n teimlo'n isel?"

"Nac ydw."

"Ocê. Mae hyn yn lletchwith, ond rhaid imi ofyn. Oes gen ti broblem yfed neu broblem gyffuriau?"

Allai hi ddim gwrando rhagor. *Alla i ddim byw gyda'r enw o fod yn gaeth i gyffuriau, yn dioddef o'r felan, neu dan straen. Siawns nad ydi dementia'n llai o staen ar yrfa na hynna.*

"Eric, mae clefyd Alzheimer arna i."

Gwelwodd ei wyneb mewn amrantiad. Roedd yn barod i glywed bod John wedi bod yn anffyddlon. Roedd ganddo enw seiciatrydd da wrth law. Roedd o'n barod i ymyrryd neu i'w hanfon i Ysbyty McLean i sychu. Roedd o'n barod am bopeth ond hyn.

"Mi ges i ddiagnosis ym mis Ionawr. Roedd darlithio'n anodd y tymor diwetha, oedd, ond wnes i ddim sylweddoli i ba raddau roedd hynny'n amlwg."

"Mae'n ddrwg gen i, Alys."

"Finne hefyd."

"Doeddwn i ddim yn disgwyl hyn."

"Na finne."

"Roeddwn i'n disgwyl problem dros dro, problem y gallwn i ei datrys. Nid rhywbeth dros dro ydi hwn."

"Nage, dim o gwbl."

Gwyliodd Alys ef yn meddwl. Roedd Eric fel tad i bawb yn yr adran, yn warchodol ac yn hael ei ofal, ond hefyd yn ymarferol a di-lol.

"Mae rhieni yn talu deugain mil y flwyddyn. Thâl peth fel hyn ddim."

Na wnâi, debyg. Fydden nhw ddim yn lluchio'u doleri prin i'w plentyn gael addysg gan ddynes â chlefyd Alzheimer. Gallai'n hawdd ddychmygu'r ffws a'r ffwdan, y penawdau cywilyddus ar y newyddion hwyr.

"Hefyd, mae rhai o dy fyfyrwyr di'n herio'u graddau. Bydd hynny'n cynyddu fel caseg eira, mae arna i ofn."

Mewn chwarter canrif o ddysgu, doedd neb erioed wedi herio'r graddau a roddodd iddyn nhw. Neb.

"Dydw i ddim yn meddwl y dylet ti ddysgu rhagor, ond dwi am barchu dy gynllun di. Oes gen ti un?"

"Roeddwn i wedi gobeithio parhau am flwyddyn ac yna mynd ar gyfnod sabothol, ond doeddwn i ddim wedi deall bod fy symptomau mor amlwg ac yn tarfu ar fy narlithoedd. Dwi ddim isio cael fy ystyried yn ddarlithydd gwael, Eric. Nid person fel yna ydw i."

"Mi wn i hynny. Beth am adael am resymau meddygol, yn union cyn y cyfnod sabothol?"

Roedd o am gael gwared â hi nawr. Roedd hi'n ddarlithydd o fri, yn adnabyddus am ei gwaith, ac yn bwysicach na hynny, roedd ganddi swydd barhaol. Doedd dim modd iddyn nhw ei diswyddo'n gyfreithlon. Ond nid dyna sut roedd hi am fynd i'r afael â phethau. Er nad oedd am roi'r gorau i'w gyrfa yn Harvard, â chlefyd Alzheimer yr oedd y frwydr, nid ag Eric na'r brifysgol.

"Dydw i ddim yn barod i adael, ond rwy'n cytuno â thi y dylwn roi'r gorau i ddysgu, er bod hynny'n torri 'nghalon. Dwi am barhau i gynghori Dan, ac mi hoffen i barhau i ddod i seminarau ac i'r cyfarfodydd."

Dydw i ddim yn ddarlithydd mwyach.

"Rydw i'n meddwl y gallwn ni wneud rhywbeth â hynna. Byddai'n syniad iti gael sgwrs â Dan, esbonio iddo beth sy'n digwydd a gadael iddo fo benderfynu. Fe fyddwn i'n ddigon bodlon cydgynghori efo ti, petai'r naill neu'r llall ohonoch chi'n fwy cyfforddus â hynny. Hefyd, fedri di ddim dechrau cynghori unrhyw fyfyrwyr doethuriaeth newydd, wrth reswm. Dan fydd yr olaf."

Dydw i ddim yn wyddonydd ymchwil mwyach.

"Byddai'n syniad iti beidio â derbyn gwahoddiadau i annerch prifysgolion neu gynadleddau eraill. Well iti beidio â chynrychioli Harvard mewn amgylchiadau o'r fath. Dwi eisoes wedi sylwi dy fod wedi rhoi'r gorau i deithio, felly mae'n siŵr dy fod eisoes wedi cydnabod hyn."

"Cytuno."

"Sut wyt ti am ddweud wrth yr adran weinyddol a phobl

eraill yn yr adran? Dwi'n barod i barchu beth bynnag sydd gen ti mewn golwg."

Roedd hi'n rhoi'r gorau i addysgu, ymchwilio, teithio a darlithio. Byddai pobl yn sylwi. Bydden nhw'n hel straeon ac yn sibrwd yn ei chefn. Bydden nhw'n meddwl ei bod yn gaeth i gyffuriau, dan straen neu'n dioddef o'r felan. Efallai fod ambell un eisoes yn meddwl hynny.

"Mi ddyweda i wrthyn nhw. Dylen nhw gael gwybod gen i."

Medi 17, 2004

Annwyl Gyfeillion a Chyd-weithwyr,

Ar ôl ystyriaeth ddwys a chyda thristwch mawr, rwyf wedi penderfynu rhoi'r gorau i'm cyfrifoldebau addysgu, ymchwilio a theithio yn Harvard. Ym mis Ionawr eleni, cefais ddiagnosis o glefyd Alzheimer. Er fy mod, yn ôl pob tebyg, yng nghyfnodau cynnar y clefyd, cefais gyfnodau o broblemau gwybyddol sy'n ei gwneud yn amhosibl imi barhau i fodloni gofynion y swydd gan arddel y safonau uchel a gyrhaeddais yn ystod fy ngyrfa ac a ddisgwylir yn y brifysgol hon.

Er na fyddaf bellach i'm gweld wrth y ddarllenfa yn yr ystafelloedd darlithio nac ychwaith yn ysgrifennu ceisiadau newydd am grantiau, byddaf yn parhau i gynghori Dan Maloney gyda'i ddoethuriaeth, a byddaf yn dal i ddod i gyfarfodydd a seminarau, lle'r wyf yn gobeithio parhau i wneud cyfraniad ymarferol.

Gyda'r parch a'r edmygedd mwyaf,

Alys Howland.

Ysgwyddwyd cyfrifoldebau dysgu Alys gan Marty yn ystod wythnos gyntaf tymor yr hydref. Pan gyfarfu ag ef i gyflwyno'r maes llafur a'r deunyddiau darlithio, fe'i cofleidiodd a dywedodd mor flin oedd o i glywed y newyddion. Gofynnodd sut roedd hi, ac a allai wneud rhywbeth i helpu. Diolchodd iddo, a dywedodd wrtho ei bod yn teimlo'n dda iawn. Cyn gynted ag y cafodd bopeth yr oedd arno'i angen ar gyfer y cwrs, fe'i heglodd hi oddi yno cyn gynted fyth ag y gallai.

Rhywbeth tebyg yr oedd hi yn achos pawb arall yn yr adran hefyd.

"Dwi mor sori, Alys."

"Ffaelu credu."

"Doedd gen i ddim syniad."

"Oes rhywbeth alla i ei wneud?"

"Ydych chi'n siŵr? Dydych chi'n edrych ddim gwahanol."

"Dwi mor sori."

"Dwi mor sori."

Yna, byddent yn ei gadael cyn gynted ag y gallent. Roeddynt yn neilltuol o garedig a chwrtais pan fyddent yn cwrdd â hi, ond pur anaml y digwyddai hynny. Y rheswm pennaf am hynny oedd bod eu diwrnod nhw mor brysur, a diwrnod Alys yn wacach o lawer bellach. Roedden nhw hefyd yn ei hosgoi'n fwriadol. Roedd wynebu Alys yn golygu wynebu gwendid meddyliol, a'r posibilrwydd y gallai rhywbeth tebyg ddigwydd iddynt hwythau mewn chwinciad. Roedd wynebu Alys yn codi bwganod. Felly, heblaw am gyfarfodydd a seminarau, roedd hi'n haws cadw draw.

Amser cinio, roedd Seminar Seicoleg gyntaf y tymor i gael ei chynnal. Safai Leslie, un o fyfyrwyr ôl-radd Eric, wrth ben y bwrdd cynadledda yn barod i ddechrau. Roedd teitl y seminar yn eglur ar sgrin y tu ôl iddi: 'Chwilio am Atebion: Sut mae Sylw yn Effeithio ar y Gallu i Adnabod yr Hyn Welwn Ni.' Yn y sedd gyntaf wrth y bwrdd, gyferbyn ag Eric, teimlai Alys yn barod hefyd. Dechreuodd fwyta'i chinio tra sgwrsiai Eric a Leslie, a thra llenwai'r ystafell.

Ymhen ychydig funudau, sylwodd Alys fod pob sedd o gylch y bwrdd wedi'i llenwi heblaw'r sedd agosaf ati hi, a bod pobl yn sefyllian yn y cefn. Roedd bri mawr ar seddau wrth y bwrdd, nid dim ond oherwydd ei bod yn haws gweld y cyflwyniad ond am ei bod hefyd yn haws trin geriach y cinio, yn blatiau ac yn ddiodydd, yn ogystal â beiros a phapur a llyfrau nodiadau. Heddiw, roedd sefyll yn haws nag eistedd yn ei hymyl hi. Edrychodd ar bawb nad oedd yn sbio arni. Roedd tua hanner cant yn yr ystafell, pobl a adnabu ers blynyddoedd, pobl a gyfrifai'n ffrindiau da.

Rhuthrodd Dan i mewn, ei wallt yn flêr a chwt ei grys allan. Oedodd am eiliad, ac aeth ar ei union at y sedd agosaf at Alys, gan luchio'i lyfr ar y bwrdd.

"Roeddwn i ar fy nhraed drwy'r nos yn sgwennu. Dwi isio bwyd. Fydda i 'nôl rŵan."

Siaradodd Leslie am awr gyfan. Llwyddodd Alys i'w ddilyn i'r diwedd, er bod hynny'n dipyn o dreth arni. Ar ôl i Leslie orffen, gofynnodd am gwestiynau o'r llawr. Cododd Alys ei llaw.

"Ie, Dr Howland?" meddai Leslie.

"Dwi'n meddwl bod angen grŵp safonol arnoch chi i fesur i ba raddau y mae'r eitemau sydd gennych i ennyn sylw yn gwneud hynny mewn gwirionedd. Fe allech chi ddadlau bod rhai, am ba reswm bynnag y bo hynny, ddim yn ennyn sylw o gwbl, ac felly nid yw eu presenoldeb yn cyflawni dim oll yn y bôn. Gallech brofi gallu pobl i sylwi ar yr eitemau ennyn sylw a rhoi sylw iddyn nhw, neu fe allech chi gynnal cyfres lle rydych chi'n ffeirio'r eitem ennyn sylw am y targed ei hun."

Amneidiodd sawl un. Clywodd Dan yn cytuno drwy gegaid

o bitsa. Cydiodd Leslie mewn beiro gan ddechrau cymryd nodiadau hyd yn oed cyn i Alys orffen siarad.

"Ie'n wir. Leslie, cer 'nôl i sleid y cynllun arbrofol am eiliad," meddai Eric.

Edrychodd Alys o amgylch yr ystafell. Roedd llygaid pawb ar y sgrin. Gwrandawai pawb yn astud wrth i Eric ymhelaethu ar sylwadau Alys. Roedd sawl un yn dal i amneidio. Teimlai'n browd ohoni'i hun ac yn hunangyfiawn. Nid oedd y ffaith fod clefyd Alzheimer arni yn golygu na allai barhau i ddadansoddi pethau. Nid oedd y ffaith fod clefyd Alzheimer arni yn golygu nad oedd ganddi hawl i eistedd yn yr ystafell honno yn eu plith. Nid oedd y ffaith fod clefyd Alzheimer arni yn golygu nad oedd ganddi rywbeth gwerth ei ddweud a'i glywed.

Parhaodd y cwestiynau a'r atebion am beth amser. Gorffennodd Alys ei chinio. Cododd Dan i ymorol am ychwaneg. Stryffaglodd Leslie i ateb cwestiwn eithaf cas a ofynnodd myfyriwr ôl-radd newydd Marty. Roedd sleid y cynllun arbrofol ar y sgrin. Darllenodd Alys ef a chododd ei llaw.

"Ie, Dr Howland?" gofynnodd Leslie.

"Dwi'n meddwl bod angen grŵp safonol arnoch chi i fesur pa mor effeithiol ydi'r eitemau sydd gennych i ennyn sylw. Efallai nad ydi rhai yn ennyn sylw o gwbl. Gallech chi brofi gallu pobl i sylwi ar yr eitemau ennyn sylw neu fe allech chi ffeirio'r eitem ennyn sylw am y targed ei hun."

Roedd yn bwynt dilys. Fel hyn y dylai wneud yr arbrawf, ac ni fyddai modd i Leslie gyhoeddi'i phapur heb gynnwys y pwynt hwn. Roedd Alys yn sicr o hynny. Ond doedd neb arall yn cytuno. Edrychodd ar bawb nad oedd yn sbio arni. Bron nad oedden nhw'n cywilyddio ac yn arswydo. Ailddarllenodd yr wybodaeth ar y sgrin. Roedd angen grŵp safonol ar yr arbrawf. Nid oedd y ffaith fod clefyd Alzheimer arni yn golygu na allai ddadansoddi pethau. Nid oedd y ffaith fod clefyd Alzheimer arni yn golygu nad oedd yn gwybod beth oedd beth.

"Ocê, diolch yn fawr," meddai Leslie.

Ni wnaeth unrhyw nodiadau ac ni allai ddal llygaid Alys, a doedd hi ddim yn edrych yn rhy fodlon ar ei sylwadau chwaith.

Nid oedd ganddi ddosbarthiadau i'w dysgu, na grantiau i ymgeisio amdanynt, na gwaith ymchwil i'w wneud, na chynadleddau i fynd iddynt, na darlithoedd i'w rhoi. Fyth eto. Teimlai fod y rhan fwyaf ohoni, y rhan honno y bu'n ei chaboli a'i sgleinio'n rheolaidd ar lwyfan ei bywyd, wedi darfod. Cwyno wnâi'r rhannau eraill ohoni, y rhannau llai. Cwynfan eu galar hunandosturiol.

Syllodd drwy ffenestr enfawr ei swyddfa yn gwylio pobl yn loncian hyd glannau'r afon.

"Fydd gen ti amser i redeg heddiw?" gofynnodd.

"Falle," atebodd John.

Syllai yntau drwy'r ffenestr hefyd, wrth yfed ei goffi. Dyfalai beth welai John, a oedd ei lygaid yn gweld yr un pethau â hi, neu bethau cwbl wahanol.

"Biti na ddaru ni dreulio mwy o amser efo'n gilydd," meddai Alys.

"Beth wyt ti'n feddwl? Rydyn ni newydd dreulio haf cyfan gyda'n gilydd."

"Na, dim yr haf, ein bywydau cyfan. Mae'n drueni na ddaru ni dreulio mwy o amser efo'n gilydd."

"Ali, rydyn ni'n byw gyda'n gilydd, rydyn ni'n gweithio yn yr un lle, rydyn ni wedi treulio'n bywydau cyfan gyda'n gilydd."

Yn y dechrau, roedd hynny'n ddigon gwir. Ond roedd

pethau wedi newid gydag amser. Nhw adawodd i bethau newid. Cofiodd am y cyfnodau sabothol ar wahân, rhannu'r baich o ofalu am y plant, y teithio, eu hymroddiad diwyro i'w gwaith. Byw ochr yn ochr â'i gilydd roedden nhw ers blynyddoedd bellach.

"Dwi'n meddwl inni fod ormod ar ein pennau ein hunain."

"Nid fel yna rwy'n ei gweld hi, Alys. Rwy'n hoffi'n bywydau ni. Mae gyda ni gydbwysedd da rhwng annibyniaeth i fynd ein ffordd ein hunain a bywyd gyda'n gilydd."

Meddyliodd am ei angerdd tuag at ei waith, ei ymchwil, angerdd dwysach o lawer na'i hangerdd hi. Hyd yn oed pan fyddai'r arbrofion yn methu, pan nad oedd y data'n gyson, pan oedd y damcaniaethau'n cyfeiliorni, safai ei angerdd yn gadarn. Yr amser, y gofal, y sylw a'r egni a roddai ef i'w waith a'i hysbrydolodd hi i weithio'n galetach.

"Dwyt ti ddim ar dy ben dy hun, Alys. Rydw i yma gyda ti."

Edrychodd ar ei wats, a llowciodd weddill ei goffi.

"Rhaid i mi frysio. Dosbarth."

Cododd ei fag, lluchiodd ei gwpan i'r bin a chamodd ati. Plygodd, daliodd ei phen o gyrls du yn ei ddwylo, a chusanodd hi'n dyner. Daliodd hithau ei lygaid a gwasgu'i gwefusau'n wên fain, gan ddal y dagrau ar drai hyd nes caeodd y drws ar ei ôl.

Trueni na ddangosai'r un angerdd tuag ati hi.

Eisteddodd yn ei swyddfa tra cyfarfu ei dosbarth gwybyddiaeth hebddi, a gwyliodd y cerbydau sgleiniog yn ymgordeddu ar hyd y ffyrdd islaw. Llymeitiodd ei phaned. Estynnai'r diwrnod cyfan o'i blaen a hithau bellach heb ddim i'w lenwi. Teimlodd ei chlun yn dirgrynu. Roedd hi'n wyth y bore. Ymbalfalodd am y BlackBerry yn ei bag bach glas.

Alys, ateb y cwestiynau hyn:

1. Pa fis ydi hi?
2. Ble rwyt ti'n byw?
3. Ble mae dy swyddfa di?
4. Pryd mae pen-blwydd Anna?
5. Faint o blant sydd gen ti?

Os cei di drafferth i ateb unrhyw un o'r rhain, cer i'r ffeil 'Iâr Fach yr Haf' ar dy gyfrifiadur a dilyna'r cyfarwyddiadau yn y ffeil ar unwaith.

Mis Medi
34, Stryd Poplys, Cambridge
Neuadd William James, ystafell 1002
Medi 14
Tri

Llymeitiodd ei phaned a gwyliodd y cerbydau sgleiniog yn ymgordeddu ar hyd y ffyrdd islaw.

Cododd ar ei heistedd yn y gwely, gan bendroni beth i'w wneud. Roedd fel y fagddu, yn nos o hyd. Doedd hi ddim wedi drysu. Gwyddai y dylai fod yn cysgu. Gorweddai John ar ei gefn yn ei hymyl, yn chwyrnu'i hochr hi. Ond ni ddeuai Siôn Cwsg ar ei chyfyl hi. Cawsai drafferth i gysgu'r nos lawer gwaith yn ddiweddar, fwy na thebyg am ei bod yn pendwmpian yn ystod y dydd. Neu tybed ai pendwmpian yn ystod y dydd yr oedd hi am nad oedd yn cysgu'r nos? Fe'i rhwydwyd mewn cylch dieflig, reid wyllt ffair na allai ei stopio. Efallai, pe byddai'n brwydro yn erbyn yr ysfa i gysgu yn ystod y dydd, y byddai'n torri'r patrwm ac yn cysgu'n well yn y nos. Ond teimlai mor lluddedig erbyn diwedd y prynhawn fel nad oedd dewis ond cael cyntun bach ar y soffa.

Cofiai iddi wynebu cwestiwn tebyg pan oedd ei phlant tua dwy flwydd oed. Oni chaent gysgu'r prynhawn byddent yn gwynfanllyd a di-wardd erbyn nos. O gysgu'r prynhawn, byddent ar ddihun ymhell wedi amser gwely. Ni allai gofio'r ateb.

O'r holl dabledi rwy'n eu cymryd, dyna beth od na fyddai o leiaf un ohonyn nhw yn gwneud ifi deimlo'n gysglyd. O ... mae gen i dabledi cysgu yn rhywle.

Cododd ac aeth i lawr y staer. Er ei bod yn weddol ffyddiog nad oedd y tabledi yno, trodd ei bag bach glas ben i waered. Pwrs, BlackBerry, ffôn, allweddi. Agorodd ei phwrs. Cerdyn credyd, cerdyn banc, trwydded, cerdyn Harvard, cerdyn yswiriant iechyd, ugain doler, llond llaw o arian mân.

Ymbalfalodd yn y ddysgl wen lle'r oedden nhw'n cadw'r post. Bil trydan, bil nwy, bil ffôn, datganiad banc, llythyr o Harvard, derbynebau.

Agorodd y droriau yn y ddesg a'r cwpwrdd ffeiliau yn y stydi a'u gwagio. Tynnodd y cylchgronau a'r catalogau o'r basgedi yn y lolfa. Darllenodd erthygl yn *The Week*, ac yn un o'r catalogau tynnwyd ei sylw gan siwmper hyfryd. Roedd hi'n hoffi'r lliw glaswyrdd.

Agorodd y drôr-pob-dim. Batris, sgriwdreifar, selotêp, tâp glas, glud, allweddi, gwefrydd ffôn, matsys a mwy. Llawer mwy. Doedd neb wedi tacluso'r drôr ers cantoedd. Tynnodd y drôr allan yn llwyr a lluchiodd ei gynnwys ar fwrdd y gegin.

"Ali, be ddiawl ti'n neud?" gofynnodd John.

Neidiodd Alys.

"Dwi'n chwilio am ..."

Syllodd ar yr eitemau'n blith draphlith ar y bwrdd o'i blaen. Batris, edau a nodwydd, glud, tâp mesur, hen wefryddion ffôn, sgriwdreifar.

"Dwi'n chwilio am rywbeth."

"Ali, mae wedi tri. Rwyt ti'n gwneud andros o sŵn. Alli di ddim chwilio amdano yn y bore?"

Swniai'n ddiamynedd. Doedd o ddim yn ddyn i darfu ar ei gwsg.

"Ocê."

Gorweddodd yn y gwely yn ceisio cofio am beth y bu'n chwilio. Roedd fel y fagddu, yn nos o hyd. Gwyddai y dylai fod yn cysgu. Roedd John wedi mynd yn ôl i gysgu ar unwaith, ac roedd eisoes yn chwyrnu. Gallai fynd i gysgu yn rhywle. Fel hithau unwaith. Ond nid heno. Cawsai drafferth i gysgu'r nos lawer gwaith yn ddiweddar, fwy na thebyg am ei bod yn pendwmpian yn ystod y dydd. Neu, tybed ai pendwmpian yn ystod y dydd yr oedd hi am nad oedd yn cysgu'r nos? Fe'i rhwydwyd mewn cylch dieflig, reid wyllt ffair na allai ei stopio.

O ... ie, dwi'n cofio rŵan. Mae gen i dabledi cysgu gan Dr Moyer. Ble mae'r rheini tybed?

Cododd ac aeth i lawr y staer.

Nid oedd cyfarfodydd na seminarau heddiw. Nid oedd yr un o'r gwerslyfrau, y cyfnodolion na'r post yn ei swyddfa o ddiddordeb iddi. Nid oedd gan Dan unrhyw waith iddi'i ddarllen. Nid oedd ganddi'r un neges e-bost newydd i'w hagor. Ni chyrhaeddai neges e-bost Lydia tan ar ôl cinio. Prysurai'r moduron mud ar hyd y ffyrdd islaw, ac roedd nifer o bobl yn rhedeg ar hyd glannau'r afon. Siglai copaon y coed pin yng ngwynt yr hydref.

Tynnodd bob un o'r ffolderi o'i chwpwrdd ffeilio. Dros y blynyddoedd, ysgrifenasai dros gant o bapurau cyhoeddedig. Pwysodd y pentwr o erthyglau ymchwil, sylwadau ac adolygiadau, gwerth gyrfa o safbwyntiau ac ystyriaethau, yn ei llaw. Roedd ei safbwyntiau o bwys, o werth. Ers talwm, o leiaf. Roedd yn chwith heb ei gwaith ymchwil. Byddai wrth ei bodd yn meddwl amdano, yn siarad amdano, yn gwau ei syniadau a'i hystyriaethau ei hun i syniadau ac ystyriaethau academyddion eraill.

Gosododd y pentwr ffolderi o'r neilltu, ac estynnodd am un o'i gwerslyfrau, *O Foleciwlau i'r Meddwl*, o'r silff lyfrau. Un trwm oedd hwn hefyd. Hwn oedd y llyfr yr oedd fwyaf balch ohono, y llyfr a greodd ar y cyd â John, llyfr cwbl unigryw lle'r oedd syniadau a safbwyntiau'r naill a'r llall yn cyfuno, yn dylanwadu ar eiriau a barn pobl eraill. Yr oedd wedi cymryd yn ganiataol y bydden nhw'n cydysgrifennu un arall ryw ddydd. Trodd ambell dudalen heb gael ei denu. Doedd ganddi fawr o awydd darllen hwnnw ychwaith.

Edrychodd ar ei wats. Ddiwedd y prynhawn, byddai hi a John yn mynd i redeg. Roedd llawer gormod o oriau tan hynny. Penderfynodd redeg adref.

Dim ond milltir oedd rhwng y swyddfa a'r tŷ, a chyrhaeddodd yno ymhen dim ac yn gwbl ddidrafferth. Beth nesaf? Aeth i'r gegin i wneud paned. Llenwodd y tegell o'r tap, rhoddodd ef ar y stof, a throi'r gwres i fyny'n uchel. Aeth i ymorol am gwdyn te. Doedd dim golwg o'r tun lle'r arferai gadw'r te yn unman ar y cownter. Agorodd y cwpwrdd lle cadwai'r cwpanau coffi. Tair rhes o blatiau oedd ynddo. Agorodd y cwpwrdd i'r dde, a ddylai gynnwys rheseidiau o wydrau, ond dysglau a chwpanau oedd yn hwnnw.

Tynnodd y dysglau a'r cwpanau o'r cwpwrdd a'u gosod ar y cownter. Tynnodd y platiau a'u gosod yn ymyl y dysglau a'r cwpanau. Agorodd gwpwrdd arall. Roedd popeth o chwith yno hefyd. Cyn hir, roedd y cownter yn gwegian gan blatiau, dysglau, cwpanau, gwydrau sudd, gwydrau dŵr, gwydrau gwin, sosbenni, padelli, bocsys plastig, llieiniau sychu llestri, cyllyll, ffyrc a llwyau. Roedd cynnwys cegin gyfan o'i blaen. *Rŵan, ble'r oeddwn i'n arfer eu cadw?* Chwibanodd y tegell, ac allai hi ddim meddwl. Trodd y bwlyn i ddiffodd y gwres dan y tegell.

Clywodd ddrws y ffrynt yn agor. *Dyna dda, mae John wedi dod adre'n gynnar.*

"John, pam wnest ti newid popeth rownd yn y gegin?" gwaeddodd arno.

"Alys, beth yffach wyt ti'n ei wneud?"

Dychrynodd ei pherfedd pan glywodd lais dynes yn ei hateb.

"O ... Lauren, ti sy 'na. Ges i fraw rŵan."

Ei chymydog a drigai ar y stryd gyferbyn oedd Lauren. Atebodd Lauren mohoni.

"Tyrd, eistedda am funud. Hoffet ti baned? Roeddwn i ar fin gwneud te."

"Alys, nid dy gegin di ydi hon."

Beth? Edrychodd o amgylch yr ystafell – cownter granit du, cypyrddau pren, teils gwyn ar y llawr, ffenestr uwchben y sinc, peiriant gochi llestri i'r dde o'r sinc, popty dwbl. Oedd ganddi hi bopty dwbl? Yna, am y tro cyntaf, sylwodd ar yr oergell. Ar ei drws, roedd tapestri o luniau. Lluniau o Lauren, a gŵr Lauren, a chath Lauren a rhyw fabis nad oedd gan Alys mo'r syniad lleiaf pwy oeddynt.

"O, Lauren fach. A finne wedi gwneud ffasiwn gawlach yn dy gegin di. Mi wna i roi popeth yn ôl yn ei le rŵan."

"Paid â phoeni, wir iti. Alys, wyt ti'n ocê?"

"Nac ydw, dwi ddim."

Roedd hi eisiau rhedeg adref i'w chegin ei hun. Roedd hi eisiau iddyn nhw anghofio bod hyn wedi digwydd. Oedd rhaid iddi grybwyll bod clefyd Alzheimer arni y funud honno? Roedd hi'n casáu crybwyll clefyd Alzheimer.

Ceisiodd Alys ddarllen wyneb Lauren. Roedd hi'n amlwg wedi cael braw. *Ydi Alys yn wallgo?* oedd y cwestiwn ar wyneb Lauren. Caeodd Alys ei llygaid ac anadlodd yn ddwfn.

"Mae clefyd Alzheimer arna i."

Agorodd ei llygaid. Gwisgai wyneb Lauren yr un olwg yn union â chynt.

Bellach, bob tro y byddai'n mynd i'r gegin, taflai gipolwg ar yr oergell, rhag ofn. Doedd dim lluniau o Lauren. Roedd hi yn y tŷ iawn. Pe na byddai hynny'n ddigon, roedd John wedi ysgrifennu nodyn mewn braslythrennau duon a'i osod dan fagned ar ddrws yr oergell.

ALYS,
PAID Â MYND I REDEG HEBDDA I.

FY RHIF FFÔN: 617-555-1122
ANNA: 617-555-1123
TOM: 617-555-1124

Roedd John wedi mynnu ei bod yn addo na fyddai'n mynd i redeg wrthi'i hun. Addawsai cris croes tân poeth na fyddai fyth eto'n rhedeg hebddo. Wrth gwrs, roedd eithaf siawns y gallai anghofio.

Wnâi gorffwys am ychydig les i'w ffêr. Roedd hi wedi'i throi ar stepen y palmant yr wythnos diwethaf. Nid oedd ei gallu i amgyffred yr hyn a oedd o'i chwmpas gystal ag y bu. Weithiau roedd pethau yn edrych yn nes neu ymhellach neu yn rhywle na ddylen nhw fod. Bu am brawf llygaid, ac roedd y rheini'n iawn. Yn ôl John, yn y ffordd yr oedd hi'n prosesu gwybodaeth weledol yr oedd y broblem. Er bod ei llygaid gystal â rhai dynes ifanc, roedd yr hyn a wnâi ei hymennydd â'r wybodaeth cyn waethed â dynes dros ei phedwar ugain.

Dim rhedeg heb John. Fe allai fynd ar goll neu frifo. Ond yn ddiweddar, doedd dim rhedeg gyda John chwaith. Bu'n teithio bwygilydd, a phan nad oedd yn teithio, byddai'n ei throi hi am Harvard ben bore ac yn gweithio tan yr hwyr. Pan ddeuai adref roedd yn rhy flinedig o lawer. Roedd hi'n casáu gorfod dibynnu arno i fynd i redeg, yn enwedig gan nad oedd modd dibynnu arno bellach.

Cododd y ffôn a deialodd y rhif ar yr oergell.

"Helô?"

"Ydyn ni'n mynd i redeg heddiw?" gofynnodd.

"Sa i'n gwybod. Falle. Rwy mewn cyfarfod. Ffonia i di nes 'mlaen," meddai John.

"Dwi wir isio mynd i redeg."

"Ffonia i di nes 'mlaen."

"Pryd?"

"Pan gaf i gyfle."

"Iawn."

Rhoddodd y ffôn i lawr, edrychodd allan drwy'r ffenestr ac yna i lawr ar yr esgidiau rhedeg am ei thraed. Diosgodd nhw a'u lluchio at y wal.

Ceisiai ddeall. Roedd yn rhaid iddo weithio. Ond pam na allai yntau ddeall bod yn rhaid iddi redeg? Os oedd rhywbeth mor syml â rhedeg yn helpu i gadw'r clefyd ar drai, dylai redeg bob cyfle a gâi. Efallai fod John, bob tro y byddai'n dweud "Dim heddiw", yn achosi iddi golli mwy o niwronau, a hynny'n ddiangen. Roedd John yn ei lladd.

Cododd y ffôn eto.

"Ie?" sibrydodd John yn ddiamynedd.

"Dwi isio iti addo y byddwn ni'n rhedeg heddiw."

"Esgusodwch fi am funud," meddai'n uchel wrth rywun arall. "Alys, dwi mewn cyfarfod. Fe wna i dy ffonio cyn gynted ag y galla i."

"Mae'n rhaid imi redeg heddiw."

"Sa i'n gwybod eto pryd ddaw fy niwrnod i ben."

"A?"

"Rwy'n credu y dylen ni brynu peiriant rhedeg iti."

"O ... cer i'r diawl," meddai gan ddiffodd y ffôn.

Doedd hynny ddim yn beth goddefgar iawn i'w wneud, meddyliodd wedyn. Roedd hi'n colli'i thymer yn aml y dyddiau hyn. Ai un o symptomau'r clefyd oedd hynny ynteu ymateb digon rhesymol o dan yr amgylchiadau? Ni wyddai. Doedd hi ddim eisiau peiriant rhedeg er mwyn popeth. Y fo roedd hi ei eisiau. Efallai ei bod hi'n rhy ystyfnig. Efallai ei bod hithau'n lladd ei hun.

Gallai fynd am dro hebddo, siawns. Wrth gwrs, byddai'n rhaid mynd i rywle 'diogel'. Gallai gerdded i'w swyddfa. Ond doedd hi ddim am fynd i'r fan honno. Roedd bod yn ei swyddfa'n ei diflasu a theimlai'n ynysig ac yn ddi-werth yno. Teimlai'n hurt bost yno. Nid oedd yn perthyn i'r lle rhagor. Nid oedd lle, yn holl grandrwydd ariannog Harvard, i athro seicoleg wybyddol o fri a ddioddefai o ddiffyg gallu gwybyddol.

Eisteddodd yn ei hoff gadair yn y lolfa yn meddwl beth allai ei wneud. Dim, oedd yr ateb a gafodd. Affliw o ddim. Ceisiodd ddychmygu yfory, yr wythnos nesaf, y gaeaf nesaf. Affliw o ddim. Roedd bod yn ei chadair yn y lolfa yn ei diflasu a theimlai'n ynysig ac yn ddi-werth yno. Taflai haul y prynhawn gysgodion a sleifiai ar draws y llawr ac a ddringai'r waliau. Gwyliodd y cysgodion yn pylu'n raddol wrth i'r dydd dynnu ato'i hun. Caeodd ei llygaid ac aeth i gysgu.

Safai Alys yn yr ystafell wely, yn gwbl noeth heblaw am bâr o sanau a'i breichled Gartref yn Ddiogel. Ymrafaelai â dilledyn o amgylch ei phen. Edrychai ei dawns-frwydr â'r defnydd lastig fel mynegiant corfforol, celfyddydol, o wewyr ac ing. Sgrechiodd.

"Be sy?" gwaeddodd John, gan ruthro draw.

Syllai llygad wyllt arno drwy dwll crwn yn y dilledyn.

"Alla i ddim gwneud hyn! Dwi ddim yn gwbod sut i wisgo'r bastad bra chwaraeon yma. Alla i ddim blydi cofio sut i wisgo bra, John!"

Dynesodd ati ac edrych ar ei phen.

"Nid bra ydi hwnna, Alys. Nicyrs ydi o."

Chwarddodd yn uchel.

"Dyw e ddim yn ddoniol," meddai John.

Chwarddodd hithau fwy fyth.

"Stopia chwerthin. Dyw e ddim yn ddoniol. Os wyt ti am fynd i redeg, gwisga'n glou. 'Sdim lot o amser 'da fi."

Aeth allan o'r ystafell. Ni allai ei gwylio'n sefyll yno, yn noeth lymun a nicyrs am ei phen, yn chwerthin ar ei gorffwylltra gwirion ei hun.

Gwyddai Alys fod yr eneth ifanc gyferbyn â hi yn ferch iddi, ond nid oedd ganddi lawer o hyder yn hynny. Gwyddai fod ganddi ferch o'r enw Lydia, ond pan edrychai ar yr eneth ifanc gyferbyn, gwybodaeth academaidd yn hytrach na dealltwriaeth oedd gwybod mai *hi* oedd Lydia. Gwybodaeth a roddwyd iddi ac a dderbyniodd fel ffaith.

Edrychodd ar Tom ac Anna, a oedd hefyd o amgylch y bwrdd, a gallai gysylltu'r rheini â'r atgofion a oedd ganddi o'i merch hynaf a'i mab. Gallai ddarlunio Anna yn ei ffrog briodas, yn yr ysgol, yn y brifysgol ac yn y gŵn nos Eira Wen y mynnodd ei wisgo bob dydd pan oedd yn dair oed. Gallai gofio Tom yn ei seremoni raddio, mewn plastr pan dorrodd ei goes yn sgio, y bresys am ei ddannedd, ei bwysau yn ei breichiau pan oedd yn fabi.

Gallai weld hanes Lydia hefyd, ond am ryw reswm nid oedd cysylltiad awtomatig rhwng y ddynes gyferbyn â hi a'i hatgofion o'i phlentyn ieuengaf. Parai hynny gryn anesmwythyd iddi, a sylweddoliad ei bod yn dirywio, bod ei gorffennol yn datgysylltu o'i phresennol. Dyna ryfedd nad oedd hi'n cael unrhyw drafferth i adnabod Charlie, gŵr Anna, dyn nad oedd ond wedi dod i'w bywydau brin ddwy flynedd yn ôl. Cythraul oedd clefyd Alzheimer; cythraul yn troi fel chwyrligwgan yn ei phen, yn dinistrio'r gwifrau a gysylltai 'Lydia heddiw' â 'Lydia ddoe', gan adael holl wifrau 'Charlie' heb eu cyffwrdd.

Roedd y bwyty yn orlawn ac yn swnllyd. O'r byrddau eraill deuai lleisiau i gystadlu am sylw Alys, ac roedd y gerddoriaeth yn y cefndir yn cryfhau ac yn pylu ar flaen ei meddwl. Swniai lleisiau Anna a Lydia yr un fath. Defnyddiai pawb ormod o ragenwau, a châi Alys drafferth i wrando ar y sgwrs o amgylch y bwrdd ac i ddilyn yr hyn a gâi ei ddweud.

"Wyt ti'n iawn, bach?" holodd Charlie.

"Yr oglau 'ma," meddai Anna.

"Wyt ti am fynd allan am funud?"

"Mi af i efo hi," meddai Alys.

Cerddodd ias i fyny cefn Alys cyn gynted ag y gadawodd y ddwy glydwch y bwyty. Roedden nhw wedi anghofio'u cotiau. Cydiodd Anna yn llaw Alys a'i harwain yn ddigon pell oddi wrth gylch o ysmygwyr ifanc a oedd yn hofran ger y drws.

"Awyr iach, o'r diwedd," meddai Anna, gan anadlu'n ddwfn o'r nos.

"A thawelwch," meddai Alys.

"Sut ydych chi'n teimlo, Mam?"

"Dwi'n ocê," meddai Alys.

Rhwbiodd Anna gefn llaw Alys, y llaw a ddaliai o hyd.

"Wel, dwi wedi bod yn well, cofia," cyfaddefodd.

"A finnau," meddai Anna. "Oeddech chi'n sâl fel hyn pan oeddech chi'n feichiog?"

"Oeddwn."

"Sut wnaethoch chi ymdopi?"

"Jyst cario 'mlaen. Mi stopith y cyfog yn y man."

"Mi fydd y babis yma cyn bo hir."

"Dwi'n edrych 'mlaen at eu gweld nhw."

"A finne," meddai Anna, ond ni ddywedodd hynny â'r un brwdfrydedd ag Alys. Llenwodd ei llygaid â dagrau.

"Mam, dwi'n teimlo'n sâl drwy'r amser, a dwi wedi blino, a bob tro dwi'n anghofio rhywbeth, dwi'n meddwl bod y clefyd yn dechrau."

"O, 'nghariad i. Wedi blino yr wyt ti, dyna i gyd."

"Dwi'n gwbod. Alla i ddim peidio â meddwl amdanoch chi a'ch bod chi ddim yn dysgu rhagor, a phopeth rydych chi'n ei golli —"

"Paid, wir. Dylai hwn fod yn gyfnod cyffrous iti. Plis, tria feddwl am bopeth sy'n dda yn dy fywyd."

Gwasgodd Alys y llaw a ddaliai, a rhoddodd ei llaw arall yn dyner ar stumog Anna. Gwenodd Anna, ond doedd hynny ddim yn ddigon i ddal y dagrau'n ôl.

"Dwi jyst ddim yn gwbod sut dwi'n mynd i ymdopi. Beth am fy ngwaith i a dau fabi a —"

"A Charlie. Paid ag anghofio amdanat ti a Charlie. Dal dy afael ar bopeth sydd rhyngoch chi. Tria gadw'r ddysgl yn wastad – ti a Charlie, dy yrfa, y plant, popeth rwyt ti'n ei garu. Paid â chymryd pethau'n ganiataol. Mi fydd Charlie'n gefn mawr iti."

"Ha, fentrith o ddim peidio," heriodd Anna.

Chwarddodd Alys. Sychodd Anna ei llygaid â chledr ei llaw, a chwythodd anadl hir a throm allan drwy'i cheg.

"Diolch, Mam. Dwi'n teimlo'n well rŵan."

"Da iawn."

Yn ôl yn y bwyty, eisteddodd y ddwy o amgylch y bwrdd. Gyferbyn ag Alys, estynnodd y ddynes ifanc, sef ei merch ieuengaf, Lydia, am gyllell a tharo'i gwydr gwin i gael sylw.

"Mam, mae gennym anrheg mawr ichi."

Cyflwynodd Lydia becyn bychan iddi wedi'i lapio mewn papur aur. Rhaid ei fod yn fawr ei werth. Datododd Alys y papur. Ynddo, roedd tri DVD – *Plant y Teulu Howland*, *Alys a John*, ac *Alys Howland*.

"Fideos o'n bywydau ni ydyn nhw. Casgliad o gyfweliadau ydi un ohonyn nhw gydag Anna, Tom a fi. Fe wnes i nhw yr haf yma. Mae'n cynnwys ein hatgofion ohonoch chi a'n plentyndod ni. Mae'r un sy'n cynnwys Dad yn sôn amdano'n cwrdd â chi, ac yn mynd ar ddêt efo chi, a'ch priodas, a gwyliau ac ati. Mae ambell stori grêt yna, na wydden ni ddim amdanyn nhw. Dydyn ni ddim wedi gwneud y trydydd fideo eto. Cyfweliad efo chi fydd o, a'ch storïau chi, os hoffech chi wneud hynny."

"Bydden i wrth fy modd. Diolch o galon ichi. Alla i ddim aros i'w gwylio nhw."

Daeth y weinyddes â choffi, te a theisen siocled a channwyll ynddi. Canodd bawb 'Pen-blwydd Hapus'. Chwythodd Alys ar y gannwyll, ac, yn dawel fach, yn nwfn ei chalon, gwnaeth ddymuniad yn nhranc y fflam.

Erbyn hyn, roedd y ffilmiau a brynodd John yn ystod yr haf yn disgyn i'r un categori â'r llyfrau a roddwyd o'r neilltu. Ni allai bellach ddilyn y plot na chofio arwyddocâd y cymeriadau oni bai eu bod ym mhob golygfa. Gallai werthfawrogi rhai eiliadau, ond bach iawn o'r ffilm a gofiai wedi iddi ddod i ben. Pe bai John neu Anna yn gwylio gyda hi, bydden nhw'n chwerthin ei hochr hi, neu'n neidio mewn ofn neu'n troi'u trwynau, ac ni allai ddeall pam. Byddai'n eu dynwared, yn esgus mwynhau, rhag iddynt sylweddoli ei bod ar goll yn llwyr.

Roedd y DVDs a wnaethai Lydia yn fendith amserol iawn. Nid oedd yr un ohonynt yn hir, ychydig funudau yn unig, a gallai ddilyn pob un heb orfod cadw'r wybodaeth mewn unrhyw drefn benodol i wneud pen a chynffon ohoni. Gwyliodd nhw lawer gwaith. Ni allai gofio popeth, ond nid oedd hynny'n beth anarferol, oherwydd ni allai ei phlant na John gofio pob manylyn chwaith. Pan ofynnodd Lydia iddyn nhw ddisgrifio'r un digwyddiad, roedd stori pawb fymryn yn wahanol, eu safbwyntiau eu hunain yn amlwg yn y dweud.

Roedd bylchau a thyllau mewn bywgraffiadau diglefyd hefyd, mae'n amlwg.

Ni allai stumogi gwylio *Alys Howland* fwy nag unwaith. Arferai fod mor huawdl a hyderus, mor gyfforddus yn annerch cynulleidfa. Erbyn hyn, gorddefnyddiai'r ymadrodd *peth 'na* ac roedd hi'n ailadrodd ei hun beth wmbredd o weithiau. Serch hynny, roedd yn falch iddi wneud y fideo. Bellach, roedd ei hatgofion, ei llais a'i chyngor ar glawr yn saff rhag anhrefn clefyd Alzheimer. Rhyw ddydd, byddai ei hwyrion a'i hwyresau yn ei wylio ac yn dweud, "Nain ydi honna. Roedd hi'n gallu siarad a chofio pethe pryd 'ny."

Newydd orffen gwylio *Alys a John* yr oedd hi. Arhosodd ar ei gorwedd ar y soffa â blanced dros ei gliniau ymhell wedi i'r sgrin dduo, a gwrandawodd. Roedd y tawelwch yn ei phlesio. Caeodd ei llygaid a meddyliodd am ddim byd, dim ond ei hanadl a thic-tocian rhythmig y cloc ar y silff ben tân. Yna, yn sydyn, gwisgwyd y tician ag ystyr newydd, ac agorodd ei llygaid i'r eithaf.

Edrychodd ar y bysedd. Deg munud i ddeg. *Nefi wen, be dwi'n ei wneud yma o hyd?* Lluchiodd y flanced yn bentwr blêr ar y llawr, gwasgodd ei thraed i'w hesgidiau, rhedodd i'r stydi a chydiodd ym mag ei gliniadur. *Ble mae fy mag bach glas?* Doedd o ddim ar y gadair, nac ar y ddesg, nac yn nroriau'r ddesg, nac ym mag ei gliniadur. Rhuthrodd i'w llofft. Doedd o ddim ar ei gwely, nac ar y bwrdd bach yn ei ymyl, nac ar y bwrdd gwisgo, nac yn y wardrob, nac ar y ddesg. Sefyll yn y cyntedd yr oedd hi, yn ceisio crafu'i phen dryslyd am leoliad posibl y bag, pan welodd ef yn crogi ar fwlyn drws yr ystafell ymolchi.

Agorodd ef. Ffôn, BlackBerry, dim allweddi. Roedden nhw bob amser yno. Wel, nid bob amser. Roedd hi bob amser yn bwriadu eu rhoi yno. Weithiau bydden nhw yn nrôr ei desg, yn y drôr cyllyll a ffyrc, yn y drôr dillad isaf, yn y blwch gemwaith, ynghanol y post neu mewn pocedi. Weithiau, roedd yn eu gadael yn nhwll y clo. Feiddiai hi ddim meddwl faint o amser a dreuliai bob dydd yn chwilio am bethau.

Carlamodd i lawr i'r lolfa. Dim allweddi, ond canfu ei chôt dros ysgwyddau'r gadair freichiau. Gwisgodd hi a chladdu'i dwylo yn ei phocedi. Allweddi!

Rhedodd at y drws ffrynt, ond yna safodd yn stond. Roedd y peth rhyfeddaf o'i blaen. Roedd pydew mawr du yn y llawr yn union o flaen y drws. Roedd tua wyth neu naw troedfedd o hyd ac ymestynnai o un ochr i'r cyntedd i'r llall. Doedd dim odano heblaw'r seler islaw ac ni allai fynd heibio. Roedd estyll y cyntedd wedi ystumio ac yn gwichian, a bu hi a John yn trafod gosod rhai newydd. A oedd John wedi hurio contractwr? A fu rhywun yn gweithio yno'r diwrnod hwnnw? Ni allai gofio. Contractwr neu beidio, ni ellid defnyddio'r drws ffrynt hyd nes cyweiriwyd y twll.

A hithau ar ei ffordd at y drws cefn, canodd y ffôn.

"Heia, Mam. Mi fydda i draw tua saith, a dof â swper efo fi."

"Ocê," meddai Alys, braidd yn anfoddog.

"Anna sy 'ma."

"Dwi'n gwbod."

"Chi'n cofio bod Dad yn Efrog Newydd tan fory? Bydda i'n cysgu acw heno. Fedra i ddim gadael y gwaith tan hanner awr wedi chwech, felly arhoswch amdana i cyn bwyta. Falle dylech chi wneud nodyn o hyn ar y bwrdd gwyn wrth yr oergell."

Edrychodd Alys ar yr oergell.

PAID Â MYND I REDEG HEBDDA I.

Roedd hynny'n ei chythruddo. Roedd hi eisiau sgrechian i lawr y ffôn nad oedd angen nani arni, ac y gallai ymdopi'n iawn ar ei phen ei hun yn ei thŷ ei hun, diolch yn fawr. Yn lle hynny, cymerodd anadl ddofn.

"Iawn, wela i di yn nes ymlaen."

Rhoddodd y ffôn yn ôl yn ei grud, a llongyfarchodd ei hun am fod â chystal rheolaeth dros ei hemosiynau. Byddai'n mwynhau gweld Anna, a byddai'n dda o beth iddi gael cwmni.

Roedd ei chôt amdani, bag ei gliniadur yn ei llaw, a'i bag bach glas ar ei hysgwydd. Edrychodd allan drwy ffenestr y gegin. Gwyntog, llaith a llwyd. Bore falle? Doedd ganddi fawr o awydd mynd allan, a doedd hi ddim am eistedd yn ei swyddfa chwaith. Roedd bod yn ei swyddfa'n ei diflasu a theimlai'n ynysig ac yn ddi-werth yno. Teimlai'n hurt bost yno. Nid oedd yn perthyn yno rhagor.

Gollyngodd ei bagiau a'i chôt ar y llawr, ac anelodd am y stydi, ond denwyd hi'n ôl i gyfeiriad drws y ffrynt gan glep a gwich. Roedd y post newydd gyrraedd drwy'r twll llythyrau, a gorweddai ar dop y pydew yn y llawr, fel petai'n hofran yn y gwagle. Rhaid ei fod yn gorffwys ar drawst yn y llawr neu ar rywbeth arall na allai ei weld. *Post yn hofran? Yr het wirion!* Ciliodd i'r stydi a cheisiodd anghofio am y pydew du rhyfedd yn y cyntedd blaen.

Roedd hynny'n syndod o anodd.

Eisteddai Alys yn ei stydi, ei breichiau am ei choesau, yn syllu drwy'r ffenestr ar y gwyll, yn aros i Anna ddod adre â'i swper i'w chanlyn, yn aros i John ddychwelyd o Efrog Newydd er mwyn iddi allu mynd i redeg. Eistedd ac aros. Eistedd ac aros i bethau waethygu. Roedd hi wedi cael llond bol ar wneud dim ond eistedd ac aros.

Hyd y gwyddai, hi oedd yr unig berson yn Harvard oedd â chlefyd Alzheimer cynnar. A dweud y gwir, nid oedd yn adnabod neb yn unman oedd â chlefyd Alzheimer cynnar. Roedd eraill yn rhywle, siŵr o fod. Roedd angen iddi chwilio am ei chymheiriaid newydd. Roedd angen iddi ddechrau byw yn y byd newydd hwn y plannwyd hi ynddo, byd dementia.

Teipiodd y geiriau 'clefyd Alzheimer cynnar' i flwch chwilio Google, ac ymhen dim chwydodd hwnnw ffeithiau ac ystadegau lu.

Mae tua phum can mil o bobl yn yr Unol Daleithiau sydd â chlefyd Alzheimer cynnar.

Y diffiniad o 'glefyd Alzheimer cynnar' yw clefyd sy'n dechrau cyn i rywun gyrraedd 65 oed.

Gall y symptomau ddechrau yn y tridegau a'r pedwardegau.

Cyflwynodd Google restr o symptomau, ffactorau risg genetig, achosion a thriniaethau iddi. Cyflwynodd iddi hefyd erthyglau am ymchwil a chyffuriau newydd. Gwelsai hyn oll eisoes.

Ychwanegodd y gair 'cymorth' at y geiriau ym mlwch chwilio Google. Canfu fforymau, dolenni cyswllt, adnoddau, negesfyrddau a siopau siarad. Ar gyfer gofalwyr yr oedd y cyfan. Ymhlith y pynciau dan sylw roedd ymweld â'r cyfleuster nyrsio, cwestiynau cyffredin am feddyginiaethau, ymdopi â straen, ymdopi â rhywun sy'n drysu, ymdopi â rhywun sy'n codi'r nos, ymdopi ag iselder. Gallai gofalwyr holi ac ateb, gallent gydymdeimlo â'i gilydd, gallent drafod y clefyd oedd ar eu mamau wyth deg un oed, eu gwŷr saith deg pedwar oed a'u neiniau a'u teidiau wyth deg pump oed.

Beth am y cymorth i'r cleifion eu hunain? Ble mae'r bobl pum deg un oed â dementia? Ble mae'r bobl eraill a oedd yn anterth eu gyrfa pan dorrwyd hwy o'r bôn i'r gwraidd gan y cythraul hwn? Roedd cael clefyd Alzheimer yn erchyll ar unrhyw adeg, wrth gwrs ei fod. Roedd angen cymorth ar ofalwyr. Oedd, wrth gwrs. Gwyddai eu bod hwythau'n dioddef. Gwyddai fod John yn dioddef. *Ond beth amdana i?*

Cofiodd yn sydyn am gerdyn busnes y gweithiwr cymdeithasol yn yr ysbyty. Daeth o hyd iddo a deialodd y rhif a oedd arno.

"Denise Daddario."

"Helô Denise. Alys Howland sy 'ma. Dwi'n un o gleifion Dr Davies, a chanddo fo gefais i'ch enw. Dwi'n bum deg un ac mi gefais ddiagnosis o glefyd Alzheimer cynnar bron flwyddyn yn ôl. Dyfalu'r oeddwn i a oedd grŵp cymorth o unrhyw fath yn yr ysbyty ar gyfer pobl â chlefyd Alzheimer?"

"Nag oes, yn anffodus. Dim ond grŵp i ofalwyr sydd yn yr ysbyty. Fyddai'r rhan fwyaf o'n cleifion sydd â chlefyd Alzheimer ddim yn gallu cymryd rhan mewn fforwm o'r math yna."

"Nid pawb, falle, ond byddai ambell un, mae'n siŵr?"

"Byddai, ond maen nhw'n brin a does dim digon i gyfiawnhau'r adnoddau fyddai eu hangen i sefydlu grŵp o'r math yna."

"Pa fath o adnoddau?"

"Wel, yn achos grŵp y gofalwyr, mae rhwng deuddeg a phymtheg person yn cwrdd bob wythnos am awr neu ddwy. Rydyn ni'n cadw ystafell iddyn nhw, ac yn darparu coffi, cacennau, aelodau o staff i gynorthwyo, a siaradwr gwadd unwaith y mis."

"Fyddai modd cadw ystafell lle gallwn ni sydd â dementia cynnar gyfarfod a sgwrsio am ein profiadau?"

Mi alla i ddod â'r coffi a'r bisgedi, siŵr Dduw.

"Byddai angen aelod o staff yr ysbyty i gadw llygad ar bethau, ac yn anffodus does neb ar gael ar hyn o bryd."

Yffach, beth am un o'r bobl sy'n 'cynorthwyo' yng nghyfarfodydd grŵp y gofalwyr?

"Allwch chi roi rhif ffôn rhai o'r cleifion rydych chi'n eu hadnabod sydd â chlefyd Alzheimer cynnar imi? Efallai y galla i drefnu rhywbeth fy hun."

"Yn anffodus, fedra i ddim rhoi gwybodaeth fel yna i unrhyw un. Hoffech chi wneud apwyntiad i gael sgwrs fach â mi? Mae gen i awr rydd am ddeg fore dydd Gwener, yr ail ar bymtheg o Ragfyr."

"Dim diolch."

Cafodd ei dihuno o'i thrwmgwsg ar y soffa gan ddrws y ffrynt. Roedd y tŷ yn oer a thywyll. Gwichiodd y drws ar ei golfachau.

"Sori 'mod i'n hwyr!"

Cododd Alys ac anelodd am y cyntedd. Safai Anna yno gyda chwdyn mawr o bapur llwyd yn y naill law, a'r post yn y llall. Roedd hi'n sefyll ar y pydew!

"Mam, mae fel y fagddu yma. Cysgu oeddech chi? Gysgwch chi fyth heno!"

Cerddodd Alys ati a phenliniodd o'i blaen. Mentrodd deimlo'r pydew. Ond nid oedd o dan ei bysedd ddim ond cordeddau gwlân trwchus. Y mat yn y cyntedd. Y mat a fu yno ers blynyddoedd. Rhoddodd swaden galed iddo nes roedd y llawr yn diasbedain.

"Mam, be ydech chi'n neud?"

Brifai ei llaw, roedd wedi blino gormod i ateb cwestiwn Anna, ac roedd ganddi ormod o gywilydd beth bynnag. Codai aroglau cryf o'r cwdyn papur llwyd, a bu bron iddi gyfogi.

"Gad lonydd i fi!"

"Mam, mae'n ocê. Dewch, awn ni draw i'r gegin i gael swper."

Gollyngodd Anna'r post ac estynnodd am law ei mam, y llaw a frifai. Tynnodd Alys hi ymaith a sgrechiodd ar ei merch.

"Gad lonydd i fi! Cer allan o 'nhŷ i! Dwi'n dy gasáu di! Dwi ddim isie ti yma!"

Trawodd y geiriau Anna yn galetach na slap. Llosgai'r dagrau ei bochau, gan galedu'i hwyneb.

"Dwi wedi dod â swper inni'n dwy. Dwi ar lwgu a dwi'n aros yma. Dwi'n mynd i'r gegin i fwyta, ac wedyn mi fydda i'n mynd i'r gwely ar fy union."

Safai Alys yn y cyntedd wrthi'i hun, gwres y frwydr a chynddaredd yn berwi o'i mewn. Agorodd y drws, a dechreuodd dynnu'r mat o'i hôl. Tynnodd a thynnodd hyd yr eithaf, dim ond i faglu wysg ei chefn. Cododd am ail rownd. Châi'r mat uffern yma mo'r gorau arni hi. Tynnodd a thynnodd nes roedd y mat cyfan ar stepen y drws. Yna, sgrechiodd yn gynddeiriog a chicio'r pentwr gwlanog. Ciciodd a sgrechiodd nes disgynnodd y bwbach hyll ar y palmant o'i blaen yn farw gelain.

Alys, ateb y cwestiynau hyn:

1. *Pa fis ydi hi?*
2. *Ble rwyt ti'n byw?*
3. *Ble mae dy swyddfa di?*
4. *Pryd mae pen-blwydd Anna?*
5. *Faint o blant sydd gen ti?*

Os cei di drafferth i ateb unrhyw un o'r rhain, cer i'r ffeil 'Iâr Fach yr Haf' ar dy gyfrifiadur a dilyna'r cyfarwyddiadau yn y ffeil ar unwaith.

Tachwedd
Cambridge
Harvard
Medi
Tri

RHAGFYR 2004

Roedd traethawd Dan yn 142 o dudalennau heb gynnwys y llyfryddiaeth. Nid oedd Alys wedi darllen unrhyw beth mor faith ers tro byd. Eisteddai ar y soffa a geiriau Dan yn ei chôl, beiro goch y tu ôl i'w chlust dde, ac uwcholeuydd pinc yn ei llaw dde. Defnyddiai'r feiro goch i olygu a'r uwcholeuydd pinc i gadw'i hun ar drywydd y gwaith darllen. Byddai hefyd yn uwcholeuo pethau oedd yn bwysig, felly pe byddai'n rhaid iddi ddychwelyd at rywbeth, gallai gyfyngu'r ailddarllen i'r geiriau lliw.

Ar dudalen 26, aeth ar ei phen i gors binc. Teimlai wedi ymlâdd ac ymbiliai ei hymennydd am orffwys. Dychmygodd y geiriau pinc ar y dudalen yn trawsnewid yn gymylau o siwgr candi yn ei phen. Po fwyaf a ddarllenai, mwyaf yr oedd yn rhaid iddi ei danlinellu i ddeall a chofio'r hyn a oedd o'i blaen. Po fwyaf yr oedd hi'n ei uwcholeuo, mwyaf yr oedd ei phen yn llenwi â phinc; siwgr sticlyd yn mygu ac yn llesteirio'r gwifrau yn ei phen, a hithau gymaint o angen y rheini i allu deall a chofio pethau. Erbyn iddi gyrraedd tudalen 26, roedd popeth y tu hwnt i'w hamgyffred.

Bib-bib.

Taflodd draethawd Dan ar y bwrdd coffi ac anelodd am y cyfrifiadur yn y stydi. Roedd neges e-bost newydd yn ei haros. Neges gan Denise Daddario.

Annwyl Alys,
Rwyf wedi trafod eich syniad am grŵp cymorth i bobl â dementia cynnar ag eraill sydd â'r un cyflwr yn ein huned a chyda'r bobl yn Ysbyty Menywod Brigham. Mae tri pherson wedi datgan diddordeb yn y syniad. Pobl leol ydyn nhw, ac maen nhw wedi rhoi caniatâd imi roi eu henwau a'u manylion cyswllt i chi (gweler y ddogfen atodedig).
Efallai yr hoffech gysylltu â Chymdeithas Alzheimer Mass. Efallai y bydd y Gymdeithas yn gwybod am bobl eraill a fyddai'n awyddus i gysylltu â chi.
Rhowch wybod sut mae pethau'n mynd, a hefyd os gallaf roi unrhyw wybodaeth neu gyngor arall ichi. Mae'n ddrwg gennyf na allem wneud mwy ichi yma yn yr ysbyty.
Pob lwc!
Denise Daddario.

Agorodd Alys yr atodiad.

Mary Johnson, 57 oed, dementia blaenarleisiol
Cathy Roberts, 48, clefyd Alzheimer cynnar
Dan Sullivan, 53, clefyd Alzheimer cynnar

A dyna nhw, ei chymheiriaid newydd. Darllenodd eu henwau drosodd a throsodd. *Mary, Cathy a Dan. Mary, Cathy a Dan.* Dechreuodd deimlo cyffro yn gymysg â'r nerfusrwydd, fel petai unwaith eto'n dechrau yn yr ysgol. Sut bobl oedden nhw tybed? Oedden nhw'n dal i weithio? Ers pryd y cawson nhw ddiagnosis? Oedd eu symptomau yr un peth, yn well, yn waeth? Oedden nhw'n debyg iddi hi? *Beth os ydw i lawer gwaeth na nhw?*

Annwyl Mary, Cathy, a Dan,

Alys Howland ydw i. Rwy'n 51 oed ac mi gefais ddiagnosis o glefyd Alzheimer cynnar y llynedd. Bûm yn athro seicoleg ym Mhrifysgol Harvard am chwarter canrif hyd nes imi orfod gadael fy swydd ym mis Medi eleni oherwydd fy nghyflwr.

Erbyn hyn, rwyf gartref drwy'r dydd ac yn teimlo'n unig. Ffoniais Denise Daddario yn yr ysbyty i gael gwybodaeth am grŵp cymorth i bobl â dementia cynnar. Dim ond grŵp i ofalwyr oedd ganddi i'w gynnig, dim byd i bobl fel ni. Ond fe wnaeth roi eich enwau chi imi.

A fyddech chi'n hoffi dod draw yma am baned a sgwrs ddydd Sul, 5 Rhagfyr am 2.00? Mae croeso i'ch gofalwyr ddod hefyd, wrth gwrs. Mae fy nghyfeiriad a chyfarwyddiadau yn atodedig.

Rwy'n edrych ymlaen yn fawr at gwrdd â chi,

Alys.

Mary, Cathy a Dan. Mary, Cathy a Dan. Dan. Traethawd Dan. Mae'n aros am fy nodiadau i. Dychwelodd i'r lolfa gan agor traethawd Dan ar dudalen 26. Llifodd y gors binc i'w phen. Teimlai'i hymennydd yn drwm. A oedd rhywun wedi ateb tybed? Lluchiodd waith Dan ar y soffa cyn gorffen meddwl.

Agorodd ei mewnflwch. Dim neges newydd.

Bib-bib.

Cododd y ffôn.

"Helô?"

Dim ond sŵn deialu. Drapio. Roedd hi wedi gobeithio mai Mary, Cathy neu Dan a oedd yno. *Dan. Traethawd Dan.*

Ar ôl aileistedd ar y soffa, cydiodd yn yr uwcholeuydd, ond ni allai ganolbwyntio.

A allai Mary, Cathy a Dan ddarllen chwe thudalen ar hugain gan ddeall a chofio popeth? *Beth os mai fi yw'r unig un sy'n meddwl bod y mat yn y cyntedd yn dwll?* Beth os mai hi oedd yr unig un oedd yn dirywio? Gallai deimlo'i hun yn dirywio. Gallai deimlo'i hun yn llithro i'r pydew du hwnnw. Ar ei phen ei hun.

"Fy hun, fy hun, fy hun," mwmialodd, gan lithro ymhellach i wirionedd y pydew du bob tro y clywai ei griddfan ei hun.

Bib-bib.

Cloch y drws. Oedden nhw yma? Oedd hi wedi eu gwahodd draw heddiw?

"Fydda i yna rŵan!"

Sychodd ei llygaid â'i llewys, cribodd ei gwallt yn frysiog â'i bysedd, a gwisgodd wên groesawgar wrth agor y drws. Doedd neb yno.

Roedd gweld a chlywed pethau nad oedden nhw yno yn broblem gyffredin i lawer iawn o bobl â chlefyd Alzheimer, ond hyd yma ni fu'n broblem iddi hi. Am a wyddai. Pan oedd wrthi'i hun, nid oedd ffordd bendant o wybod a oedd ei phrofiadau'n ffaith neu'n ffaith yn ôl clefyd Alzheimer. O'i safbwynt hi, ni allai ddweud y gwahaniaeth. Pydew oedd y mat. Cloch y drws oedd y sŵn a glywai.

Edrychodd yn ei mewnflwch eto. Un e-bost newydd.

Helô Mam,

Sut ydych chi heddiw? Aethoch chi i'r seminar ddoe? Fuoch chi'n rhedeg? Roedd fy nosbarth yn wych, fel arfer. Cefais glyweliad arall heddiw ar gyfer hysbyseb banc. Gawn ni weld. Sut mae Dad? Ydi o gartre yr wythnos hon? Bu pethau'n galed arnoch chi yr wythnos diwethaf, yn do? Daliwch eich tir. Mi fydda i gartre toc!
Cariad mawr,
Lydia.

Bib-bib.

Cododd y ffôn.

"Helô?"

Sŵn deialu. Agorodd ddrôr uchaf y cwpwrdd ffeilio a lluchiodd y ffôn i mewn, gan wrando arno'n llithro rhwng cannoedd o gopïau o ddogfennau cyn cyrraedd y gwaelod metel â chlep. Caeodd y drôr. O ... *falle mai fy ffôn bach sy'n canu.*

"Ffôn bach, ffôn bach, ffôn bach," siantiodd yn uchel wrth grwydro'r tŷ yn ceisio peidio ag anghofio am yr hyn y chwiliai amdano. Er chwilota ym mhobman, nid oedd golwg o'r ffôn bach. Yna, tybiodd y dylai fod yn chwilio am ei bag bach glas. Addasodd y siant.

"Bag glas, bag glas, bag glas."

Canfu'r bag ar gownter y gegin a'i ffôn bach yn ddiogel ynddo, ond wedi'i ddiffodd. Efallai mai'r sŵn a glywsai oedd larwm car rhywun yn cloi neu'n datgloi. Aeth yn ôl at y soffa gan agor traethawd Dan ar dudalen 26.

"Helô?" meddai llais dyn o rywle.

Cododd Alys ei golygon, ei llygaid fel soseri. Gwrandawodd yn astud ar yr ysbryd a wyddai ei henw.

"Alys?" meddai'r llais heb gorff.

"Ie?"

"Alys, wyt ti'n barod?"

Ymddangosodd John yn nrws y lolfa a golwg ddisgwylgar ar ei wyneb. Roedd hi'n falch mai ef oedd yno.

"Dere glou. Rydyn ni'n cael swper gyda Bob a Sarah, ac rydyn ni'n hwyr."

Swper. Sylweddolodd ei bod ar lwgu. Doedd hi ddim yn cofio bwyta. Efallai mai dyna pam na allai ddarllen traethawd Dan. Efallai mai angen bwyd yr oedd hi. Ond roedd meddwl am swper a sgwrs mewn bwyty swnllyd yn ormod.

"Dwi ddim isio mynd am swper. Dwi wedi cael diwrnod anodd."

"A finne hefyd. Dere, awn ni am swper neis gyda'n gilydd."

"Dos di. Dwi jyst isie bod gartre."

"Jiw, dere. Gawn ni hwyl. Aethon ni ddim i barti Eric. Bydd yn gwneud lles iti fynd allan, ac rwy'n gwybod y bydden nhw'n falch o dy weld."

Na, fydden nhw ddim. Bydden nhw'n falch 'mod i ddim yno. Eliffant siwgr candi pinc yn y stafell fydda i. Mi fydda i'n gwneud pawb yn anghyfforddus. Dwi'n troi pob swper yn bantomeim gwirion, pawb â gwên fain yn actio trueni rhwng gwydrau gwin a chyllyll.

"Dwi ddim isio mynd. Dwed wrthyn nhw ei bod hi'n ddrwg gen i, ond nad oeddwn i'n teimlo'n ddigon da i ddod."

Bib-bib.

Deallodd fod John wedi clywed y sŵn hefyd, a dilynodd ef i'r gegin. Agorodd yntau ddrws y microdon a thynnu cwpan o'i grombil.

"Mae hwn fel iâ. Wyt ti am imi ei aildwymo?"

Rhaid ei bod wedi hwylio te y bore hwnnw, ac wedi anghofio'i yfed. Roedd wedi'i roi yn y microdon i ailgynhesu ac wedi'i adael yno.

"Dim diolch."

"Ocê. Mae Bob a Sarah yno'n barod am wn i. Wyt ti'n siŵr nad wyt ti am ddod?"

"Dwi'n hollol siŵr."

"Fydda i ddim yn hwyr yn dod adre."

Cusanodd hi ac i ffwrdd â fo. Safodd yn y gegin lle gadawodd hi am gryn amser, yn nyrsio cwpanaid o de oer yn ei dwylo.

Nid oedd John wedi dychwelyd pan ddechreuodd Alys baratoi i noswylio. Wrth iddi droi am y llofft, fe'i denwyd i'r stydi gan olau glas ei chyfrifiadur ac agorodd ei mewnflwch i weld a oedd unrhyw negeseuon e-bost wedi cyrraedd.

Roedden nhw yno. Y tri ohonyn nhw.

Annwyl Alys,

Mary Johnson ydw i. Rwy'n 57 oed ac fe gefais ddiagnosis o ddementia blaenarleisiol (frontotemporal) *bum mlynedd yn ôl. Rwy'n byw yn weddol agos atoch chi. Mae hwn yn syniad gwych a bydden i wrth fy modd yn cwrdd â chi. Fe ddaw Barry, fy ngŵr, â mi draw, ond nid wyf yn siŵr a fydd am aros. Mae'r ddau ohonom wedi ymddeol yn gynnar, ac rydyn ni gartref drwy'r amser. Rwy'n tybio y bydd yn falch o gael fy lle am awr neu ddwy. Wela i chi'n fuan,*
Mary

Heia Alys,

Dan Sullivan ydw i, ac rwy'n 53 oed. Mae clefyd Alzheimer cynnar arna i ers tair blynedd. Mae'n rhedeg yn y teulu. Cafodd fy mam, dau ewythr, a modryb ef, ac mae'r clefyd gan 4 o'm cefndryd hefyd. Roeddwn i'n gwybod y gallai hyn ddigwydd, ond nid oedd hynny'n gwneud pethau'n haws o gwbl. Mae fy ngwraig yn gwybod lle rydych chi'n byw. Ddim yn bell o'r ysbyty. Yn ymyl Harvard. Aeth fy merch i Harvard. Rwy'n gweddïo bob dydd na fydd hi'n cael hwn.
Dan

Helô Alys,

Diolch i chi am eich neges ac am y gwahoddiad. Fel chi, mae blwyddyn ers imi gael diagnosis o glefyd Alzheimer. Roedd o'n rhyddhad o fath. Roeddwn i'n meddwl 'mod i'n gwallgofi. Roeddwn yn mynd ar goll mewn sgyrsiau, yn cael trafferth i orffen fy mrawddegau fy hun, yn anghofio fy ffordd adref. Allwn i ddim deall y llyfr siec rhagor ac roeddwn i'n gwneud camgymeriadau ag amserlenni'r plant (mae gen i ferch 15 oed a mab 13 oed). Dim ond 46 oeddwn i pan ddechreuodd y symptomau, a doedd neb wedi ystyried bod clefyd Alzheimer arna i.

Rwy'n credu bod y tabledi yn helpu. Rwy'n cymryd Aricept a Namenda. Rwy'n cael diwrnodau da a diwrnodau gwael. Ar y diwrnodau da, mae pobl, a hyd yn oed fy nheulu, yn credu 'mod i'n hollol iawn, a 'mod i hyd yn oed yn esgus bod yn sâl! Dydw i ddim mor desbret am sylw â hynna! Ar ddiwrnod gwael, alla i ddim meddwl am eiriau na chanolbwyntio na gwneud braidd dim. Rwy innau'n teimlo'n unig hefyd. Rwy'n edrych ymlaen yn fawr at gwrdd â chi.
Cathy Roberts

Dyna nhw. Y tri ohonyn nhw, ac roedden nhw'n dod draw.

Tynnodd Mary, Cathy a Dan eu cotiau ac eistedd yn y lolfa. Cadwodd eu partneriaid eu cotiau amdanynt, ffarwelio, a mynd allan am baned gyda John.

Roedd gan Mary wallt melyn cwta a llygaid crwn, brown. Gwisgai sbectol. Roedd wyneb tlws, agored, gan Cathy a llygaid a wenai cyn ei cheg. Cymerodd Alys ati ar unwaith. Dyn sgwâr oedd Dan, ac roedd ganddo fwstás trwchus a phen moel. Gallen nhw'n hawdd fod yn academyddion, yn aelodau o glwb llyfrau, neu'n hen ffrindiau.

"Hoffech chi ddodi?" gofynnodd Alys.

Syllodd pawb ar ei gilydd, yn amharod i ateb. Rhy swil efallai, neu'n rhy gwrtais.

"Alys, oeddech chi wedi bwriadu dweud 'ddiod'?" gofynnodd Cathy.

"Oeddwn. Be ddwedais i?"

"'Ddodi.'"

Cochodd Alys at ei chlustiau. Nid dyma'r argraff roedd hi am ei gwneud arnyn nhw.

"A dweud y gwir, hoffen i gwpanaid o ddodis. Does gen i fawr o wallt ar ôl bellach," meddai Dan gan bwyntio at ei ben.

Chwarddodd pawb a thorrwyd yr iâ. Roedd Mary eisoes wedi dechrau dweud ei hanes, wrth i Alys gario'r te a'r coffi i'r lolfa.

"Asiant tai oeddwn i am dros ugain mlynedd. Yn sydyn, dechreuais anghofio apwyntiadau, cyfarfodydd, tai agored. Fe fyddwn i'n anghofio allweddi tai. Fe es i ar goll ar fy ffordd i ddangos tŷ i rywun mewn ardal hollol gyfarwydd. Roedd y cwsmer yn y car efo fi, ac fe fues i'n gyrru o gwmpas yn hurt bost am dri chwarter awr. Does ond dychmygu beth oedd hi'n ei feddwl.

"Dechreuais wylltio am y pethau lleiaf a gweiddi ar bobl eraill yn y swyddfa. Tan hynny, un bwyllog a thawel fues i erioed, ond yn sydyn roedd pobl yn dechrau fy ofni. Roeddwn i'n parddu fy enw da, ac roedd hwnnw'n bopeth imi. Cefais dabledi gwrthiselder gan y meddyg. A phan fethodd y rheini, rhoddodd ragor i mi, a rhagor wedyn."

"Meddwl fy mod i wedi gorflino ac yn llosgi'r gannwyll bob pen oeddwn i," meddai Cathy. "Roeddwn i'n fferyllydd rhan-amser, roedd gen i ddau blentyn, roeddwn i'n cadw tŷ, yn rhedeg o un peth i'r llall fel iâr heb ben. Dim ond pedwar deg chwech oeddwn i, felly feddyliais i ddim fod dementia arna i. Yna, rhyw ddiwrnod, doeddwn i ddim yn cofio enwau'r cyffuriau, a wyddwn i yn fy myw sut i fesur deg mililitr. Y funud honno, fe sylweddolais fod perygl go iawn y gallen i roi gormod o gyffur i rywun neu hyd yn oed roi'r cyffur anghywir. Gallen i fod wedi lladd rhywun. Tynnais fy nghôt wen, es adre, ac es i fyth yn ôl."

"Beth amdanoch chi, Dan? Beth ddaru chi sylwi arno gynta?"

"Roeddwn i'n arfer bod yn ddyn handi iawn o gwmpas y tŷ. Un diwrnod, doedd gen i ddim syniad sut i drwsio pethau, a minnau wedi bod yn eu trwsio erioed! Roeddwn i wastad yn cadw trefn ar fy ngweithdy, popeth yn ei le a lle i bopeth. Erbyn hyn mae golwg y diawl yno. Roeddwn i'n cyhuddo fy ffrindiau o fenthyca fy nhaclau, o gawlio'r lle a gwrthod dod â'r taclau'n ôl. Ond fi oedd y broblem bob tro. Dyn tân oeddwn i, a dechreuais anghofio enwau'r dynion oedd yn gweithio efo fi. Allwn i ddim gorffen fy mrawddegau fy hun. Anghofiais sut i wneud paned. Ond doedd pethau fel hyn ddim yn ddiarth imi; roedd clefyd Alzheimer cynnar ar Mam hefyd."

Rhannodd y pedwar storïau am eu symptomau cynharaf, eu brwydr i gael diagnosis cywir, sut roedden nhw'n ymdopi ac yn byw â dementia. Buont yn crio chwerthin dros allweddi coll, meddyliau coll, a bywydau coll. Teimlai Alys fod rhywun, o'r diwedd, yn ei chlywed. Teimlai'n normal.

"Alys, ydi'ch gŵr chi'n dal i weithio?" holodd Mary.

"Ydi. Mae ganddo beth wmbredd o waith ymchwil a dysgu y tymor yma. Mae wedi bod yn teithio cryn dipyn, ac mae pethau wedi bod yn reit anodd. Ond mae cyfnod sabothol gan y ddau ohonon ni y flwyddyn nesaf. Felly, dim ond imi ddal fy ngafael a chyrraedd diwedd y tymor, gallwn fod gartref efo'n gilydd am flwyddyn gyfan."

"Daliwch ati. Rydych chi bron yna," meddai Cathy.

Dim ond mis neu ddau eto.

Hysiwyd Lydia i'r gegin gan Anna i wneud pwdin bara â siocled gwyn. Bellach, roedd bol Anna'n dangos a'r hen gyfog cynnar hwnnw wedi darfod. Nid oedd pall ar ei harchwaeth erbyn hyn, fel petai ei chorff yn mynnu gwneud iawn am yr hyn a gollodd yn y misoedd cynnar hynny.

"Mae 'da fi newyddion ichi," meddai John. "Rwy wedi cael cynnig swydd newydd – cadeirydd y Rhaglen Canser a Geneteg yn Sloan-Kettering."

"Ble mae hwnna?" holodd Anna, a llond ei cheg o bwdin.

"Efrog Newydd."

Ddywedodd neb air am funud hir.

"Dydych chi 'rioed yn bwriadu derbyn y swydd, ydych chi?" gofynnodd Anna.

"Ydw. Rwy wedi bod draw yna lawer gwaith y tymor yma, ac mae'n swydd berffaith i mi."

"Ond be am Mam?" gofynnodd Anna.

"Dydi hi ddim yn gweithio rhagor, a dim ond weithiau mae hi ar y campws, os o gwbl."

"Ond rhaid iddi fod yma," meddai Anna.

"Nag oes, dim o gwbl. Gallith ddod 'da fi."

"O, cym on! Dwi'n dod draw fin nos er mwyn i chi allu gweithio'n hwyr, a dwi hyd yn oed yn bwrw'r nos yma pan fyddwch chi ar eich trafels, ac mae Tom yn dod draw ar y penwythnose," meddai Anna. "Ocê, dydyn ni ddim yma drwy'r amser, ond —"

"Nac ydych, 'dych chi ddim yma drwy'r amser. 'Dych chi ddim yn gweld pa mor wael mae pethau. Mae'n esgus gwybod mwy nag y mae hi'n ei wybod mewn gwirionedd. Ydych chi'n meddwl y bydd hi hyd yn oed yn gallu amgyffred ei bod hi yn Cambridge flwyddyn i nawr? Ŵyr hi ddim ble mae hi dair stryd i ffwrdd. Fydde hi ddim callach pe baen ni yn Efrog Newydd, a minnau'n dweud wrthi mai yn Cambridge yden ni."

"Bydde, Dad," meddai Tom. "Peidiwch dweud pethe fel 'na."

"Wel, fydden ni ddim yn symud cyn mis Medi. Mae digon o amser tan hynny."

"Dim ots pryd fyddwch chi'n symud. Rhaid iddi aros yma. Wneith hi ddirywio lawer cynt os ewch chi o 'ma," meddai Anna.

"Cytuno," meddai Tom.

Roedden nhw'n siarad amdani fel pe na byddai yno. Roedden nhw'n siarad amdani o'i blaen fel petai'n fyddar. Roedden nhw'n siarad amdani, o'i blaen, heb ei chynnwys yn y sgwrs, fel petai clefyd Alzheimer arni.

"Fydd y cyfle yma ddim ar gael eto yn ystod fy ngyrfa i, ac maen nhw am i fi dderbyn."

"Dwi isio iddi allu gweld yr efeilliaid," meddai Anna.

"Dydi Efrog Newydd ddim yn bell, a tha beth, does dim sicrwydd y bydd pob un ohonoch yn aros yn Boston."

"Efallai y bydda i yna," meddai Lydia.

Safai Lydia ar y trothwy rhwng y gegin a'r lolfa. Nid oedd Alys wedi sylwi arni cyn iddi siarad, a chafodd fymryn o fraw.

"Dwi wedi gwneud cais i Brifysgolion Efrog Newydd, Brandeis, Brown ac Yale. Os caf fy nerbyn i Efrog Newydd a'ch bod chi a Mam yno, gallen i helpu. Ar y llaw arall, os caf le yn Brandeis neu Brown, a chithau'n aros yma, mi alla i fod o help yn yr achos yna hefyd," meddai Lydia.

Roedd Alys eisiau dweud wrth Lydia bod y rhain yn golegau gwych. Roedd eisiau gofyn i Lydia pa gyrsiau yr oedd ganddi ddiddordeb ynddyn nhw. Roedd eisiau dweud wrthi mor falch yr oedd hi. Ond heddiw, roedd y geiriau'n symud yn rhy araf rhwng syniad a cheg, fel petaent yn gorfod ymrafael â milltiroedd o fwd. Boddodd rhai yn yr ymdrech.

"Da iawn, Lydia," meddai Tom.

"A dyna ni felly. Chi jyst yn mynd i barhau i fyw eich bywyd fel petai clefyd Alzheimer ddim gan Mam, ac allwn ni ddweud dim?" gofynnodd Anna.

"Rwy'n aberthu dipyn mwy na feddyliet ti," meddai John.

Roedd o wedi'i charu erioed, ond fe wnaethai Alys bethau'n hawdd iddo. Credai hithau fod yr hyn a oedd ganddynt yn weddill yn amser gwerthfawr, yn amser i'w drysori. Wyddai hi ddim am ba hyd y gallai ddal gafael arni'i hun, ond roedd wedi argyhoeddi'i hun y gallai barhau am flwyddyn, y flwyddyn sabothol. Un flwyddyn olaf gyda'i gilydd. Nid oedd yn barod i ffeirio hynny am holl aur y byd.

Ond fe wnâi o, yn amlwg. Sut allai o? Chwyrlïai'r cwestiwn drwy'r mwd du yn ei phen heb ennyn ateb. Sut allai o? Ciciodd yr ateb hi y tu ôl i'w llygaid, a sefyll yn wasgfa ar ei chalon. Byddai'n rhaid i un ohonyn nhw aberthu popeth.

Alys, ateb y cwestiynau hyn:

1. *Pa fis ydi hi?*
2. *Ble rwyt ti'n byw?*
3. *Ble mae dy swyddfa di?*
4. *Pryd mae pen-blwydd Anna?*
5. *Faint o blant sydd gen ti?*

Os cei di drafferth i ateb unrhyw un o'r rhain, cer i'r ffeil 'Iâr Fach yr Haf' ar dy gyfrifiadur a dilyna'r cyfarwyddiadau yn y ffeil ar unwaith.

Rhagfyr
Sgwâr Harvard
Harvard
Ebrill
Tri

"Mam, deffrwch, wnewch chi? Ers pryd mae hi wedi bod yn cysgu?"

"Tua deunaw awr erbyn hyn."

"Ydi hi wedi gwneud hyn o'r blaen?"

"Unwaith neu ddwy."

"Dad, dwi'n poeni. Beth os wnaeth hi gymryd gormod o dabledi ddoe?"

"Rwy eisoes wedi siecio. Wnaeth hi ddim."

Gallai Alys eu clywed yn siarad, a gallai ddeall popeth, ond doedd ganddi fawr o ddiddordeb. Bron nad oedd hi'n clustfeinio ar sgwrs rhwng dau ddieithryn am ryw ddynes nad oedd hi'n ei hadnabod. Doedd ganddi ddim awydd deffro. Doedd hi ddim yn ymwybodol ei bod yn cysgu chwaith.

"Ali? Alli di 'nghlywed i?"

"Mam, fi sy 'ma – Lydia. Allwch chi ddeffro? Plis?"

Awgrymodd yr un o'r enw Lydia y dylid galw meddyg. Awgrymodd yr un o'r enw Dad y dylid gadael i'r ddynes o'r enw Ali gysgu rhagor. Awgrymwyd archebu bwyd Indiaidd a bwyta gartref. Efallai y byddai gwynt bwyd yn deffro'r ddynes o'r enw Ali. Yna, peidiodd y lleisiau. Aeth popeth yn ddu ac yn dawel unwaith eto.

Cerddodd i lawr llwybr tywodlyd a arweiniai at goedwig drwchus. Esgynnodd allan o'r goedwig i fyny clogwyn serth a cherddodd at ei ymyl ac edrych tua'r gorwel. Roedd y tonnau oddi tani wedi rhewi'n gorn, a'r traeth ynghudd dan luwchfeydd eira. Estynnai'r panorama o'i blaen i bob cyfeiriad yn ddi-liw, yn ddifywyd, mor llonydd ag y gallai llonydd fod, ac yn dawel, dawel. Gwaeddodd am John, ond nid oedd ganddi lais. Trodd yn ei hôl, ond roedd y llwybr a'r goedwig wedi hen ddiflannu. Edrychodd ar ei fferau gwelw, esgyrnog, a'i thraed noeth. Doedd dim dewis bellach ond camu i'r gwagle o'i blaen.

Eisteddai mewn cadair ar y traeth yn claddu ac ailgladdu ei thraed yn y tywod cynnes. Gwyliai Christine, ei ffrind gorau ers yr ysgol feithrin, ac yn bum mlwydd oed o hyd, yn hedfan barcud ar siâp iâr fach yr haf. Roedd y blodau pinc a melyn ar wisg nofio Christine, adenydd glas a phorffor y barcud, glesni'r awyr, melyn yr haul, y paent coch ar ei hewinedd ei hun, yn wir bob un lliw a welai, yn fwy llachar a thrawiadol na dim a welsai erioed. Wrth iddi wylio Christine, daeth ton o lawenydd a chariad drosti, nid oherwydd ei ffrind ond oherwydd lliwiau godidog ei gwisg nofio a'r iâr fach yr haf yn ei llaw.

Gorweddai ei chwaer, Anne, a Lydia, y ddwy tua un ar bymtheg, yn ymyl ei gilydd ar dywelion streipiog coch, gwyn a gwyrdd. Bicini pinc yn union yr un fath oedd am y ddwy, a sgleiniai eu cyrff yng ngwres yr haul.

"Barod?" gofynnodd John.

"Dwi ofn."

"Nawr neu ddim o gwbl."

Safodd Alys a chafodd ei strapio mewn harnais a oedd yn sownd i hwyl oren. Cliciodd John y byclau ac addasodd yr harnais nes roedd hi'n teimlo'n saff ac yn ddiogel. Cydiodd yn ei hysgwyddau i'w dal i lawr, gan wthio yn erbyn y grym cryf, anweledig a oedd yn mynnu ei thynnu tua'r awyr.

"Barod?" gofynnodd John.

"Ydw."

Gollyngodd hi, a theimlodd ei hun yn hedfan mor gyflym â'r gwynt i lesni'r awyr. Roedd yr awel a'i cludai yn troi a throelli'n las, lafant, porffor a phinc o'i chwmpas. Berwai'r eigion odani yn wyn, gwyrddlas a fioled.

Roedd barcud iâr fach yr haf Christine wedi dianc ac yn cyhwfan yn ei hymyl. Hwn oedd y peth hyfrytaf a cheinaf a welsai Alys erioed, ac roedd hi'n ei chwennych yn fwy na dim. Estynnodd am ei gortyn, ond chwyrlïwyd hi ymaith yn sydyn gan chwa o wynt. Chwiliodd amdano, ond ni allai weld dim ond lliwiau'r machlud ar yr hwyl oren y tu ôl iddi. Am y tro cyntaf, sylweddolodd na allai lywio. Edrychodd i lawr ar y ddaear, ar ddotiau byw ei theulu. Tybed a fyddai'r awelon nwyfus, prydferth a'i cariai uwch y byd yn ei chario'n ôl atyn nhw ryw ddydd?

Gorweddai Lydia ar ei hochr ar ben cynfasau Alys. Er bod y llenni ar gau, roedd golau meddal y dydd yn llenwi'r ystafell.

"Ydw i'n breuddwydio?" gofynnodd Alys.

"Na, rydych chi ar ddihun nawr."

"Faint fues i'n cysgu?"

"Diwrnod neu ddau."

"O na! Sori am hynna."

"Mae'n iawn, Mam. Mae'n braf clywed eich llais chi eto. Cymryd gormod o dabledi wnaethoch chi?"

"Wn i ddim. Falle. Doeddwn i ddim wedi bwriadu gwneud hynny chwaith."

"Dwi'n poeni amdanoch chi."

Syllodd Alys ar Lydia fesul darn, fel petai'n edrych arni drwy lygad camera. Gallai adnabod pob darn fel yr oedd rhywun yn adnabod ei dŷ, llais rhiant, crychau ei ddwylo, yn reddfol, yn ddiymdrech. Ond yn rhyfedd iawn, câi drafferth adnabod Lydia fel person cyfan.

"Rwyt ti mor brydferth," meddai Alys. "Dwi ofn edrych arnat ti, ac anghofio pwy wyt ti."

"Hyd yn oed os na fyddwch chi'n fy adnabod i rhyw ddydd, dwi'n siŵr y byddwch chi'n dal i ddeall fy mod yn eich caru."

"Beth os bydda i'n dy weld di, yn anghofio pwy wyt ti, ac yn anghofio hefyd dy fod yn fy ngharu?"

"Wel, fe ddyweda i wrthoch chi, a byddwch chi'n fy nghredu."

Roedd Alys yn hoffi hynny. *Ond a fydda i'n dal i'w charu hi? Ai yn fy mhen ynteu fy nghalon y mae fy nghariad tuag ati?* Barn y gwyddonydd ynddi oedd bod emosiwn yn deillio o wifrau cymhleth yn yr ymennydd, ac roedd yr union wifrau hynny, ar yr union foment honno, yn sownd yn ffosydd du brwydr nad oedd mo'i hennill. Barn y fam ynddi oedd bod ei chariad at ei merch yn ddiogel rhag tryblith ei meddwl, oherwydd mai'r galon oedd nyth pob cariad.

"Sut ydych chi'n teimlo, Mam?"

"Ddim cystal. Roedd y tymor hwn yn galed, heb fy ngwaith, heb Harvard, a'r hen glefyd yma'n gwaethygu o hyd a dy dad fyth gartre. Mae wedi bod yn rhy galed weithie."

"Dwi mor sori. Bydden i wedi hoffi bod yma'n amlach, ond bydda i'n nes atoch chi'r hydref nesa. Roeddwn wedi bwriadu symud adre nawr, ond dwi newydd gael rhan yn y ddrama wych hyn. Rhan fach, ond —"

"Mae'n iawn. Hoffen i dy weld di'n amlach hefyd, ond fydden i ddim ar unrhyw gyfri am iti roi dy fywyd ar stop er fy mwyn i."

Meddyliodd am John.

"Mae dy dad eisiau symud i Efrog Newydd. Mi gafodd o swydd yno."

"Dwi'n gwbod."

"Dwi ddim am fynd."

"Doeddwn i ddim yn meddwl y byddech chi."

"Alla i ddim gadael y lle 'ma. Bydd yr efeilliaid yn cyrraedd fis Ebrill."

Dychmygodd Alys y ddau yn ei breichiau, eu cyrff cynnes, eu dwylo bach crynion a'u traed yn lân a phur. Tybed trwyn pwy fyddai ganddyn nhw? A'r aroglau. Allai hi ddim aros i arogli ei hwyrion neu ei hwyresau cyntaf.

Meddwl am gyngherddau a phartïon pen-blwydd, seremonïau graddio a phriodasau fyddai llawer o neiniau a theidiau. Gwyddai Alys na fyddai hi yma i gyngherddau a phartïon pen-blwydd, seremonïau graddio a phriodasau. Ond fe fyddai yma i gofleidio ac arogli'r efeilliaid, a doedd hi ddim yn mynd i Efrog Newydd am bris yn y byd i eistedd yno wrthi'i hun.

"Sut mae Malcolm?"

"Da. Fuon ni am dro efo'n gilydd wythnos dwytha."

"Sut un ydi o?"

Cyrhaeddodd gwên Lydia ei hwyneb cyn ei hateb.

"Tal, braidd yn swil, licio'r awyr iach."

"Sut un ydi o efo ti?"

"Mae o'n annwyl iawn. Mae o mor browd 'mod i'n actio – fy nghanmol wrth bawb. Gormod a dweud y gwir. Fyddech chi'n licio fo."

"Sut berson wyt ti efo fo?"

Meddyliodd Lydia am ennyd neu ddwy.

"Fi fy hun."

"Da."

Gwenodd Alys a gwasgu llaw Lydia. Roedd wedi bwriadu gofyn iddi beth roedd hynny'n ei olygu, gofyn iddi ddisgrifio'i hun, i'w hatgoffa, ond diflannodd y syniad ymhell cyn iddo gyrraedd ei gwefusau.

"Beth oedden ni'n siarad amdano?" gofynnodd Alys.

"Malcolm, mynd am dro, Efrog Newydd," meddai Lydia.

"Pan fydda i'n mynd am dro rownd fan hyn, dwi'n teimlo'n saff. Hyd yn oed os bydda i'n colli arnaf fy hun am eiliad, dwi'n siŵr o weld rhywbeth cyfarwydd, ac mae pobl yn y siopau yn fy adnabod i ac yn dangos y ffordd imi. Mae'r ferch yn y caffi wastad yn cadw llygad ar fy waled a'm hallweddi.

"Mae gen i ffrindiau yma hefyd, yn y grŵp cymorth. Dwi angen nhw. Allwn i ddim cyfarwyddo ag Efrog Newydd rŵan, a bydden i'n colli hynny o annibyniaeth sydd gen i ar ôl. Swydd newydd. Byddai dy dad yn gweithio ddydd a nos."

"Mam, rhaid ichi ddweud hyn wrth Dad."

Roedd yn llygad ei lle. Ond roedd gymaint yn haws dweud wrthi hi.

"Lydia, dwi mor browd ohonot ti."

"Diolch."

"Rhag imi anghofio, cofia 'mod i'n dy garu di."

"Caru chi, hefyd, Mam."

"Dwi ddim isio symud i Efrog Newydd," meddai Alys.

"Mae digon o amser tan hynny. Does dim rhaid inni benderfynu nawr," meddai John.

"Dwi *isio* penderfynu rŵan. Dwi isio bod yn glir am hyn tra galla i. Dwi ddim isio symud i Efrog Newydd."

"Beth os bydd Lydia yno?"

"Beth os na fydd hi? Dylet ti fod wedi trafod hyn efo fi yn breifat, cyn ei gyhoeddi i'r byd a'r betws."

"Fe wnes i."

"Naddo ddim."

"Do, lawer gwaith."

"O, fi sydd ar fai, ie? Wedi anghofio ydw i? Cyfleus iawn."

Anadlodd drwy'i thrwyn, ac allan drwy'i cheg er mwyn creu eiliad o bwyll i'w llusgo allan o'r ffrae bitw, blentynnaidd, a oedd ar y gorwel.

"John, roeddwn i'n gwybod dy fod ti'n cwrdd â phobl Sloan-Kettering, ond wnes i 'rioed ddeall eu bod yn dy fesur am swydd efo nhw. Byddwn i wedi dweud rhywbeth pe bawn wedi sylweddoli hynny."

"Ddywedais i ddigon wrthot ti pam roeddwn i'n mynd yno."

"Iawn. Fydden nhw'n fodlon iti gymryd blwyddyn sabothol a chychwyn y swydd ymhen blwyddyn?"

"Na, mae angen rhywun arnyn nhw nawr. Doedd hi ddim yn hawdd eu gwthio i fis Medi eleni hyd yn oed, ond roeddwn i angen yr amser i orffen rhai pethau yn y labordy."

"Beth am hurio rhywun dros dro tra byddi di'n cymryd blwyddyn sabothol efo fi, a dy fod ti'n cychwyn wedyn?"

"Na."

"Ddaru ti ofyn hyd yn oed?"

"Alys, mae'r maes yn gystadleuol iawn ar hyn o bryd, a phopeth yn symud mor glou. Rydyn ni ar fin canfod pethau mawr. Bron medru gwella canser, cofia. Mae'r cwmnïau cyffuriau wedi dangos diddordeb. Mae'r dosbarthiadau a'r gwaith gweinyddol uffern yn Harvard yn fy nal i'n ôl. Petawn i'n gwrthod y cynnig yma, fe fydden i'n cefnu ar yr unig gyfle a gaf i ddarganfod rhywbeth o wir werth."

"Nid hwn fydd dy unig gyfle di, siŵr. Rwyt ti'n glyfar ofnadwy, a does dim clefyd Alzheimer arnat ti. Gei di ddigon o gyfleoedd."

Syllodd yn fud arni.

"Y flwyddyn nesa 'ma ydi fy unig gyfle *i*, John. Y flwyddyn nesa 'ma ydi'r unig gyfle fydd gen i i fyw fy mywyd a gwybod beth mae'n ei olygu i fi. Does gen i ddim llawer o amser ar ôl i fod yn fi, a dwi isio treulio'r amser hwnnw efo ti. Alla i ddim credu nad wyt ti am ei dreulio efo fi."

"Bydden ni gyda'n gilydd yn Efrog Newydd."

"Nonsens, ac rwyt ti'n gwbod hynna'n iawn. Yma mae'n bywydau ni. Yma mae Tom ac Anna a'r babis, Mary, Cathy a Dan, ac efallai Lydia hyd yn oed. Mi fyddi di'n gweithio bob awr o'r dydd, rwyt ti'n gwbod hynny, a bydda i ar fy mhen fy hun. Mae'r penderfyniad hwn yn dwyn oddi arna i bopeth sydd gen i ar ôl. Dydw i ddim yn mynd."

"Fydda i ddim yn gweithio drwy'r amser, rwy'n addo. A beth os bydd Lydia yn Efrog Newydd? Beth petaet ti'n aros cfo Anna a Charlie am wythnos ymhob pedair? Mae ffordd o wneud pethau, ffordd o wneud yn siŵr na fyddi di ar dy ben dy hun."

"Beth os na fydd Lydia yn Efrog Newydd? Efallai y bydd hi yn Brandeis."

"Dyna pam rwy am inni aros a gwneud penderfyniad yn nes ymlaen, pan fydd mwy o wybodaeth 'da ni."

"Dwi isio i ti gymryd blwyddyn sabothol."

"Alys, o'm rhan i nid 'cymryd y swydd yn Sloan' neu 'gymryd blwyddyn sabothol' ydi'r dewis. Y dewis ydi 'cymryd y swydd yn Sloan' neu 'barhau yma yn Harvard'. Does dim gobaith imi gymryd y flwyddyn nesa bant."

Ni allai Alys ei weld yn iawn wrth i'w chorff grynu a'i llygaid losgi gan dymer.

"Alla i ddim gwneud hyn rhagor! Plis! Alla i ddim dal ymlaen hebddot ti! Wrth gwrs galli di gymryd blwyddyn i ffwrdd. Petaet ti isio, fe allet ti. Dwi'n gwybod y gallet ti."

"Beth petawn i'n gwrthod y cynnig, ac yn cymryd blwyddyn bant, a thithau ddim yn gwybod pwy ydw i?"

"Beth petawn i *yn* gwybod pwy wyt ti'r flwyddyn nesa, ond ddim wedyn? Sut alli di hyd yn oed feddwl am dreulio'r amser sydd gennym ni ar ôl yn dy ffwcin twll o lab? Fydden i fyth yn gwneud hyn i ti."

"Fydden i fyth yn gofyn iti wneud chwaith."

"Fyddai ddim rhaid iti ofyn."

"Sa i'n credu alla i wneud hyn, Alys. Sori, ond sa i'n gallu amgyffred bod gartre am flwyddyn gyfan yn eistedd ac yn gwylio'r clefyd yn dy ddwgyd di. Sa i'n gallu meddwl am dy wylio di yn ceisio cofio sut i wisgo neu sut i weithio'r teledu. Yn y lab, sa i'n gorfod dy wylio di'n sticio Post-its ar y cypyrddau a'r drysau ym mhob man. Sa i'n gallu meddwl am aros gartre yn dy wylio di'n gwaethygu bob dydd. Fydde hynny yn fy lladd i."

"Nage, John, fy lladd *i* mae o, nid dy ladd di. Dwi'n mynd i waethygu pa un a fyddi di gartre yn edrych arna i neu'n cuddio yn dy lab. Rwyt ti'n mynd i fy ngholli i. Dwi'n colli fy hun. Ond os na wnei di gymryd y flwyddyn nesaf i ffwrdd i fod efo fi, wel, dyna ni, ti gollon ni gynta. Mae clefyd Alzheimer arna i. Be ydi dy ffwcin esgus di?"

Tynnodd allan ganiau, bocsys a photeli, gwydrau a llestri a dysglau, sosbenni a phedyll. Pentyrrodd bopeth ar fwrdd y gegin, a phan nad oedd yno ragor o le, pentyrrodd bopeth ar y llawr.

Tynnodd bob côt o'r cwpwrdd yn y cyntedd, agorodd bob sip a throdd bob poced tu chwith allan. Canfu bres, hen docynnau, hancesi papur, a dim. Ar ôl ei chwilio, taflodd bob côt ar y llawr.

Lluchiodd y clustogau oddi ar y soffas a'r cadeiriau. Gwagiodd ddrôr ei desg a'r cwpwrdd ffeilio. Trodd ei bag llyfrau, bag ei gliniadur a'i bag bach glas ben i waered. Byseddodd gynnwys pob pentwr, gan gyffwrdd â phob gwrthrych i serio'i enw ar ei chof. Dim.

Nid oedd rhaid iddi gofio ymhle y bu'n chwilota eisoes. Roedd y twmpathau o geriach ym mhobman yn ddigon o dyst i hynny. Edrychodd o'i chwmpas. Nid oedd unman ar ôl i'w archwilio ar y llawr gwaelod. Roedd hi'n chwys domen. Doedd hi ddim am roi'r ffidil yn y to. Rhedodd i fyny'r grisiau.

Turiodd drwy'r golch, y byrddau bach o boptu'r gwely, droriau'r bwrdd gwisgo, pob wardrob, ei blwch gemwaith, y cwpwrdd cymorth cyntaf. *Y bathrwm lawr staer.* Carlamodd yn ôl i lawr, yn chwys domen.

Safai John yn y cyntedd, yn morio mewn cotiau.

"Be ddiawl sy wedi digwydd?" gofynnodd.

"Dwi'n chwilio am rywbeth."

"Be?"

Allai hi mo'i enwi, ond gwyddai yn ei chalon y byddai'n cofio ac yn gwybod.

"Mi fydda i'n gwybod pan ffeindia i o."

"Mae fel tase bom wedi disgyn 'ma. Fel tase lladron wedi bod 'ma."

Doedd hi ddim wedi meddwl am hynny. Byddai hynny'n esbonio pam na allai ddod o hyd iddo.

"O nefi wen, falle fod rhywun wedi'i ddwyn o."

"Does neb wedi dwyn dim byd. Ti sy wedi tynnu'r lle 'ma'n ddarne."

Trawodd ei llygaid ar fasged o gylchgronau heb ei chyffwrdd yn y lolfa. Gadawodd John a'r lladrad honedig yn y cyntedd, cododd y fasged at ei chanol, ac arllwysodd y cylchgronau ar y llawr, pori'n frysiog drwyddynt, a'u gadael yno, ddim elwach. Dilynodd John hi.

"Stopia hyn, Alys. Dwyt ti ddim yn gwybod am beth rwyt ti'n chwilio."

"Ydw."

"Beth, felly?"

"Alla i ddim dweud."

"Sut beth yw e? I be mae'n e'n dda?"

"Dwi ddim yn gwybod. Dwi newydd ddweud wrthot ti. Fydda i'n gwybod pan ffeindia i o. Rhaid imi'i ffeindio fo neu farw."

Pwyllodd i feddwl am yr hyn roedd hi newydd ei ddweud.

"Ble mae fy nhabledi i?"

Ciciodd y ddau eu ffordd i'r gegin drwy focsys grawnfwyd a thuniau cawl a thiwna. Canfu John ei chyflenwad o boteli tabledi a fitaminau ar y llawr, a'r bocs plastig tabled-y-dydd mewn dysgl ar fwrdd y gegin.

"Dyma nhw," meddai.

Ond roedd y cymhelliant, yr angen byw-neu-farw, yn dal yr un mor gryf â chynt.

"Na, nid rheina dwi isio."

"Mae hyn yn wirion. Rhaid iti stopio. Mae'r tŷ fel bin sbwriel mawr."

Sbwriel.

Agorodd y bin, tynnodd y bag plastig allan ohono, a'i droi ben i waered.

"Alys!"

Rhedodd ei bysedd drwy grwyn tatws, esgyrn cyw iâr, hancesi papur, bocsys gwag, papur plastig a phob sothach arall. Yn eu mysg gwelodd y DVD *Alys Howland*. Astudiodd y casyn gwlyb yn ei dwylo. *Doeddwn i ddim wedi bwriadu lluchio hwn.*

"Dyna ti. Ti wedi'i ffeindio fe," meddai John.

"Nage, dim hwn ydi o."

"Jyst stopia, wnei di? Mae digon o olwg ar y lle 'ma eisoes. Cer i eistedd am funud. Gorffwys. Falle wnei di gofio."

"Ocê."

Efallai, pe byddai'n eistedd yn gwbl lonydd, y byddai'n cofio beth oedd o a ble wnaeth hi ei roi. Neu efallai y byddai'n anghofio iddi erioed fod yn chwilio amdano.

Roedd yr eira a ddechreuodd ddisgyn y diwrnod cynt newydd beidio. Mae'n ddigon posibl na fyddai wedi sylwi oni bai am sgrechian y weipars. Diffoddodd John nhw. Bu'r aradr eira yn clirio'r ffyrdd, ond doedd yr un car arall o gwmpas. Fel arfer, byddai Alys yn cael pleser mawr o'r tawelwch a'r llonyddwch a ddilynai storm eira, ond heddiw roedd yn ei hanesmwytho.

Trodd John y car i faes parcio'r fynwent. Roedd ambell le parcio wedi'i glirio, ond roedd y fynwent ei hun, y llwybrau a'r cerrig beddau, dan droedfeddi o eira.

"Roeddwn i'n ofni mai fel hyn y byddai hi. Rhaid inni ddod 'nôl rywbryd eto," meddai John.

"Na, aros. Gad ifi edrych am funud."

Uwchben y baradwys wen o'i blaen, ymsythai coed duon hynafol, eu canghennau cnotiog main yn gwegian dan y rhew. Gallai weld copaon llwyd cerrig beddau ysblennydd ac uchel a berthynai i hen deuluoedd cefnog eu dydd yn brigo uwch wyneb yr eira. Roedd popeth arall wedi'i gladdu. Cyrff pydredig ac esgyrn mewn eirch ynghladd dan bridd a cherrig, a phridd a cherrig ynghladd dan eira. Roedd popeth yn ddu a gwyn, ac yn gelain oer.

"John?"

"Beth?"

Roedd wedi ynganu ei enw yn rhy uchel o lawer, gan dorri'r tawelwch yn rhy sydyn, a pheri braw iddo.

"Dim. Awn ni. Dwi ddim isio bod yma."

"Awn ni'n ôl yn nes ymlaen yn yr wythnos, os lici di," meddai John.

"Yn ôl i ble?" gofynnodd Alys.

"I'r fynwent."

Eisteddai wrth fwrdd y gegin. Arllwysodd John win coch i ddau wydr ac estyn un iddi hi. Troellodd y gwydr gwin yn ôl ei harfer. Roedd hi'n aml yn anghofio enw'i merch, yr actores, ond gallai gofio sut i droelli'i gwydr gwin, a chofio ei bod hi'n hoffi gwneud hynny. Hen glefyd gwirion.

Safai John o flaen drws yr oergell, a thynnodd allan ddarn o gaws, lemwn, hylif o ryw fath, a llysiau coch.

"Hoffet ti *enchiladas* cyw iâr?" gofynnodd iddi.

"Ie, iawn."

Agorodd y rhewgell, ac ymbalfalu ynddi.

"Oes cyw iâr yma?" gofynnodd.

Atebodd hi mohono.

"O na, Alys."

Trodd ati gan ddangos rhywbeth yn ei law. Nid cyw iâr oedd o.

"Y BlackBerry yw e. Roedd e yn y rhewgell."

Pwysodd y botymau, ysgydwodd ef, a'i rwbio.

"Mae dŵr ynddo, siŵr o fod. Gawn ni weld pan fydd wedi meirioli, ond synnen i ddim nad yw e'n gelain."

Dechreuodd Alys feichio crio, fel petai ei chalon wedi rhwygo'n ddwy.

"Paid â becso, brynwn ni un newydd iti."

Dyna un wirion oedd hi. Pam roedd hi'n torri'i chalon dros declyn electronig marw? Efallai mai wylo am farwolaeth ei mam, ei chwaer a'i thad yr oedd hi. Efallai ei bod hi'n teimlo'r emosiwn na lwyddodd i'w fynegi yn y fynwent. Roedd hynny'n gwneud synnwyr. Ond nid dyna pam roedd hi'n crio chwaith. Efallai fod marwolaeth ei BlackBerry yn symbol o farwolaeth ei safle yn Harvard, a'i bod hi'n galaru am golli'i gyrfa. Roedd hynny hefyd yn gwneud synnwyr. Er hynny, yr hyn a deimlai oedd pwll diwaelod o alar am farwolaeth y BlackBerry ei hun.

Gollyngodd ei hun yn y gadair wrth ochr John, gyferbyn â Dr Davies, wedi ymlâdd. Bu'n gwneud profion niwroseicolegol yn yr ystafell fach honno gyda'r ddynes yna, y ddynes oedd yn gwneud y profion niwroseicolegol yn yr ystafell fach, am amser annioddefol o hir. Roedd y geiriau, yr wybodaeth, yr ystyr yng nghwestiynau'r ddynes, ac atebion Alys ei hun fel swigod sebon ar ddiwrnod gwyntog, y math o swigod y byddai plant yn eu chwythu o bot plastig. Roedden nhw'n cilio oddi wrthi'n gyflym ac i gyfeiriadau di-ri, gan roi cryn straen arni wrth geisio dal gafael arnyn nhw. Hyd yn oed pe byddai'n llwyddo i gipio ambell un am ryw hyd, byddai honno hefyd yn chwalu ymhen dim, fel pe na bu erioed. Rŵan, tro Dr Davies oedd hi i chwythu swigod.

"Reit 'te, Alys, allwch chi sillafu'r gair *tawel* o chwith?" gofynnodd.

Chwe mis yn ôl ni fyddai cwestiwn mor ddibwys yn mennu dim arni; yn wir, byddai wedi'i wfftio, ond heddiw roedd yn gwestiwn difrifol a hawliai ymateb difrifol. Nid oedd yn ei phoeni odid ddim, o leiaf nid i'r graddau y byddai'n ei phoeni chwe mis yn ôl. Roedd hi'n ymbellhau fwy a mwy oddi wrthi'i hun. Roedd ei hymdeimlad o Alys – yr hyn a wyddai ac a ddeallai, ei hoff bethau, ei chas bethau, ei theimladau a'i chanfyddiadau – hefyd fel swigen sebon, yn uwch na'r lleill yn yr awyr ac yn anoddach ei hadnabod. Nid oedd ond haenen denau yn ei hatal hithau rhag byrstio i ebargofiant.

Sillafodd Alys y gair *tawel* y ffordd iawn i ddechrau, wrthi'i hun, gan estyn bysedd ei llaw chwith fesul un. Bys am bob llythyren.

"L." Estynnodd ei bys bach. Sillafodd y gair y ffordd iawn eto, wrthi'i hun, gan aros, y tro hwn, ar fys y fodrwy.

"E." Aeth drwy'r un broses â'r hirfys.

"W." Daliodd ei bawd a'r bys blaen fel gwn. Sibrydodd, "A, T" wrthi'i hun.

"A, T."

Cododd ei dwrn yn fuddugoliaethus ac edrych ar John. Gwenodd yntau'n wan gan chwarae â'i fodrwy.

"Go dda," meddai Dr Davies. Gwenodd yn llydan, a thybiodd Alys iddi wneud cryn argraff arno. Roedd hi'n hoffi Dr Davies.

"Rwy am i chi bwyntio at y ffenest ar ôl ichi gyffwrdd eich boch dde â'ch llaw chwith."

Cododd ei llaw chwith at ei hwyneb. *Pop!*

"Sori, allwch chi ddweud hynna eto?" gofynnodd Alys, ei llaw chwith yn dal o flaen ei hwyneb.

"Pwyntiwch at y ffenest ar ôl ichi gyffwrdd eich boch dde â'ch llaw chwith."

Roedd ei llaw chwith ar ei boch dde cyn iddo orffen siarad a saethodd ei braich tua'r ffenestr cyn gynted ag y gallai.

"Da iawn, Alys," meddai Dr Davies, yn wên i gyd eto.

Chafodd hi'r un gair o ganmoliaeth gan John.

"Nawr 'te, rwy am ichi ddweud wrtha i beth oedd yr enw a'r cyfeiriad wnes i ofyn ichi ei gofio gynnau."

Yr enw a'r cyfeiriad. Roedd ganddi ymdeimlad ohono, fel petai newydd ddeffro gan wybod iddi freuddwydio am rywbeth neu'i gilydd, ond heb allu cofio'r manylion.

"John Rhywbeth. Rydych chi'n gofyn hyn bob tro, ac alla i fyth gofio ble mae'r boi yna'n byw."

"Ocê. John Black, John White, John Jones, neu John Smith?"

Doedd ganddi ddim syniad.

"Smith."

"Ydi o'n byw yn Heol y Dwyrain, Heol y Gorllewin, Heol y Gogledd neu Heol y De?"

"Heol y De."

"Oedd o'n byw yn Arlington, Cambridge, Brighton neu Brookline?"

"Brookline."

"Reit, Alys, dyma'r cwestiwn ola. Ble mae'r papur ugain doler?"

"Yn eich waled?"

"Na. Guddiais i bapur ugain doler rywle yn yr ystafell. Ydych chi'n cofio ble mae o?"

"Ddaru chi wneud hyn tra oeddwn i yma?"

"Do. Unrhyw syniadau? Gewch chi'i gadw fo os ffeindiwch chi o."

"Wel, petawn i'n gwybod hynna, fe fyddwn i wedi meddwl am ffordd o gofio ble mae o."

"Byddech, siŵr o fod! Unrhyw syniadau ble mae o?"

Gwelodd ei lygaid yn symud fymryn i'r dde, yn union uwchben ei hysgwydd, am y rhan leiaf o eiliad, cyn setlo'n ôl arni hi. Edrychodd hithau y tu ôl iddi. Roedd bwrdd gwyn ar y wal ac ysgrifen goch arno. Gorweddai pìn ffelt coch ar estyllen blastig ar y gwaelod, ac yn ei ymyl roedd papur ugain doler wedi'i blygu'n fach. Cododd a dawnsiodd at y bwrdd gwyn i hawlio'i gwobr.

Chwarddodd Dr Davies. "Petai pawb mor glyfar â chi, fyddai gen i ddim job."

"Alys, alli di ddim cadw hwnna. Welest ti e'n edrych arno fe," meddai John.

"Enillais i o," meddai Alys.

"Popeth yn iawn, geith hi gadw fo," meddai Dr Davies.

"Ddylai hi fod fel hyn ar ôl prin flwyddyn a hithau'n cymryd y tabledi'n rheolaidd?" gofynnodd John.

"Wel, efallai fod ei salwch wedi dechrau ymhell cyn iddi gael diagnosis fis Ionawr diwethaf. Doedd neb wedi sylweddoli, yn meddwl bod unrhyw symptomau yn bethau digon cyffredin, neu'n deillio o straen, blinder, yfed gormod ac ati. Mae'n bosib bod ganddi symptomau ers dwy flynedd a rhagor.

"Ac mae hi'n glyfar dros ben. Os oes gan berson arferol, dyweder, ddeg synaps sy'n arwain at ddarn o wybodaeth, mae'n ddigon posib fod gan Alys hanner cant ohonyn nhw. Pan fydd person cyffredin yn colli'r deg synaps yna, mae'r wybodaeth honno'n diflannu am byth. Ond pe byddai Alys yn colli deg, mae ganddi ddeugain arall i'w helpu i gyrraedd yr wybodaeth. Felly, fyddai ei dirywiad hi ddim mor amlwg ar y dechrau."

"Ond erbyn hyn mae wedi colli llawer mwy na deg," meddai John.

"Ydi, mae gen i ofn ei bod hi. Mae ei chof diweddar gyda'r tri y cant isaf o'r rhai sy'n gallu gwneud y profion, mae ei gallu i brosesu iaith wedi dirywio'n sylweddol, ac mae'n colli'i hunanymwybyddiaeth, fel y bydden ni, yn anffodus, yn ei ddisgwyl.

"Ond mae hi hefyd yn arbennig o ddyfeisgar. Defnyddiodd

amryw strategaethau heddiw i ateb cwestiynau'n gywir er nad oedd yn gallu cofio'r ateb o gwbl."

"Ond roedd llawer o gwestiynau roedd hi'n methu eu hateb yn gywir, serch hynny," meddai John.

"Digon gwir."

"Mae'n gwaethygu mor glou. Allwn ni gynyddu'r dos o Aricept neu'r Namenda?" gofynnodd John.

"Na, mae hi eisoes yn cael y dos uchaf posib. Yn anffodus, mae hwn yn glefyd sy'n gwaethygu'n raddol a does dim modd ei wella. Mae'n mynd i waethygu waeth faint o dabledi lyncith hi."

"Mae'n amlwg nad ydi'r cyffur newydd yma, yr Amylix, yn gweithio, neu mae'n cael y plasebo," meddai John.

Oedodd Dr Davies am eiliad, fel petai'n ystyried ai cytuno ynteu anghytuno oedd orau.

"Mi wn i eich bod chi'n teimlo'n ddigalon, ond rwy wedi gweld cyflwr sawl un yn cyrraedd man gwastad, yn aros yr un fath am gyfnod, a gall hynny bara am beth amser."

Caeodd Alys ei llygaid a dychmygodd ei hun ar fan gwastad. Llwyfandir eang a phrydferth. Gallai ei weld yn llygad ei meddwl ac roedd yn werth ymdrechu amdano. Allai John ei weld tybed? Oedd o am ymdrechu drosti o hyd, neu a oedd o wedi rhoi'r ffidil yn y to? Neu, yn waeth na hynny, a oedd o'n gobeithio y byddai'n dirywio'n gyflym er mwyn iddo allu mynd â hi'n gragen wag ac ufudd i Efrog Newydd yn yr hydref? Fyddai o'n dewis sefyll gyda hi ar y man gwastad neu ei gwthio i lawr yr allt?

Plethodd ei breichiau, dadgroesodd ei choesau, a sodrodd ei thraed yn gadarn ar y llawr.

"Alys, ydych chi'n dal i redeg?" holodd Dr Davies.

"Nac ydw, ddim ers sbel. Mae John mor brysur a finne, wel,

mor ddi-glem – alla i ddim gweld gwrymiau yn y ffordd na mesur pellter. Dwi'n syrthio byth a hefyd. Hyd yn oed gartre, dwi'n anghofio am y pethe yna o dan y drysau a dwi'n baglu i mewn i bob stafell. Mae gen i gannoedd o gleisiau."

"John, beth am gael gwared ar y pethau yna o dan y drysau neu eu peintio'n rhyw liw arall, rhywbeth llachar, neu eu gorchuddio â thâp lliwgar, er mwyn i Alys allu eu gweld?"

"Ie, iawn."

"Alys, mae gennych chi grŵp cymorth, fel rwy'n deall?" meddai Dr Davies.

"Mae pedwar ohonon ni. Rydyn ni'n cwrdd unwaith yr wythnos yn nhai ein gilydd, ac rydyn ni'n e-bostio ein gilydd bob dydd. Mae'n help mawr. Rydyn ni'n siarad am bob dim dan haul."

Roedd Dr Davies, a'r ddynes yna yn yr ystafell fechan, wedi gofyn peth wmbredd o gwestiynau iddi er mwyn mesur y celanedd yn ei phen. Ond ni allai unrhyw un ddeall yr hyn oedd yn dal yn fyw yn ei phen gystal â Mary, Cathy a Dan.

"Diolch i chi am gymryd yr awenau a llenwi'r bwlch amlwg oedd gennym yn ein gwasanaethau. Os caf unrhyw gleifion newydd â chlefyd Alzheimer cynnar, fel chi, alla i awgrymu eu bod yn cysylltu â chi?"

"Wrth gwrs, â chroeso. Dylech chi hefyd sôn wrthyn nhw am DASNI, y Dementia Advocacy and Support Network International. Fforwm ar-lein ydi hwn ar gyfer pobl â dementia. Dwi wedi cwrdd â degau o bobl fan'no o bob rhan o'r wlad, ac o Ganada, Prydain ac Awstralia hefyd. Wel, nid cwrdd yn union – ar-lein mae popeth wrth gwrs – ond dwi'n teimlo fy mod yn eu nabod a'u bod nhw yn eu tro yn fy nabod i'n well na llawer. Dydyn ni ddim yn gwastraffu amser, does dim amser i'w wastraffu. Rydyn ni'n siarad am y pethau sy'n bwysig i ni."

Gwingodd John yn ei gadair.

"Diolch, Alys, mi wna i sôn wrthyn nhw. Beth amdanoch chi, John? Ydych chi wedi cysylltu â'n gweithiwr cymdeithasol ni fan hyn, neu wedi bod i unrhyw rai o gyfarfodydd y grŵp cymorth i ofalwyr?"

"Naddo. Dwi wedi cael coffi unwaith neu ddwy gyda phartneriaid y bobl yn ei grŵp cymorth hi, ond dwi heb gwrdd â neb arall."

"Efallai y dylech chithe ystyried siarad â rhywun. Er nad chi sydd â'r clefyd, rydych chi, mewn ffordd, yn gorfod byw ag o hefyd. Heblaw Denise Daddario, y gweithiwr cymdeithasol, mae yma grŵp i ofalwyr ac mae gan y Gymdeithas Alzheimer nifer o grwpiau tebyg. Mae adnoddau ar gael ar eich cyfer chi hefyd, cofiwch."

"Iawn."

"A sôn am y Gymdeithas Alzheimer, Alys, rwy newydd gael rhaglen eu Cynhadledd Gofal Dementia flynyddol, a fe sylwais mai chi yw un o'r prif areithwyr," meddai Dr Davies.

Cynhadledd genedlaethol oedd y Gynhadledd Gofal Dementia ar gyfer gweithwyr proffesiynol yn y maes. Roedd niwrolegwyr, meddygon teulu, meddygon yr henoed, niwroseicolegwyr, nyrsys a gweithwyr cymdeithasol yn dod at ei gilydd i gyfnewid gwybodaeth am y datblygiadau o ran diagnosis, triniaeth a gofalu am gleifion. Tybiai Alys ei fod yn debyg i'w grŵp cymorth, ond ei fod yn fwy o lawer ac ar gyfer pobl heb ddementia. Roedd cynhadledd y flwyddyn honno yn Boston ymhen mis.

"Ie," atebodd Alys. "Fyddwch chi yno?"

"Byddaf, ac yn y rhes flaen yn saff ichi. Dydyn nhw erioed wedi gofyn i mi annerch y gynhadledd," meddai Dr Davies. "Rydych chi'n ddynes ddewr ac arbennig iawn, Alys."

Y ganmoliaeth gwbl ddiffuant honno oedd yr union hwb roedd hi ei angen ar ôl cael ei phwnio'n ddidrugaredd gan y profion lu yr aeth drwyddynt y diwrnod hwnnw. Chwaraeai John â'i fodrwy. Syllodd arni a'i lygaid yn cronni. Gwisgai wên dynn a barai ddryswch llwyr iddi.

Safai Alys wrth y ddarllenfa, ei haraith yn ei llaw, a syllodd ar y bobl a eisteddai yn neuadd gynadledda grand y gwesty. Arferai allu dyfalu, a hynny bron yn gywir, faint o bobl oedd yn bresennol. Collasai'r sgìl hwnnw ers tro. Roedd yno lawer o bobl. Cawsai wybod gan y trefnydd, beth bynnag oedd ei henw, fod dros saith gant o bobl wedi cofrestru ar gyfer y gynhadledd. Roedd Alys wedi annerch digon o gynulleidfaoedd o'r maint yna, a mwy, a'r rheini'n cynnwys pobl o fri a phrif seicolegwyr ac ieithyddion y byd.

Eisteddai John yn y rhes flaen. Edrychai dros ei ysgwydd o hyd, gan gyrlio a dadgyrlio'i raglen. Nid oedd Alys wedi sylweddoli tan rŵan ei fod yn gwisgo'i grys-T llwyd lwcus. Dim ond pan fyddai canlyniadau pwysig ar y gweill yn y labordy y byddai'n gwisgo hwnnw. Gwenodd arno.

Yn ei ymyl, eisteddai Anna, Charlie a Tom, yn sgwrsio'n frwd. Ym mhen arall y rhes, eisteddai Mary, Cathy a Dan gyda'u partneriaid. Yn y canol, eisteddai Dr Davies, llyfr nodiadau ar ei lin a beiro yn ei law. Y tu ôl iddynt roedd môr o weithwyr proffesiynol a ddarparai ofal o bob math i bobl â dementia. Er nad hon oedd cynulleidfa fwyaf na mwyaf clodfawr ei gyrfa, gobeithiai mai dyma'r un a gâi'r effaith fwyaf grymus a phellgyrhaeddol.

Byseddodd adenydd llyfn yr iâr fach yr haf ar ei chadwyn. Pesychodd. Cymerodd lymaid o ddŵr. Cyffyrddodd â'r adenydd unwaith eto, am lwc. *Mae heddiw'n ddiwrnod arbennig, Mam.*

"Bore da. Dr Alys Howland ydw i, ond dydw i ddim yn niwrolegydd nac yn feddyg. Seicoleg yw fy maes. Bûm yn athro ym Mhrifysgol Harvard am bum mlynedd ar hugain. Roeddwn i'n dysgu seicoleg wybyddol. Fe wnes i waith ymchwil ym maes ieitheg, a bûm yn darlithio ledled y byd.

"Heddiw, fodd bynnag, nid yma i siarad â chi fel arbenigwr mewn seicoleg nac ieitheg ydw i. Rydw i yma i siarad â chi fel arbenigwr ym maes clefyd Alzheimer. Dydw i ddim yn trin cleifion, dydw i ddim yn cynnal treialon clinigol, yn astudio DNA, nac yn cwnsela cleifion a'u teuluoedd. Rwy'n arbenigwr yn y maes hwn am fy mod innau, ychydig dros flwyddyn yn ôl, wedi cael diagnosis o glefyd Alzheimer cynnar.

"Braint yw cael y cyfle i siarad â chi heddiw, yn y gobaith o ddangos ichi sut beth yw byw â dementia. Cyn bo hir, er y bydda i'n dal i wybod o'r gorau sut beth yw'r clefyd, fydda i ddim yn gallu cyfleu hynny wrthoch chi. Ac yn fuan wedyn, fydda i ddim hyd yn oed yn gwybod bod dementia arna i. Felly, mae'r hyn sydd gennyf i'w ddweud heddiw yn amserol iawn.

"Nid ydym ni, y rheini ohonom sy'n dal yn nyddiau cynnar clefyd Alzheimer, wedi colli pob gallu eto. Nid ydym heb iaith neu safbwyntiau o bwys neu gyfnodau estynedig cymharol gall. Ond ni ellir ymddiried ynom i gyflawni'r tasgau a'r cyfrifoldebau a fu gennym gynt. Nid ydym nac yma nac acw. Mae tir neb yn lle unig a rhwystredig iawn.

"Dydw i ddim, bellach, yn gweithio yn Harvard. Dydw i ddim, bellach, yn darllen nac yn ysgrifennu erthyglau a llyfrau ymchwil. Mae fy mywyd yn gwbl wahanol i'r hyn ydoedd rai misoedd yn ôl. Mae'r llwybrau niwral a ddefnyddiaf i geisio deall yr hyn rydych chi'n ei ddweud, yr hyn rwyf fi'n ei feddwl, a'r hyn sy'n digwydd o'm hamgylch yn llawn glud. Rwy'n cael trafferth i ddod o hyd i eiriau, ac rwy'n aml iawn yn dweud pethau hollol wahanol. Alla i ddim mesur pellter, ac felly rwy'n gollwng pethau ac yn syrthio lawer gwaith y dydd. Gallaf yn hawdd fynd ar goll ddwy stryd o'm cartref, ac mae fy ngallu i gofio pethau diweddar bron â darfod yn llwyr.

"Rwy'n colli fy noeau. Petaech yn fy holi beth wnes i ddoe, beth ddigwyddodd, beth welais i, beth deimlais i neu beth glywais i, go brin y gallwn ddweud wrthych. Dyfalu fyddwn i, fwy na thebyg. Rwy'n dipyn o feistres ar ddyfalu. Mewn gwirionedd, alla i ddim cofio ddoe, nac echdoe, na'r doeau cyn hynny.

"Does gen i ddim rheolaeth, chwaith, dros ba ddoeau y caf eu cadw a pha rai na chaf eu cadw. Nid clefyd i daro bargen ag ef yw hwn. Alla i ddim cynnig anghofio enw Arlywydd America er mwyn cael cofio enwau fy mhlant. Alla i ddim cynnig colli enwau gwledydd y byd er mwyn cadw'r cof am fy ngŵr.

"Mae fory yn codi ofn arna i. Beth os bydda i'n dihuno rhyw fore ac wedi anghofio pwy yw fy ngŵr? Beth os bydda i wedi anghofio ble'r ydw i a phwy ydw i? Pryd na fydda i bellach yn fi? A fydd y rhan honno o'm hymennydd sy'n gyfrifol am fy ngwneud i'n unigryw hefyd yn syrthio dan y fwyell? Neu a yw fy hunaniaeth yn drech na niwronau, proteinau a moleciwlau diffygiol DNA? A yw fy enaid a'm hysbryd yn ddiogel rhag anrhaith y clefyd? Ydyn, yn fy marn i.

"Mae cael diagnosis o glefyd Alzheimer fel pe bai rhywun yn

rhoi nod arnoch chi, A fawr goch. Dyma pwy wyt ti rŵan, rhywun â dementia. Dyna sut roeddwn i'n diffinio fy hun am gyfnod, a dyna sut mae eraill yn parhau i'm diffinio. Ond, yn y bôn, rwy'n llawer mwy na hynny.

"Rwy'n wraig, yn fam, yn ffrind, a chyn hir mi fydda i hefyd yn nain. Rwy'n dal i allu teimlo a deall y cariad yn y perthnasau hynny, a theimlo a deall fy mod yn deilwng ohono. Rwy'n dal i gyfrannu at gymdeithas. Er nad yw fy ymennydd yn gweithio'n dda, gallaf gynnig clust i wrando, fy ysgwyddau i bwyso arnyn nhw, fy mreichiau i gofleidio. Drwy grŵp cymorth ar gyfer pobl â dementia cynnar, drwy'r Rhwydwaith Rhyngwladol, drwy siarad â chi heddiw, dwi'n helpu pobl â dementia i fyw'n well gyda'r cyflwr. Nid rhywun sy'n marw ydw i ond rhywun sy'n byw gyda chlefyd Alzheimer. Dwi am wneud hynny hyd eithaf fy ngallu.

"Hoffwn annog meddygon i wneud diagnosis cynharach, i beidio â thybio bod pobl yn eu pedwardegau a'u pumdegau sy'n cael problemau gwybyddol neu'n cael trafferth i gofio o reidrwydd yn dioddef o iselder neu straen neu'n mynd drwy'r menopos. Os cawn ni ddiagnosis cynnar, gallwn gymryd tabledi'n gynt, yn y gobaith o arafu hynt y clefyd a medru aros ar dir gwastad yn ddigon hir i elwa ar well triniaeth neu hyd yn oed wellhad llwyr ryw ddydd. Rwy'n dal i obeithio am iachâd, i mi, fy ffrindiau sydd â dementia, fy merch sy'n cario'r un genyn diffygiol. Efallai na allaf adfer yr hyn sydd eisoes wedi darfod, ond efallai y gallaf ddal gafael ar yr hyn sydd gennyf yn weddill. Ac mae gen i dipyn go lew yn weddill o hyd.

"Peidiwch ag edrych ar yr A fawr goch a mynd o'r tu arall heibio. Daliwch ein llygaid, siaradwch â ni. Peidiwch â dychryn na chymryd pethau'n bersonol pan fyddwn ni'n gwneud camgymeriadau. Byddwn ni'n ailadrodd ein hunain, byddwn ni'n colli pethau, byddwn ni'n mynd ar goll. Byddwn ni'n anghofio eich enw a'r hyn ddywedoch chi funud yn ôl. Byddwn ni hefyd yn gwneud ein gorau glas i ganfod amryw ffyrdd o ymdopi â'n diffygion.

"Dwi am eich annog chi i agor drysau inni, nid eu cau. Pan fydd rhywun wedi cael anaf i'w gefn, wedi colli coes neu fraich, neu'n anabl oherwydd strôc, mae teuluoedd a gweithwyr proffesiynol yn gweithio'n galed i fod yn gefn i'r person hwnnw, yn ei helpu i ymdopi er gwaethaf ei anawsterau. Gweithiwch efo ni. Helpwch ni i ymdopi â'r bylchau yn ein cof, yn ein hiaith ac yn ein sgiliau gwybyddol. Anogwch ni i ymuno â grwpiau cymorth. Gallwn fod yn gefn i'n gilydd, yn gefn i bobl â dementia yn ogystal â'u gofalwyr. Helpwch ni i dramwyo tir neb, y tir nad yw nac yma nac acw.

"Mae fy noeau'n diflannu, does wybod beth fydd gan fory i'w gynnig. Beth, felly, yw diben byw? Dwi'n byw un dydd ar y tro. Dwi'n byw yn yr eiliad. Rhyw fory a ddaw, fe fyddaf wedi anghofio imi gyflwyno'r ddarlith hon, ond nid yw hynny'n golygu na wnes i fyw pob eiliad ohoni heddiw. Fe ollyngaf heddiw o'm cof, ond nid yw hynny'n golygu nad oedd heddiw o werth.

"Does neb yn gofyn imi bellach ddarlithio am iaith mewn prifysgolion a chynadleddau seicoleg ledled y byd. Ond wele fi o'ch blaen heddiw, yn rhoi darlith bwysicaf fy mywyd. Ac mae clefyd Alzheimer arna i. Diolch yn fawr."

Cododd ei phen am y tro cyntaf ers iddi ddechrau. Feiddiodd hi ddim cyn hynny, rhag iddi golli trywydd y geiriau. Er mawr syndod iddi, roedd yr ystafell gyfan yn sefyll, yn cymeradwyo'n frwd. Ni allai obeithio am well. Dau beth syml yn unig a ddeisyfai pan gytunodd i siarad: peidio â cholli'r gallu i ddarllen a chyrraedd y diwedd heb wneud ffŵl ohoni'i hun.

Edrychodd ar yr wynebau cyfarwydd yn y rhes flaen a gwyddai heb ronyn o amheuaeth iddi ragori ar bob deisyfiad a oedd ganddi. Roedd Cathy, Dan a Dr Davies yn wên o glust i glust. Sychai Mary ei llygaid â hances binc. Chwarddai a chymeradwyai Anna a'i dagrau'n llifo. Clapiai Tom yn llawn cyffro, fel petai ar bigau'r drain i redeg ati a'i chofleidio. Roedd hithau ar dân i'w gofleidio yntau hefyd.

Ymsythai John yn ei grys-T llwyd lwcus, cariad dwfn yn ei lygaid a gorfoledd digamsyniol yn ei wên.

Byddai ysgrifennu'r araith, ei chyflwyno'n dda, ac ysgwyd llaw
a sgwrsio'n gall â channoedd o bobl yn y Gynhadledd Gofal
Dementia wedi bod yn dipyn o dreth ar rywun heb glefyd
Alzheimer. I rywun â chlefyd Alzheimer, roedd yn llethol.
Llwyddodd Alys i ymdopi'n dda am gyfnod wedi hynny, yn
cael ei chario gan anterth y profiad, y cof am y gymeradwyaeth,
a hyder newydd yn ei statws mewnol. Alys Howland oedd hi,
dynes ddewr ac arbennig iawn.

Ond wedi'r anterth daeth y gwymp. Pylodd ei chof. Collodd
fymryn o'i hyder a'i statws pan roddodd eli wyneb ar ei brws
dannedd. Collodd fymryn yn rhagor pan fu'n ceisio ffonio
John am hydoedd â theclyn rheoli'r teledu. Collodd yr olaf
ohono pan gafodd wybod gan ei thrwyn nad oedd wedi
ymolchi ers dyddiau, a phan na allai gyrchu'r nerth na'r
wybodaeth angenrheidiol i gamu i'r baddon. Alys Howland
oedd hi, ac roedd hi'n ysglyfaeth i glefyd Alzheimer.

A'i hegni bellach wedi'i ddisbyddu heb ddim wrth gefn, yr
ewfforia wedi hen bylu, a'r cof am ei buddugoliaeth a'i hyder

wedi'i ysbeilio, cawsai Alys ei llethu'n llwyr. Cysgai'n hwyr, ac arhosai yn ei gwely am oriau ar ôl dihuno. Eisteddai ar y soffa yn crio heb unrhyw reswm penodol. Ni waeth faint o gwsg a gâi neu faint o grio a wnâi, ni allai adfywio.

Dihunwyd hi gan John o bellafion cwsg, ac fe'i gwisgodd. Wnaeth hi ddim gwrthwynebu. Ddywedodd o ddim wrthi am gribo'i gwallt na glanhau'i dannedd. Doedd dim ots ganddi. Hysiodd hi i sedd flaen y car, a phwysodd hithau ei thalcen yn erbyn y ffenestr oer. Edrychai'r byd y tu allan yn llwydlas. Wyddai hi ddim i ble'r oedden nhw'n mynd. Doedd dim ots ganddi.

Baciodd John y car i le parcio, ac aethant i mewn i adeilad drwy ddrws ar y llawr gwaelod. Roedd y golau llachar yn brifo'i llygaid. Cerddodd y ddau drwy goridorau llydain: RADIOLEG, LLAWFEDDYGAETH, OBSTETREG, NIWROLEG. *Niwroleg.*

Aethant i mewn i ystafell. Yn lle'r ystafell aros a ddisgwyliai Alys, gwelodd ddynes yn gorwedd mewn gwely. Roedd chwydd yn ei llygaid caeedig ac roedd tiwb IV yn sownd yn ei llaw.

"Be sy'n bod arni?" sibrydodd Alys.

"Dim. Wedi blino mae hi," meddai John.

"Mae golwg y diawl arni."

"Shh, dwyt ti ddim am iddi glywed hynna."

Nid oedd yr ystafell yn debyg i ysbyty. Roedd gwely arall, un llai heb ei gymoni, yn ymyl yr un lle cysgai'r ddynes, teledu mawr yn y gornel, ffiol o flodau melyn a phinc ar fwrdd, a lloriau pren. Efallai nad mewn ysbyty roedd hi. Efallai mai mewn gwesty roedd hi. Ond pam roedd gan y ddynes yna diwb yn ei llaw?

Daeth dyn ifanc smart i mewn yn cario cwpanau ar hambwrdd. *Efallai mai hwn yw ei meddyg.* Gwisgai gap, jîns a chrys-T. *Efallai mai un o staff y gwesty ydi o.*

"Llongyfarchiadau," sibrydodd John.

"Diolch. Mae Tom newydd adael. Fe ddaw yn ôl y prynhawn 'ma. Ddes i â choffi inni i gyd, a the i Alys. Af i nôl y babis."

Roedd y dyn ifanc yn ei hadnabod wrth ei henw.

Dychwelodd y dyn ifanc yn gwthio trol ac arni ddau dwbyn plastig hirsgwar. Ym mhob twbyn roedd babi bach, y naill a'r llall wedi'u rhwymo mewn blancedi gwyn, a het fach wen ar gorun y ddau.

"Fe wna i ei dihuno hi. Fydd hi ddim am gysgu a chithau yma," meddai'r dyn ifanc.

Digon amharod i ddeffro yr oedd y ddynes, ond pan welodd Alys a John bywiogodd ei llygaid mewn amrantiad. Gwenodd, a disgynnodd y darnau i'w lle. *Anna ydi honna!*

"Llongyfarchiadau, bach," meddai John. "Maen nhw'n werth y byd," a phlygodd drosti i gusanu'i thalcen.

"Diolch, Dad."

"Mae golwg dda arnat ti. Wyt ti'n teimlo'n iawn?" gofynnodd John.

"Diolch. Dwi'n ocê, ond wedi blino braidd. Dyma nhw ichi. Barod? Allison Anne ydi hon, a'r un bach yma ydi Charles Thomas."

Estynnodd y dyn ifanc un o'r babis i John. Cododd y babi arall, yr un â rhuban pinc yn ei het, a'i chynnig i Alys.

"Hoffech chi gwtsh?" gofynnodd y dyn ifanc.

Amneidiodd Alys.

Magodd y babi bach yn dyner ym mhlygiad ei braich, ei chorff yn erbyn ei brest, ei chlust wrth ei chalon. Anadlai'r fechan yn ddiddig yn ei chwsg drwy ffroenau pitw, perffaith, ac yn reddfol, cusanodd Alys ei bochau pinc, crynion.

"Anna, fe gest ti dy fabis," meddai Alys.

"Do, Mam. Rydych chi'n magu eich wyres, Allison Anne," meddai Anna.

"Mae'n berffaith Dwi'n dwlu arni hi."

Fy wyres. Edrychodd ar y babi arall ym mreichiau John. *Fy ŵyr.*

"Chaiff y rhain ddim clefyd Alzheimer fel fi?" gofynnodd Alys.

"Na, Mam, chawn nhw ddim."

Anadlodd Alys yn ddwfn, gan ymhyfrydu yn arogl amheuthun ei hwyres fechan. Roedd ei chwpan yn llawn.

"Mam, dwi wedi cael fy nerbyn i Brifysgolion Efrog Newydd a Brandeis."

"O, mae hynna'n newyddion gwych. Galla i gofio dechrau coleg fy hun. Beth fydd dy bwnc di?" gofynnodd Alys.

"Theatr."

"Da iawn, wir. I Harvard roeddwn i'n mynd. Roeddwn i wrth fy modd yno. Pa brifysgol wyt ti'n mynd iddi?"

"Dwi ddim yn siŵr eto. Dwi wedi cael lle yn Efrog Newydd a Brandeis."

"Ble rwyt ti am fynd?"

"Wn i ddim. Siaradais â Dad ac mae o am i fi fynd i Efrog Newydd."

"Wyt ti isio mynd i Efrog Newydd?"

"Dwi ddim yn siŵr. Mae gwell enw gan Efrog Newydd ond mae'n well gen i Brandeis. Fe fyddwn i yn ymyl Anna a Charlie a'r efeilliaid, a Tom, a chi a Dad hefyd os byddwch chi'n aros yma."

"Os byddwn ni'n aros ymhle?" gofynnodd Alys.

"Yma, yn Cambridge."

"Ble arall fydda i, ond Cambridge?"

"Efrog Newydd."

"Na, fydda i ddim yn Efrog Newydd, siŵr iawn."

Eisteddai'r ddwy glun wrth glun ar soffa yn plygu dillad

babis, ac yn didoli'r rhai pinc o'r rhai glas. Lluchiai'r teledu ddelweddau mud tuag atynt.

"Petawn i'n derbyn Brandeis, a chithe a Dad yn symud i Efrog Newydd, fe fyddwn i'n teimlo fy mod yn y lle anghywir, fel petawn i wedi gwneud penderfyniad anghywir."

Rhoddodd Alys y gorau i blygu ac edrychodd ar y ddynes yn ei hymyl. Roedd hi'n ifanc, yn fain ac yn bert. Roedd golwg flinedig arni hefyd ac roedd yn amlwg yn pryderu am rywbeth.

"Faint ydi dy oed di?" gofynnodd Alys.

"Pedair ar hugain."

"Pedair ar hugain. Roeddwn i'n dwlu bod yn bedair ar hugain. Mae dy holl fywyd o dy flaen. Mae unrhyw beth yn bosib. Wyt ti'n briod?"

Rhoddodd y ddynes ifanc, bert, flinedig, y gorau i blygu ac edrychodd i fyw llygaid Alys. Roedd gan y ferch ifanc, bert, flinedig, lygaid fel felfed brown, craff a gonest.

"Na, dydw i ddim yn briod."

"Plant?"

"Na."

"Felly, dylet ti wneud beth bynnag rwyt ti'n dymuno'i wneud."

"Ond beth petai Dad yn penderfynu derbyn y swydd yn Efrog Newydd?"

"Alli di ddim gwneud penderfyniad yn seiliedig ar yr hyn y bydd rhywun arall yn ei wneud neu ddim yn ei wneud. Dy benderfyniad di ydi hwn, dy addysg di. Rwyt ti'n oedolyn, does dim rhaid iti wneud yr hyn mae dy dad am iti'i wneud. Gwna di dy benderfyniad yn ôl yr hyn sy'n iawn i ti."

"Ocê. Diolch ichi."

Chwarddodd y ddynes ifanc â'r llygaid melfed brown ac aeth ati eto i blygu'r dillad babis.

"Rhyfedd fel mae'r rhod yn troi, Mam."

Ni ddeallai Alys mohoni. "Wyddost ti," meddai, "rwyt ti'n fy atgoffa o un o'm myfyrwyr ers talwm. Arferwn gynghori myfyrwyr. Roeddwn i'n gwneud job dda hefyd."

"Oeddech, mi oeddech chi. Rydych chi'n dal i wneud job dda."

"Be ydi enw'r brifysgol eto?"

"Brandeis."

"Ble mae hwnna?"

"Waltham, ddim yn bell o fan'ma."

"A beth fyddi di'n ei astudio?"

"Actio."

"Gwych. Fyddi di'n actio mewn dramâu?"

"Byddaf."

"Shakespeare?"

"Ie."

"Dwi'n dwlu ar Shakespeare, yn enwedig y trasiedïau."

"Finne hefyd."

Daeth y ddynes ifanc bert at Alys, a'i chofleidio. Aroglai'n lân a ffres, fel sebon newydd. Teimlai Alys yn gynnes a chlyd yn ei chwmni.

"Mam, plis peidiwch â symud i Efrog Newydd."

"Efrog Newydd? Paid â siarad dwli. Fan'ma mae 'nghartre i. Pam fyddwn i isio symud i Efrog Newydd?"

"Wn i ddim sut rwyt ti'n gwneud hyn," meddai actores. "Roeddwn i ar fy nhraed efo hi y rhan fwyaf o'r nos, a dwi bron â chwympo. Fe wnes i wyau wedi'u sgramblo, tost a phaned iddi am dri y bore."

"Roeddwn innau ar fy nhraed bryd hynny. Petai modd dy gael di i laetha, gallet ti fod wedi fy helpu i fwydo un o'r ddau fach yma," meddai mam y babis.

Eisteddai'r fam ar y soffa yn ymyl yr actores, yn bwydo babi â gwisg las ar ei bron. Roedd y babi â gwisg binc yng nghôl Alys. Cerddodd John i mewn wedi cael cawod ac wedi gwisgo, yn dal cwpanaid o goffi yn un llaw a phapur yn y llall. Roedd y menywod mewn pyjamas.

"Diolch iti am godi ati neithiwr, Lyd. Roedd angen cwsg arna i," meddai John.

"Dad, sut ar y ddaear rydych chi'n meddwl y gallwch chi fynd i Efrog Newydd a gwneud hyn heb ein help ni?" gofynnodd y fam.

"Rwy am gyflogi rhywun i helpu. A dweud y gwir, rwy'n chwilio am rywun i ddechrau nawr."

"Dwi ddim isio pobl ddiarth yn gofalu amdani. Wnawn nhw ddim rhoi cwtsh iddi a'i charu hi fel rydyn ni'n ei wneud," meddai'r actores.

"Fydd dieithryn ddim yn gwybod ei hanes a'i hatgofion fel ni. Weithiau, am ein bod ni'n ei nabod yn dda, gallwn lenwi'r bylchau a darllen ei chorff," meddai'r fam.

"Sa i'n dweud na fyddwn ni'n dal i ofalu amdani; bod yn realistig ac yn ymarferol ydw i. 'Sdim rhaid inni ysgwyddo hyn i gyd ein hunain. Byddi di'n ailddechrau gweithio cyn pen dim ac yn dod gartref at ddau fabi nad wyt ti wedi'u gweld drwy'r dydd.

"Ac rwyt tithau'n dechrau coleg. Rwyt ti'n sôn byth a hefyd pa mor ddwys yw'r cwrs. Mae Tom wrth ei waith y funud hon. Bydd pob un ohonoch chi'n brysurach nag erioed, a'ch mam fyddai'r olaf i ofyn ichi gyfaddawdu ynghylch ansawdd eich bywyd er ei mwyn hi. Fyddai hi fyth am fod yn faich arnoch chi."

"Nid baich ydi hi. Mam ydi hi," meddai'r fam.

Roedden nhw'n siarad yn rhy gyflym ac yn defnyddio

gormod o ragenwau. Dechreuodd y babi mewn gwisg binc swnian a llefain, gan dynnu'i sylw. Ni allai Alys amgyffred am beth nac am bwy roedd y sgwrs, ond deallai yn ôl eu hystum a'u hosgo ei bod hi'n ddadl bwysig iawn. Roedd y merched mewn pyjamas yn gytûn.

"Efallai y galla i ymestyn fy nghyfnod mamolaeth. Dwi'n teimlo dan straen, braidd, ac mae Charlie'n ddigon bodlon i fi wneud hynny. Mae'n gwneud synnwyr. Galla i helpu efo Mam."

"Dad, dyma'r cyfle olaf gawn ni i dreulio amser efo hi. Allwch chi ddim mynd i Efrog Newydd, allwch chi ddim ein hamddifadu o hynny."

"Yli, petaet ti wedi derbyn cynnig Prifysgol Efrog Newydd yn lle Brandeis, gallet ti fod wedi treulio peth wmbredd o amser gyda hi. Rwyt ti wedi gwneud dy ddewis. Rwy innau'n gwneud fy newis i."

"Pam nad oes gan Mam lais yn y dewis 'ma?" gofynnodd y fam.

"Dydi hi ddim isio byw yn Efrog Newydd," meddai'r actores.

"Wyddost ti ddim beth mae hi moyn," meddai John.

"Mae eisoes wedi dweud nad ydi hi isio mynd yno. Gofynnwch iddi. Dydi'r ffaith bod ganddi glefyd Alzheimer ddim yn golygu nad ydi hi'n deall beth mae hi isio a ddim isio. Am dri y bore, roedd hi isio wyau wedi'u sgramblo a thost, a doedd hi ddim isio sudd na bacwn. Ac roedd hi'n bendant nad oedd am fynd yn ôl i'w gwely. Rydych chi'n dewis ei hanwybyddu achos bod clefyd Alzheimer arni," meddai'r actores.

O, siarad amdana i maen nhw.

"Sa i'n anwybyddu dim byd. Rwy'n gwneud fy ngorau i wneud yr hyn sy'n iawn i'r ddau ohonon ni. Pe byddai hi'n cael popeth mae hi moyn, fydden ni ddim hyd yn oed yn cael y sgwrs yma."

"Beth yffach ydi ystyr hynna?" gofynnodd y fam.

"Dim byd."

"Mae'n union fel tasech chi heb ddeall ei bod hi'n dal yma, fel tasech chi wedi penderfynu nad oes gwerth i'w bywyd rhagor. Rydych chi'n ymddwyn fel plentyn bach wedi'i sbwylio," meddai'r fam.

Roedd y fam yn ddagreuol erbyn hyn, ond roedd golwg flin arni hefyd. Edrychai a swniai fel Anne, chwaer Alys. Ond nid Anne oedd hi, roedd hynny'n amhosibl. Nid oedd plant gan Anne.

"Sut wyt ti'n gwybod ei bod hi'n meddwl bod hyn yn ystyrlon? Fyddai hi, yr hen hi, cyn i hyn ddigwydd, ddim am imi gefnu ar y cyfle 'ma. Doedd hi ddim am fod yma fel hyn," meddai John.

"Beth ydych chi'n feddwl?" gofynnodd y ddynes ddagreuol a edrychai ac a swniai fel Anne.

"Dim byd. Drychwch, rwy'n deall ac yn gwerthfawrogi popeth mae'r ddwy ohonoch yn ei ddweud. Ond rwy'n ceisio gwneud penderfyniad rhesymegol, nid penderfyniad emosiynol."

"Pam? Beth sydd o'i le ar fod yn emosiynol? Pam mae hynna'n beth negyddol? Pam nad yw'r penderfyniad emosiynol yn benderfyniad iawn?" holodd y ddynes nad oedd yn ddagreuol.

"Sa i wedi gwneud penderfyniad terfynol eto, a sa i'n mynd i adael i chi'ch dwy fy hwrjio i wneud penderfyniad chwaith. Dydych chi ddim yn gwybod popeth."

"Felly, dywedwch wrthon ni, Dad. Dywedwch wrthon ni beth dydyn ni ddim yn ei wybod," meddai'r ddynes ddagreuol, a chryndod a bygythiad yn ei llais.

Lloriodd y bygythiad ef am ennyd.

"'Sdim amser gyda fi i hyn nawr. Mae cyfarfod 'da fi."

Cododd a chefnodd ar y ddadl, gan adael y merched a'r babis wrthynt eu hunain. Caeodd y drws yn glep ar ei ôl, gan ddychryn y babi mewn gwisg las, a oedd newydd huno yng nghôl ei fam. Dechreuodd lefain. Dechreuodd y ddynes arall lefain hefyd, fel petai llefain yn heintus. Efallai mai teimlo allan o bethau roedd hi. Erbyn hyn roedd pawb yn llefain – y babi pinc, y babi glas, y fam, a'r ddynes yn ymyl y fam. Pawb ond Alys. Nid oedd hi'n drist, nac yn flin, nac wedi'i threchu nac yn ofnus. Eisiau bwyd roedd hi.

"Beth gawn ni i swper?"

Cyrhaeddodd y ddau'r cownter ar ôl aros am amser hir mewn llinell hir.

"Reit, Alys, beth hoffet ti?" gofynnodd John.

"Mi gaf i beth bynnag rwyt ti'n ei gael."

"Rwy'n cael fanila."

"Iawn, gaf i hwnna."

"Nid fanila rwyt ti isie. Rhywbeth siocled rwyt ti isie."

Edrychai'n fater digon syml a didrafferth iddi hi, ond roedd fel petai'r sgwrs yn achosi cryn straen iddo ef.

"Gaf i fanila mewn corned, a geith hithe daffi siocled mewn corned. Dau fawr, os gwelwch yn dda."

I ffwrdd o'r siopau a'r llinellau hir o bobl, canfu'r ddau fainc ar lan afon i eistedd a bwyta eu hufen iâ. Roedd gwyddau'n pori am friwsion yn y glaswellt nid nepell oddi wrthynt. Cadwai'r gwyddau eu pennau i lawr, wedi ymgolli'n llwyr yn y busnes o bori, heb gymryd sylw o Alys a John. Cafodd Alys biffiad o chwerthin wrth ddyfalu a oedd y gwyddau yn meddwl yr un peth amdanyn nhw.

"Alys, wyt ti'n gwybod pa fis yw hi?"

Bu'n bwrw glaw gynnau, ond roedd yr awyr yn glir erbyn hyn, ac roedd gwres yr haul a'r fainc sych yn treiddio hyd ei mêr. Dyna braf oedd bod yn gynnes. Ar y llawr o'u hamgylch, fel conffeti pinc a gwyn, roedd blodau'r afallennau.

"Mae'n wanwyn."

"Pa fis o'r gwanwyn?"

Llyfodd Alys ei hufen iâ rhywbeth siocled a chysidrodd ei gwestiwn o ddifrif. Allai hi ddim cofio pa bryd y gwelsai galendr ddiwethaf. Aethai sbel heibio ers yr adeg yr oedd gofyn iddi fod yn rhywle erbyn rhyw amser. Os oedd rhaid iddi fod yn rhywle erbyn rhyw amser, roedd John yn gwybod am hynny ac yn gwneud yn siŵr ei bod yn cyrraedd yno mewn pryd. Doedd hi ddim yn defnyddio peiriant apwyntiadau mwyach, nac yn gwisgo cloc ar ei garddwrn.

Reit 'te. Misoedd y flwyddyn.

"Wn i ddim. Pa fis ydi hi?"

"Mis Mai."

"O."

"Wyt ti'n gwybod pryd mae pen-blwydd Anna?"

"Ym mis Mai?"

"Nage."

"Wel, dwi'n siŵr bod pen-blwydd Anne yn y gwanwyn."

"Na, nid Anne, ond Anna."

Ymlwybrodd lorri felen dros y bont gerllaw gan duchan yn uchel a dychryn Alys. Lledodd un o'r gwyddau ei hadenydd a chlegar ar y lorri, fel petai'n eu hamddiffyn. Ceisiodd Alys ddyfalu ai dewr oedd hi ynteu penboeth, yn ysu am ffeit. Cafodd Alys biffiad o chwerthin wrth ddychmygu'r ŵydd benboeth.

Llyfodd ei hufen iâ rhywbeth siocled ac astudiodd

bensaernïaeth yr adeilad brics coch ar draws yr afon. Roedd ynddo ddwsinau o ffenestri, a chloc ac arno rifau hen ffasiwn ar gorun aur. Edrychai'n bwysig ac yn gyfarwydd.

"Be ydi'r adeilad yna draw fan'na?" gofynnodd Alys.

"Yr ysgol fusnes yw hwnna. Rhan o Harvard."

"Oeddwn i'n arfer gweithio fan'na?"

"Na. Roeddet ti'n gweithio mewn adeilad gwahanol yr ochr yma i'r afon."

"O."

"Alys, ble mae dy swyddfa di?"

"Fy swyddfa i? Yn Harvard."

"Ie, ond ble yn Harvard?"

"Mewn adeilad yr ochr yma i'r afon."

"Pa adeilad?"

"Mewn neuadd, dwi'n credu. Dydw i ddim yn mynd yno rhagor, 'sti."

"Rwy'n gwybod hynny."

"Felly, does dim ots ble mae o, nag oes? Pam na wnawn ni ganolbwyntio ar y pethau sy'n wirioneddol bwysig?"

"Dyna rwy'n ceisio'i wneud."

Cydiodd yn ei llaw. Roedd yn gynhesach na'i llaw hi. Teimlai ei llaw yn hyfryd yn ei law o. Siglodd dwy ŵydd dew eu ffordd i'r dŵr. Nid oedd neb yn nofio yn yr afon. Rhy oer i bobl, siŵr o fod.

"Alys, wyt ti'n dal eisiau bod yma?"

Cyfarfu ei aeliau â'i gilydd, a dyfnhaodd y crychau o boptu'i lygaid. Roedd hwn yn gwestiwn pwysig. Gwenodd, yn browd ohoni'i hun am fod ganddi, am unwaith, ateb parod iddo.

"Ydw. Dwi'n hoffi eistedd yma efo ti, a dwi ddim wedi gorffen eto."

Chwifiodd ei hufen iâ siocled o'i flaen i ddangos iddo. Roedd wedi dechrau toddi a llifo i lawr ochrau'r corned ac ar ei llaw.

"Pam, oes rhaid inni adael rŵan?" gofynnodd.

"Nag oes. Cymer dy amser."

Eisteddai Alys wrth ei chyfrifiadur yn aros i'r sgrin ddeffro. Roedd Cathy newydd ffonio, yn llawn pryder. Dywedodd nad oedd Alys wedi ateb ei negeseuon e-bost ers tro, nad oedd wedi cyfrannu at y siop siarad dementia ers wythnosau, a'i bod yn absennol o'r grŵp cymorth eto ddoe. Dim ond pan grybwyllodd Cathy'r grŵp cymorth y sylweddolodd Alys pwy oedd y Cathy bryderus honno ar y ffôn. Dywedodd Cathy fod dau berson newydd wedi ymuno â'r grŵp, a'i fod wedi cael ei argymell iddynt gan bobl a fu'n bresennol yn y Gynhadledd Gofal Dementia ac a glywodd araith Alys. Cytunodd Alys fod hynny'n newyddion gwych. Ymddiheurodd wrth Cathy am achosi gofid iddi a gofynnodd iddi hysbysu pawb ei bod yn iawn.

Ond y gwir plaen oedd bod Alys ymhell o fod yn iawn. Gallai ddarllen a deall darnau byr o destun, ond ni allai wneud pen na chynffon o fysellfwrdd y cyfrifiadur. Ni allai bellach lunio geiriau o'r llythrennau arno. Roedd ei gallu ieithyddol, y peth hwnnw a oedd yn gwneud bodau dynol yn wahanol i anifeiliaid, yn ei gadael, a theimlai'n llai a llai dynol wrth iddo ddarfod. Roedd wedi cefnu ar fod yn 'iawn' ers peth amser.

Cliciodd ar ei mewnflwch. Roedd saith deg tri e-bost yn aros amdani. Cafodd gymaint o fraw nes iddi gau'r rhaglen e-bost heb agor yr un ohonyn nhw. Edrychodd ar y sgrin y treuliasai gymaint o'i bywyd proffesiynol o'i blaen. Syllai tair ffolder arni o'r sgrin: 'Gyriant Caled', 'Alys', 'Iâr Fach yr Haf'. Cliciodd ar y ffolder 'Alys'.

Yn honno, roedd rhagor o ffolderi ac iddynt amryw deitlau: 'Cartref', 'Crynodebau', 'Cyflwyniadau', 'Cynadleddau', 'Dosbarthiadau', 'Ffigurau', 'Grantiau', 'Gweinyddol', 'John', 'Myfyrwyr', '*O Foleciwlau i'r Meddwl*', 'Papurau', 'Plant', 'Seminarau'. Ei bywyd cyfan mewn eiconau bach del. Ni allai fentro agor yr un ohonyn nhw, rhag ofn na allai gofio na deall odid ddim. Yn hytrach, cliciodd ar y ffolder 'Iâr Fach yr Haf'.

Annwyl Alys,

Fe ysgrifennaist y llythyr hwn atat dy hun pan oeddet ti yn dy iawn bwyll. Os wyt ti'n darllen hwn, a thithau wedi methu ag ateb un neu ragor o'r cwestiynau a ganlyn, yna nid wyt ti bellach yn dy iawn bwyll:

Pa fis ydi hi?

Ble rwyt ti'n byw?

Ble mae dy swyddfa di?

Pryd mae pen-blwydd Anna?

Faint o blant sydd gen ti?

Mae clefyd Alzheimer arnat ti. Rwyt ti wedi colli gormod ohonot dy hun, gormod o'r hyn rwyt ti'n ei garu, ac nid wyt ti'n byw'r bywyd a ddymuni. Nid oes diwedd da i'r clefyd hwn, ond rwyt wedi dewis y canlyniad mwyaf urddasol, teg a pharchus i ti a'r teulu. Ni alli ymddiried yn dy ddoethineb

*dy hun, ond fe alli ymddiried ynof fi, sef ti, fel yr oeddet ti
cyn i glefyd Alzheimer ddwyn gormod ohonot ymaith.*

*Cefaist fywyd arbennig iawn a gwerth chweil. Mae
gennyt ti, a John dy ŵr, dri o blant iach, gwych, a llawn
cariad, sy'n dod ymlaen yn dda yn y byd, ac fe gefaist yrfa
heb ei hail yn Harvard, yn gyforiog o her, creadigrwydd,
angerdd a llwyddiant.*

*Mae'r rhan hon o dy fywyd, y rhan â chlefyd Alzheimer,
a'r diweddglo hwn a ddewisaist yn ofalus, yn drasig, ond
nid bywyd trasig a gefaist. Rwy'n dy garu di, ac rwy'n browd
ohonot ti, o'r modd y gwnest ti fyw dy fywyd a'r hyn a wnest
tra medraist.*

*Nawr, cer i dy ystafell wely. Cer at y bwrdd du yn ymyl y
gwely, yr un â'r lamp las arno. Agor y drôr. Yng nghefn y
drôr, mae potel o dabledi. Ar y botel mae label sy'n dweud I
ALYS mewn llythrennau du. Mae llawer o dabledi yn y
botel. Llynca bob un ohonyn nhw efo llond gwydr mawr o
ddŵr. Gwna'n siŵr dy fod yn llyncu pob un. Yna, cer i'r
gwely a chysga.*

*Cer nawr, cyn iti anghofio. Paid â dweud wrth neb beth
rwyt ti'n ei wneud. Trystia fi.*
Cariad mawr,
Alys Howland

Darllenodd y llythyr unwaith eto. Nid oedd yn cofio ei
ysgrifennu. Wyddai hi ddim beth oedd yr atebion i'r un o'r
cwestiynau, heblaw'r un am faint o blant a oedd ganddi. Ond
efallai mai oherwydd ei bod wedi'i gynnwys yn y llythyr y
gwyddai'r ateb hwnnw. Wyddai hi ddim i sicrwydd beth oedd
eu henwau ychwaith. Anna a Charlie efallai. Allai hi ddim cofio
enw'r llall.

Darllenodd y llythyr eto, yn arafach y tro hwn, pe bai'r ffasiwn beth yn bosibl. Roedd darllen rhywbeth ar sgrin yn anodd, yn anoddach na darllen ar bapur. Gallai fynd â phapur gyda hi i'w hystafell wely a'i ddarllen yn y fan honno. Roedd eisiau argraffu'r llythyr, ond wyddai hi ddim sut i wneud hynny. Biti nad oedd yr hen hi fel yr oedd hi cyn i glefyd Alzheimer ddwyn gormod ohoni ymaith wedi cynnwys cyfarwyddiadau argraffu.

Darllenodd ef eto. Roedd yn ei chyfareddu, fel darllen dyddiadur bore oes, a gynhwysai eiriau cyfrinachol a diffuant geneth ifanc nad oedd gan Alys ond brith gof amdani. Gresyn na wnaeth hi ysgrifennu rhagor. Roedd y geiriau yn gwneud iddi deimlo'n drist ac yn browd, yn bwerus ac yn ysgafnach ei chalon. Cymerodd anadl ddofn, ac un arall allan, ac aeth i fyny'r grisiau.

Erbyn iddi gyrraedd y landin, roedd wedi anghofio pam roedd hi yno. Roedd o'n eithriadol o bwysig, oedd, ond wyddai hi ddim pam. Dychwelodd i'r llawr gwaelod i chwilio am dystiolaeth i ddangos ymhle y bu gynnau. Canfu'r cyfrifiadur a'r llythyr ar ei sgrin. Darllenodd ef ac aeth i fyny'r grisiau.

Agorodd y drôr yn y bwrdd yn ymyl y gwely. Tynnodd allan becyn o hancesi papur, beiros, papur gludiog, eli, losin at beswch, edau ddannedd ac arian parod. Taenodd bopeth ar y gwely a chyffyrddodd â phob eitem. Hancesi papur, beiro, beiro, beiro, papur gludiog, pres, losin, losin, edau, eli.

"Alys?"

"Be?"

Neidiodd allan o'i chroen. Safai John yn y drws.

"Be wyt ti'n ei wneud fan hyn?" gofynnodd.

Edrychodd Alys ar yr eitemau ar y gwely.

"Chwilio am rywbeth."

"Rhaid imi bicio draw i'r swyddfa i ymofyn rhywbeth. Rwy'n mynd yn y car, felly fydda i fawr o dro."

"Ocê."

"Drycha, mae'n bryd, llynca'r rhain cyn imi anghofio."

Estynnodd wydraid o ddŵr iddi a dyrnaid o dabledi. Llyncodd hithau bob un.

"Diolch," meddai.

"Croeso, siŵr. Fydda i 'nôl toc."

Cymerodd y gwydryn gwag oddi wrthi ac aeth allan o'r llofft. Gorweddodd hithau ar y gwely yn ymyl sborion y drôr a chaeodd ei llygaid, gan deimlo'n drist ac yn browd, yn bwerus ac yn ysgafnach ei chalon wrth iddi ddisgwyl.

"Alys, plis, gwisga dy glogyn a dy gap graddio. Rhaid inni adael."

"Ble yden ni'n mynd?" gofynnodd Alys.

"Harvard Commencement."

Archwiliodd ei gwisg eto. Doedd hi'n dal ddim yn deall.

"Be mae *commencement* yn feddwl?"

"Seremoni raddio Harvard yw e. Ystyr *commencement* ydi dechrau."

Commencement. Graddio o Harvard. Dechrau. Gadawodd i'r gair doddi ar ei thafod. Roedd graddio o Harvard yn golygu dechrau. Dechrau bywyd fel oedolyn, dechrau bywyd proffesiynol, dechrau bywyd ar ôl Harvard. *Commencement*. Roedd hi'n hoffi'r gair, ac eisiau ei gofio.

Cerddodd y ddau ar hyd y palmentydd prysur yn gwisgo'u gynau pinc tywyll a'u capiau duon. Teimlai'n hurt, a doedd ganddi ddim ffydd o gwbl yn y wisg a ddewisodd John iddi. Yna, gwelodd nifer fawr o bobl mewn gwisgoedd tebyg.

Cannoedd ohonyn nhw. Yr un clogyn a'r un cap a wisgai pawb, ond o liwiau gwahanol, a chyn hir, canfu John a hithau eu hunain ynghanol enfys fawr.

Aethant at lecyn glas dan gysgod coed hynafol ac adeiladau hynafol i gyfeiliant araf, seremonïol, bagbibau. Aeth Alys yn groen gŵydd drosti. *Dwi wedi gwneud hyn o'r blaen.* Arweiniwyd hwy at res o gadeiriau, ac eisteddodd y ddau.

"Seremoni raddio Harvard ydi hon," meddai Alys.

"Ie," meddai John.

"*Commencement.*"

"Ie."

Cyn hir, dechreuodd yr areithiau. Roedd Harvard yn tueddu i wahodd pobl enwog a phwerus i areithio yn y seremoni, arweinwyr gwleidyddol fel arfer.

"Siaradodd brenin Sbaen yma un tro," meddai Alys.

"Do," meddai John, gan chwerthin yn gynnil.

"Pwy ydi hwn?" gofynnodd Alys, gan gyfeirio at y dyn ar y llwyfan.

"Actor," meddai John.

Tro Alys oedd hi i chwerthin.

"Ha, methu cael brenin eleni, decini," meddai Alys.

"Mae dy ferch yn actores, wyddost ti. Efallai mai hi fydd ar y llwyfan yna rhyw ddydd," meddai John.

Gwrandawodd Alys ar yr actor. Siaradai'n huawdl a ffraeth. Cyfeiriai droeon at ryw bicarésg.

"Be ydi picarésg?" gofynnodd Alys.

"Antur fawr sy'n dysgu gwersi i'r arwr."

Siaradodd yr actor am antur ei fywyd yntau. Dywedodd ei fod yn awyddus i drosglwyddo i'r bobl a oedd yn graddio'r diwrnod hwnnw, y bobl a fyddai'n dechrau eu picarésg eu hunain, wybodaeth am yr hyn a ddysgodd ar hyd y daith.

Cyfeiriodd at bum gwers: bod yn greadigol, bod yn ddefnyddiol, bod yn ymarferol, bod yn hael, a gorffen efo steil.

Dwi wedi gwneud hyn i gyd, dwi'n meddwl. Heblaw nad ydw i wedi gorffen eto. Dwi ddim wedi gorffen efo steil.

"Cyngor da," meddai Alys.

"Ie," cytunodd John.

Buont yn eistedd yno'n gwrando ac yn clapio am hydoedd, nes roedd Alys wedi syrffedu. Yna, cododd pawb a dechrau cerdded i wahanol gyfeiriadau. Aeth Alys a John ac ambell un arall i mewn i adeilad gerllaw. Syllodd Alys yn syfrdan ar y nenfwd derw crand a'r siandelïers drudfawr yr olwg a grogai ohono.

"Ble yden ni?" gofynnodd Alys.

"Y Neuadd Goffa ydi hon. Rhan o Harvard."

Er mawr siom iddi bu'n rhaid iddynt symud yn eu blaenau yn llawer rhy fuan, a chanfod seddau mewn darlithfa gymharol blaen.

"Be sy'n digwydd rŵan?" holodd Alys.

"Mae myfyrwyr ôl-radd Ysgol y Celfyddydau a'r Gwyddorau yn cael eu doethuriaethau. Rydyn ni yma i weld Dan yn graddio. Dy fyfyriwr di ydi o."

Edrychodd o gwmpas yr ystafell ar wynebau'r bobl yn y gynau pinc tywyll. Ni allai adnabod Dan. Nid oedd yn adnabod neb mewn gwirionedd, ond gallai amgyffred yr emosiwn a'r egni yn yr ystafell. Roedden nhw'n hapus, yn obeithiol, yn browd ac yn ysgafn eu calon. Roedden nhw'n barod am heriau newydd, yn llawn addewid i ganfod a chreu ac addysgu, i fod yn arwyr yn eu hanturiaethau eu hunain.

Yr hyn a synhwyrai ynddyn nhw, fe'i hadwaenai hefyd ynddi hi'i hun. Dyma rywbeth yr oedd yn ei wybod, y lle hwn, y cyffro hwn, yr addewid a'r dechrau newydd hwn. Yn y fan hon y dechreuodd ei hantur hithau, ac er na allai ddwyn y manylion i gof, gwyddai'n gwbl ddigwestiwn iddi fod yn antur werth chweil.

"Dacw fo, ar y llwyfan," meddai John.

"Pwy?"

"Dan, dy fyfyriwr di."

"Pa un?"

"Yr un â gwallt melyn."

"Daniel Maloney," cyhoeddodd rhywun.

Camodd Dan ymlaen ac ysgydwodd law â'r dyn ar y llwyfan yn gyfnewid am ffolder goch. Yna, chwifiodd Dan y ffolder goch uwch ei ben, gan wenu'n orfoleddus. Am ei lawenydd, am bopeth a wnaethai i gyflawni'i gamp, am yr antur y byddai'n dechrau arni, cymeradwyodd Alys ef, y myfyriwr hwnnw na allai alw'i enw, na'i wyneb, na'i waith i gof.

Safodd Alys a John mewn pabell fawr wen ymhlith y myfyrwyr mewn gynau pinc tywyll a'r bobl a oedd yn llawenhau gyda hwy, a disgwyl. Dynesodd llanc ifanc, melynwallt at Alys, yn wên o glust i glust. Heb oedi dim, cofleidiodd hi a phlannu cusan ar ei boch.

"Dan Maloney ydw i, eich myfyriwr chi."

"Llongyfarchiade, Dan. Dwi'n falch iawn ohonot ti," meddai Alys.

"Diolch yn fawr. Dwi mor falch eich bod wedi gallu dod i fy ngweld yn graddio. Mi fûm mor lwcus i'ch cael chi'n diwtor. Dwi am ichi wybod mai chi oedd y rheswm wnes i ddewis astudio ieitheg. Mae eich brwdfrydedd dros ddeall sut mae iaith yn gweithio, eich agwedd drwyadl a chydweithredol at ymchwil, a'ch angerdd at addysgu, wedi fy ysbrydoli mewn sawl ffordd. Diolch am eich arweiniad a'ch doethineb, am fy

annog i ragori ar bob dyhead oedd gen i, ac am roi digon o le
ifi ymestyn fy syniadau fy hun. Chi yw'r athro gorau gefais i
erioed. Os galla i wneud chwarter yr hyn rydych chi wedi'i
gyflawni yn eich bywyd, bydda i'n ystyried fy mod wedi cael
cryn lwyddiant."

"Croeso, siŵr. Diolch iti am ddweud hynna. Dydw i ddim yn
gallu cofio'n rhy dda erbyn hyn, 'sti. Dwi'n falch y byddi di'n
cofio pethau fel yna amdana i."

Rhoddodd amlen wen yn ei llaw.

"Ylwch, dwi wedi sgwennu popeth ddywedais i ar y papur
yma, er mwyn ichi allu'i ddarllen wrth eich pwysau, a gwybod
beth roeddech chi'n ei olygu i fi hyd yn oed os na allwch chi
gofio."

"Diolch yn fawr."

Cydiai'r ddau yn eu hamlenni, y naill yn wen a'r llall yn goch,
â dwyfol barch a balchder.

Dynesodd fersiwn hŷn, a thrymach, o Dan atynt yng
nghwmni dwy ddynes, y naill yn hŷn o lawer na'r llall. Cariai'r
fersiwn hŷn a thrymach o Dan hambwrdd yn llawn gwin
pefriog mewn gwydrau main. Estynnodd y ddynes ifanc
wydryn i bob un ohonyn nhw.

"I Dan," meddai'r fersiwn hŷn a thrymach o Dan, gan godi'i
wydryn.

"I Dan," meddai pawb, gan glincio gwydrau ac yfed ohonynt.

"I ddechrau addawol," meddai Alys, "a gorffen mewn steil."

Cefnodd y ddau ar y pebyll a'r hen adeiladau brics a'r bobl
mewn gwisg ffansi a chapiau ac anelu at fan tawelach a llai
poblog. Gwaeddodd rhywun mewn gwisg ddu a rhedeg at
John. Arhosodd yntau a gollwng llaw Alys er mwyn cyfarch y
sawl a waeddodd. Cerddodd Alys yn ei blaen.

Am eiliad, oedodd Alys a dal llygaid dynes. Nid oedd hi'n adnabod y ddynes, roedd hi'n siŵr o hynny, ond roedd ystyr yn y cyfathrebu. Roedd gan y ddynes wallt melyn, ffôn wrth ei chlust, a sbectol fawr ar ei thrwyn. Roedd ei llygaid fel soseri ac yn llawn braw. Roedd y ddynes yn gyrru car.

Yna, tynhaodd clogyn Alys am ei gwddf, ac fe'i plyciwyd tuag yn ôl. Glaniodd yn drwm ac yn ddiamddiffyn ar ei chefn gan daro'i phen ar y palmant. Nid oedd ei gwisg a'i chap yn dda i ddim rhag caledwch y palmant.

"Sori, Ali, wyt ti'n iawn?" holodd dyn mewn clogyn pinc tywyll ar ei bengliniau yn ei hymyl.

"Nac ydw," meddai, gan godi ar ei heistedd a rhwbio cefn ei phen. Disgwyliai weld gwaed ar ei llaw, ond doedd dim.

"Gerddest ti ar dy ben i'r ffordd. Bu bron i'r car yna dy fwrw."

"Ydi hi'n ocê?"

Y ddynes yn y car oedd hi, ei llygaid fel soseri ac yn llawn braw.

"Ydi, rwy'n credu," meddai'r dyn.

"O, bobol bach, gallen i fod wedi'i lladd hi. Tasech chi heb ei thynnu'n ôl, falle bydden i wedi'i lladd hi."

"Wnaethoch chi mo'i lladd hi. Mae hi'n ocê, rwy'n credu."

Helpodd y dyn Alys i godi ar ei thraed. Archwiliodd ei phen.

"Rwyt ti'n iawn, rwy'n credu. Bydd dy ben di'n dost am rai dyddiau. Alli di gerdded?" gofynnodd.

"Gallaf."

"Alla i roi lifft ichi i rywle?" gofynnodd y ddynes.

"Na, mae'n iawn, diolch. Fyddwn ni'n iawn," meddai'r dyn.

Rhoddodd ei fraich o amgylch canol Alys, a'i law dan ei phenelin, a chafodd ei hebrwng adref gan y dyn, y dieithryn caredig hwnnw a achubodd ei bywyd.

Eisteddai Alys mewn cadair wen, fawr a chyfforddus yn dyfalu beth a ddangosai'r cloc ar y wal. Cloc efo bysedd a rhifau oedd hwn, a oedd yn anoddach o lawer i'w ddeall na'r math efo rhifau'n unig. *Pump falle?*

"Faint o'r gloch ydi hi?" gofynnodd i'r dyn a eisteddai yn y gadair wen, fawr arall.

Edrychodd ar ei arddwrn.

"Bron yn hanner awr wedi tri."

"Hen bryd i fi fynd adre, dwi'n meddwl."

"Rwyt ti gartre eisoes. Dyma dy gartre di ar y Cape."

Edrychodd o amgylch yr ystafell, ar y dodrefn gwyn, y lluniau o oleudai a thraethau ar y waliau, y ffenestri enfawr, y coed heglog y tu allan.

"Na, nid hwn ydi fy nhŷ i. Dydw i ddim yn byw fan'ma. Dwi isio mynd adre rŵan."

"Byddwn ni'n mynd yn ôl i Cambridge ymhen wythnos neu ddwy. Yma ar wyliau yden ni. Rwyt ti'n hoffi bod yma."

Ailgydiodd y dyn a eisteddai yn y gadair yn ei lyfr ac

ailddechrau yfed ei ddiod. Roedd y llyfr yn drwchus ac roedd ei ddiod yn felynfrown, fel lliw ei llygaid, ac roedd rhew ynddo. Roedd o'n mwynhau'r ddau beth, ei lyfr a'i ddiod.

Nid oedd y dodrefn gwyn, y lluniau o oleudai a thraethau ar y waliau, y ffenestri enfawr, y coed heglog y tu allan, yn edrych yn gyfarwydd iddi. Nid oedd y synau'n gyfarwydd iddi chwaith. Clywai adar, y math o adar a drigai ar lan y môr, clywai sŵn y rhew yn troelli ac yn tinclan yn y gwydr wrth i'r dyn yn y gadair yfed ei ddiod, sŵn y dyn yn anadlu drwy'i ffroenau wrth iddo ddarllen ei lyfr, a thician y cloc.

"Dwi'n meddwl imi fod yma'n ddigon hir rŵan. Dwi isio mynd adre."

"Rwyt ti gartre eisoes. Dy gartre gwyliau di yw hwn. Dyma lle rydyn ni'n dod i ymlacio a hamddena."

Nid oedd y lle yn edrych fel ei chartref hi, nac yn swnio fel ei chartref hi, a doedd hi ddim yn teimlo'n hamddenol iawn. Nid oedd y dyn a ddarllenai ac a yfai yn y gadair wen, fawr, yn gwybod dim. Efallai ei fod yn feddw.

Anadlai a darllenai ac yfai'r dyn, a thiciai'r cloc. Eisteddai Alys yn y gadair wen, fawr, yn gwrando ar amser yn cerdded ac yn gobeithio y deuai rhywun i fynd â hi adref cyn hir.

Eisteddai ar un o'r cadeiriau gwyn, pren, ar feranda yn yfed te ac yn gwrando ar gleber llyffantod a chreaduriaid bach y nos.

"Hei, Alys, rwy wedi ffeindio dy gadwyn di," meddai'r dyn a oedd piau'r tŷ.

Siglodd iâr fach yr haf ar gadwyn o flaen ei hwyneb.

"Nid fi piau honna. Un Mam ydi hi. Mae'n sbesial. Rhowch hi i gadw, dydyn ni ddim i fod i chwarae efo hi."

"Rwy wedi siarad â dy fam, ac mae'n dweud y galli di ei chael hi. Mae'n rhoi hon iti."

Astudiodd ei lygaid a'i geg a'i ystum, yn chwilio am ryw ddichell, rhyw gymhelliant. Ond cyn y gallai ei ddarllen yn iawn, tynnwyd ei sylw gan harddwch yr adenydd glas a chiliodd ei hamheuon.

"Ddywedodd hi y gallwn i ei chael hi?"

"Do."

Plygodd drosti o'r tu ôl a chlymodd hi am ei gwddf. Byseddodd y cerrig bach glas ar yr adenydd, y corff arian, a'r diemwntau ar y cyrn llachar. Teimlai'n gwbl hunanfodlon. *Bydd Anne mor genfigennus.*

Eisteddodd ar y llawr o flaen y drych hir yn y llofft lle cysgai, ac astudiodd ei hadlewyrchiad. Roedd gan y ferch yn y drych bantiau dyfnion, duon o dan ei llygaid. Roedd ei chroen yn llac a brycheulyd ac estynnai crychau o gorneli'i llygaid ac ar draws ei thalcen. Roedd angen twtio tipyn ar ei haeliau. Gwallt du oedd ganddi, a hwnnw'n britho. Edrychai'r ferch yn y drych yn hyll ac yn hen.

Byseddodd ei bochau a'i thalcen, gan deimlo'i hwyneb ar ei bysedd a'i bysedd ar ei hwyneb. *Nid fi ydi honna. Be sy'n bod ar fy wyneb i?* Roedd y ferch yn y drych yn codi'r felan arni.

Canfu'r bathrwm a'r swits golau. Yr un oedd yr adlewyrchiad yn nrych y bathrwm hefyd. Gallai adnabod ei llygaid brown melfedaidd, ei thrwyn, ei gwefusau, ond roedd popeth arall yng nghyfansoddiad ei hwyneb yn wrthun iddi, ac yn gwbl, gwbl anghywir. Byseddodd y drych. *Be sy'n bod ar y drychau hyn i gyd?*

Nid oedd y bathrwm yn gwynto'n iawn chwaith. Gorffwysai ysgol fechan, brws a thun ar ddalennau o bapur newydd ar y llawr y tu ôl iddi. Aeth ar ei chwrcwd ac arogli'r tun yn fanwl. Agorodd ef yn ofalus, dowciodd y brws ynddo a gwyliodd y paent gwyn trwchus yn diferu ohono.

Dechreuodd gyda'r drychau diffygiol, yr un yn y bathrwm a'r un yn y llofft lle cysgai. Canfu bedwar arall wedi hynny, a pheintiodd bob un yn wyn.

Eisteddai mewn cadair wen, fawr, ac eisteddai'r dyn a oedd piau'r tŷ yn y llall. Roedd y dyn a oedd piau'r tŷ yn darllen llyfr ac yn yfed diod. Roedd y llyfr yn drwchus ac roedd ei ddiod yn felynfrown, ac roedd rhew ynddo.

O'r bwrdd coffi, cododd lyfr mwy trwchus na'r un a ddarllenai'r dyn, a bodiodd drwyddo. Daliwyd ei sylw gan ddiagramau o eiriau a llythrennau a oedd yn arwain at eiriau a llythrennau eraill drwy gyfrwng saethau, sgwigls a lolipops. Wrth iddi bori drwy'r tudalennau, mynnai ambell air ei sylw – genynnau, ffosfforyleiddiad, morffemau, ffonoleg, demoniaid, byrhoedledd.

"Dwi'n credu 'mod i wedi darllen hwn o'r blaen," meddai Alys.

Edrychodd y dyn ar y llyfr yn ei llaw ac yna arni hi.

"Ti ysgrifennodd hwnna gyda fi. Fe ysgrifennon ni'r llyfr yna gyda'n gilydd."

Yn llawn amheuaeth, caeodd y llyfr a darllenodd y clawr glas sgleiniog. *O Foleciwlau i'r Meddwl* gan John Howland, Ph.D. ac Alys Howland, Ph.D. Edrychodd ar y dyn yn y gadair. *Fo ydi John.* Darllenodd y dudalen gynnwys. 'Tymer ac Emosiwn, Cymhelliant, Cynhyrfiad a Sylw, Cof, Iaith.' *Iaith.*

Agorodd y llyfr yn rhywle tua'r diwedd. 'Mae posibiliadau mynegiant yn ddi-ben-draw, a hwnnw, er iddo gael ei ddysgu, yn digwydd yn reddfol hefyd. Mae'n cynnwys semanteg, cystrawen, gramadeg, berfau afreolaidd a'r rheini'n gwbl ddiymdrech, yn ddiofyn, yn gyffredin i bawb.' Brwydrodd y geiriau a ddarllenai heibio'r mieri a'r chwyn a'r slwj yn ei meddwl nes cyrraedd llecyn glas dilychwin, nad oedd eto wedi'i feddiannu.

"John," meddai.

"Ie."

Dododd ei lyfr o'r neilltu a phwysodd ymlaen ar erchwyn ei gadair wen, fawr.

"Ysgrifennais y llyfr yma efo ti," meddai hi.

"Do, fe wnest."

"Dwi'n cofio. Dwi'n dy gofio di. Dwi'n cofio 'mod i'n arfer bod yn glyfar iawn."

"Oeddet, fe oeddet ti. Ti oedd y person clyfraf a gwrddais i erioed."

Roedd y llyfr trwchus â'r clawr glas sgleiniog yn cynrychioli cymaint o'r hyn ydoedd hi ers talwm. *Roeddwn i'n arfer gwybod sut mae'r meddwl yn trin iaith, a gallwn i gyfleu'r hyn a wyddwn. Roeddwn i'n arfer bod yn berson a wyddai lawer o bethau. Does neb yn gofyn fy marn nac yn gofyn am fy nghyngor mwyach. Mae'n chwith heb hynny. Roeddwn i'n arfer bod yn chwilfrydig ac yn annibynnol ac yn hyderus. Mae'n chwith peidio â bod yn sicr o bethau. Does dim tawelwch meddwl i'w gael drwy fod yn ansicr o bethau o hyd. Mae'n chwith heb y gallu i wneud pethau'n hawdd. Mae'n chwith peidio â bod yn rhan o'r hyn sy'n digwydd. Mae'n chwith heb fod neb yn gweld fy eisiau. Dwi'n gweld eisiau fy mywyd a'm teulu. Roeddwn i'n caru fy mywyd a'm teulu.*

Roedd hi eisiau dweud wrtho am bopeth a gofiai a phopeth a feddyliai, ond allai hi ddim cyfeirio'r holl atgofion a'r meddyliau hynny, a oedd yn cynnwys cymaint o eiriau, ymadroddion a brawddegau, heibio'r mieri a'r chwyn a'r slwj, yn seiniau clywadwy. Meddyliodd am yr hanfodion. Byddai'n rhaid bodloni ar hynny am y tro, a gadael y gweddill yn y llecyn glas dilychwin, yn dal eu gafael ar y tamaid tir a oedd ganddynt.

"Mae'n chwith hebdda i fy hun."

"Rwy inne'n ei gweld hi'n chwith hebddot tithe hefyd, Ali. Yn chwith iawn."

"Wnes i erioed fwriadu bod fel hyn."

"Rwy'n gwybod."

Eisteddai John wrth fwrdd hir, a chymerodd lymaid o'i goffi du. Edrychai a blasai'r coffi fel coes stôl, ond nid oedd damaid o ots ganddo. Nid ei yfed am ei flas yr oedd. Yfai'r coffi yn gynt o lawer pe gallai, ond roedd yn chwilboeth. Byddai angen dau neu dri chwpanaid arall arno i ddeffro'n iawn.

Roedd y rhan fwyaf yn prynu eu caffîn i'w gymryd gyda nhw ac yn prysuro ymaith. Nid oedd gan John gyfarfod am awr arall, ac nid oedd ganddo awydd cyrraedd y swyddfa'n gynnar y diwrnod hwnnw. Achubodd ar y cyfle i hamddena, bwyta'i sgon, yfed ei goffi a darllen y *New York Times*.

Agorodd y papur yn yr adran am iechyd i ddechrau, fel y gwnaethai â phob papur newydd a ddarllenodd ers blwyddyn a mwy, er bod y gobaith a ysgogodd yr arfer wedi hen ddarfod bellach. Pan ddarllenodd yr erthygl gyntaf ar y dudalen, powliodd y dagrau a cheulodd y coffi o'i flaen.

AMYLIX YN METHU

Yn ôl canlyniadau astudiaeth Cam III Synapson, nid oedd symptomau cleifion â chlefyd Alzheimer a gymerodd Amylix dros gyfnod o bymtheg mis fel rhan o arbrawf wedi sefydlogi o gwbl o gymharu â'r rhai a gymerodd dabledi ffug.

Cyfrwng dethol sy'n gostwng amyloid-beta yw Amylix. Gobeithiwyd y byddai'r cyffur arbrofol hwn yn atal y clefyd. Mae'n wahanol i'r cyffuriau sydd ar gael ar hyn o bryd i gleifion â chlefyd Alzheimer, gan mai arafu hynt y clefyd yn unig y mae'r rheini.

Nid oedd braidd dim sgileffeithiau i'r cyffur a gwnaeth yn arbennig o dda yng Ngham I a Cham II; roedd yn dangos cryn addewid ac roedd gobeithion mawr amdano. Ond ar ôl ychydig dros flwyddyn ar y tabledi, nid oedd gallu gwybyddol hyd yn oed cleifion a gymerai'r dos uchaf o Amylix yn gwella nac yn sefydlogi yn ôl y Raddfa Asesu Clefyd Alzheimer a'r sgorau ar y daflen Gweithgareddau Dyddiol. Dirywiodd y cleifion yn gyflym, yn unol â'r hyn sy'n arferol yn achos y clefyd.

EPILOG

Eisteddai Alys ar fainc yn ymyl y ddynes yn gwylio'r plant yn cerdded heibio. Nid plant chwaith. Nid y math o blant a oedd yn byw gartref gyda'u mamau. Beth oedden nhw? Plant canolig.

Astudiodd wynebau'r plant canolig wrth iddyn nhw basio. Difrifol, prysur. Pendrwm. Ar eu ffordd i rywle. Roedd meinciau eraill gerllaw, ond nid eisteddodd yr un o'r plant canolig arnyn nhw. Cerdded heibio a wnâi pawb, mynd yn fân ac yn fuan i ble bynnag yr oedd rhaid iddyn nhw'i gyrraedd.

Nid oedd rhaid iddi hi fynd i unman. Teimlai'n ffodus o hynny. Roedd hi a'r ddynes a oedd gyda hi yn gwrando ar ferch â gwallt hir iawn yn canu ac yn creu miwsig. Roedd llais swynol gan y ferch, a dannedd mawr hapus a sgert swmpus, flodeuog. Edmygai Alys y sgert yn fawr.

Hymiai Alys i'r gerddoriaeth. Roedd hi'n hoffi sŵn ei hymian yn gymysg â llais y ferch a ganai.

"Reit, Alys, bydd Lydia gartre toc. Wyt ti am dalu Sonia cyn inni adael?" gofynnodd y ddynes.

Roedd y ddynes yn sefyll, yn gwenu, ac yn cynnig pres.

Cododd Alys, a rhoddodd y ddynes y pres iddi. Gollyngodd Alys y pres yn yr het ddu ar y llawr wrth draed y ferch a ganai. Parhaodd y ferch i greu miwsig ond peidiodd â chanu am ennyd i siarad â nhw.

"Diolch, Alys, diolch Carol, wela i chi'n fuan!"

Wrth i Alys gydgerdded â'r ddynes ynghanol y plant canolig, ymbellhaodd y gerddoriaeth y tu ôl iddynt. Nid oedd Alys eisiau mynd adre, ond roedd y ddynes yn mynd, a gwyddai Alys yn reddfol y dylai fynd gyda hi. Roedd y ddynes yn siriol a charedig a gwyddai beth i'w wneud bob tro, ac roedd Alys yn gwerthfawrogi hynny.

Ar ôl cerdded am ychydig, gwelodd Alys y car clown coch, a'r car mawr paent ewinedd yn y lle parcio.

"Mae'r ddwy yma," meddai'r ddynes, yn edrych ar yr un ceir.

Teimlai Alys yn llawn cyffro, a brysiodd i'r tŷ. Safai'r fam yn y cyntedd.

"Daeth fy nghyfarfod i ben yn gynt nag y tybiais. Diolch am helpu," meddai'r fam.

"Dim problem. Rwy wedi dechrau cymoni'r gwely, ond chefais i ddim cyfle i orffen. Mae popeth yn dal yn y peiriant sychu," meddai'r ddynes.

"Iawn, fe sortia i hynny."

"Fe gafodd hi ddiwrnod da arall."

"Dim crwydro?"

"Na, dim o gwbl. Mae'n fy nilyn fel cysgod nawr, yn dwyt ti, Alys?"

Gwenodd y ddynes, gan amneidio'n frwd. Gwenodd Alys ac amneidiodd arni hithau. Doedd ganddi ddim syniad â beth y cytunai, ond roedd popeth yn iawn os oedd y ddynes yn fodlon.

Dechreuodd y ddynes hel llyfrau a bagiau at ei gilydd wrth y drws ffrynt.

"A yw John yn dod yfory?" gofynnodd y ddynes.

Dechreuodd babi nadu yn rhywle o'r golwg, a diflannodd y fam i ystafell arall.

"Nac ydi, ond byddwn ni yma," atebodd llais y fam.

Dychwelodd y fam â babi mewn gwisg las yn ei chôl, gan blannu cusanau ar ei war. Roedd o'n dal i grio, ond ddim cymaint. Sodrodd y fam y peth sugno yng ngheg y babi.

"Dyna ti, pwt. Diolch o galon iti, Carol. Rwyt ti'n werth y byd. Joia'r penwythnos, a welwn ni di fore Llun."

"Wela i chi ddydd Llun. Hwyl, Lydia!" gwaeddodd y ddynes.

"Hwyl, a diolch, Carol!" gwaeddodd llais o grombil y tŷ.

Cyfarfu llygaid mawr crynion y babi lygaid Alys, a gwenodd arni wrth iddo'i hadnabod. Gwenodd Alys yn ôl arno, a chwarddodd y babi'n uchel. Syrthiodd y peth sugno i'r llawr. Cyrcydodd y fam i'w godi.

"Hoffech chi afael ynddo am funud, Mam?"

Estynnodd y fam y babi i Alys, a nythodd yn gyffyrddus yn ei breichiau ac ar ei harffed. Dechreuodd ymbalfalu am ei hwyneb. Roedd o wrth ei fodd yn gwneud hyn, ac roedd Alys yn hoffi hynny. Bachodd ei gwefus isaf. Cogiodd hithau gnoi a bwyta gan wneud synau anifeiliaid gwyllt. Chwarddodd, gan fachu'i thrwyn. Sniffiodd hithau ac esgus tisian. Estynnodd am ei llygaid. Caeodd nhw rhag iddi gael prociad, a smiciodd ei hamrannau er mwyn ei oglais. Symudodd ei law i fyny'i thalcen a bachu'i gwallt, a thynnu nerth ei ddwrn bach pitw. Datgysylltodd hithau'r bysedd busneslyd, a rhoi ei mynegfys yn ei ddwrn yn lle'r gwallt. Canfu ei chadwyn.

"Sbia ar yr iâr fach yr haf bert."

"Peidiwch â gadael iddo roi honna yn ei geg!" siarsiodd y fam, a oedd yn cadw llygad arnyn nhw, ond o ystafell arall.

Nid oedd Alys yn bwriadu gadael i'r babi fwyta'i chadwyn, a

theimlai iddi gael bai ar gam. Cerddodd draw i'r ystafell lle'r oedd y fam. Roedd yn llawn geriach babis a phob math o bethau lliw partïon pen-blwydd arnyn nhw oedd yn bipian ac yn suo ac yn siarad pan fyddai'r babis yn chwarae efo nhw. Roedd Alys wedi anghofio mai dyma'r ystafell lle'r oedd y pethau swnllyd. Roedd ar fin gadael cyn i'r fam awgrymu ei bod yn rhoi'r babi yn un o'r pethau. Ond roedd yr actores yno hefyd, ac roedd Alys eisiau bod yn eu cwmni.

"Ydi Dad yn dod y penwythnos yma?" holodd yr actores.

"Na, allith o ddim. Wythnos nesa falle. Alla i adael nhw efo ti a Mam am ychydig? Dwi isio mofyn neges o'r siop. Dylai Allison gysgu am awr dda arall."

"Cei, wrth gwrs."

"Fydda i ddim yn hir. Ydech chi isio rhywbeth?" gofynnodd y fam wrth iddi adael.

"Mwy o hufen iâ. Rhywbeth siocled!" gwaeddodd yr actores.

Canfu Alys degan meddal heb fotymau swnllyd ac eisteddodd tra oedd y babi yn mwytho'r tegan. Aroglodd y gwallt sidanaidd ar ei gorun, a gwyliodd yr actores yn darllen. Cododd yr actores ei phen.

"Mam, ylwch, dwi'n gweithio ar fonolog ar gyfer y dosbarth. Ydych chi'n fodlon gwrando arna i'n ei chyflwyno a dweud beth ydych chi'n ei ddeall? Nid y stori, mae honno'n rhy hir. Does dim rhaid ichi gofio geiriau, jyst dweud wrtha i beth yw'r emosiwn rydych chi'n ei deimlo. Pan fydda i wedi gorffen, dywedwch sut deimlad gawsoch chi. Iawn?"

Amneidiodd Alys, a dechreuodd yr actores. Gwyliodd Alys, a gwrandawodd yn astud gan hoelio'i sylw ar bethau y tu hwnt i eiriau. Gwelodd y taerni yn ei llygaid, y chwilio, yr ymbilio am wirionedd. Gwelodd y tynerwch a'r gwerthfawrogiad pan ganfu ef. Teimlai ei llais yn betrus ac yn ofnus i ddechrau. Yn araf, ond heb godi dim, aeth ei llais yn fwy hyderus ac yna'n llawen, gan ddawnsio weithiau fel alaw dlos. Ymlaciai ei haeliau a'i hysgwyddau ac agorai ei dwylo wrth ofyn am gydnabyddiaeth ac wrth gynnig maddeuant. Creodd ei llais a'i chorff fôr o egni a lifodd at Alys gan ei llenwi a thynnu dagrau. Gwasgodd y babi bychan at ei bron, a chusanodd ei sidanwallt pêr.

Gorffennodd yr actores yr hyn a wnâi, a daeth yn ôl i'w chorff ei hun. Edrychodd ar Alys, a disgwyl.

"Wel, beth oeddech chi'n ei deimlo?"

"Cariad. Am gariad roeddet ti'n sôn."

Chwarddodd yr actores, rhuthrodd at Alys a'i chusanu. Pefriai llawenydd o bob crych o'i hwyneb.

"Ddywedais i'n iawn?" gofynnodd Alys.

"Do, Mam, yn hollol, hollol iawn."

Ôl-nodyn

Ffug yw'r disgrifiad o'r cyffur Amylix sy'n rhan o dreial clinigol yn y llyfr hwn. Y mae, serch hynny, yn debyg i gyfansoddion go iawn mewn datblygiadau clinigol sy'n ceisio lleihau lefelau dethol o amyloid-beta 42. Yn wahanol i'r cyffuriau sydd eisoes ar gael, gobeithir y bydd y cyffuriau hyn yn atal datblygiad clefyd Alzheimer. Mae'r holl gyffuriau eraill a nodir yn rhai go iawn, ac roedd eu defnydd a'u heffeithiolrwydd wrth drin clefyd Alzheimer yn gywir ar adeg ysgrifennu'r llyfr gwreiddiol.

Am ragor o wybodaeth am glefyd Alzheimer a threialon clinigol, ewch i https://www.alz.org/alzheimers-dementia/research_progress/clinical-trials/about-clinical-trials